満点獲得！

看護師国試 完全予想模試

2025年版

藤田医科大学
教授
藤原郁／藤田医科大学
准教授
皆川敦子 ●編著

成美堂出版

はじめに

　看護師国家試験は、毎年2月中旬に実施され、翌月の3月下旬に合格発表が行われます。

　看護師の資格は、将来を見据えて自分で取得するものです。努力してきた結果得られる、大きな自分へのご褒美です。合格した時の喜びを想像してみてください。その喜びは、皆さんを支えてくださった方々にも大きな幸せを与えることでしょう。

　国家試験の勉強は進んでいますか。ここ数年は、今、医療現場でも問題となっている医療安全や感染など、患者の安全・安楽を守る技術やフィジカルアセスメント、看護倫理、看護管理、災害看護に関する出題が増えています。また、過去に出題されている基本的な問題を、違う角度から問う問題も出題されています。基本的な知識を身につけることが大切です。

　出題の形式をみてみると、直接数字を解答する非選択式問題が、確実に学力を評価する問題として定着し、毎年1、2問がコンスタントに出題されています。また、問題文の中に（　　　　）を用いて、当てはまる用語を選択肢から選ぶという出題方法の問題もあります。今後も出題の可能性はありますので慣れておきましょう。

　本書は、こうした新傾向の問題も数多く掲載しています。過去問題を発展させた問題や、これまで出題率が低かった問題も、今後の出題を想定して幅広く取り上げています。また、令和4年4月に発表された「保健師助産師看護師国家試験出題基準 令和5年版」に沿った問題となっています。

　本書の問題を繰り返し解くことで、必要な知識を補ったり、苦手分野を把握したりすることができます。ただ問題を解いて答え合わせをするだけではなく、誤りの選択肢を正しい文章に直し、新しい知識として定着させられるように、本書をフル活用してください。

　最後に、本書が皆さんの国家試験対策に有効なものであること、3月の合格発表で皆さんの弾けるような笑顔がみられることを願っています。

　　令和6年8月

藤田医科大学保健衛生学部看護学科

教授　藤原 郁

准教授 皆川 敦子

看護師国試 満点獲得！完全予想模試 2025 年版
目　次

模擬試験

（第一回午前、午後、第二回午前、午後で、それぞれ取り外すことができます）

解答・解説編

※ 本書は、原則として 2024 年 8 月 1 日現在の情報に基づき編集しています。

本書の特徴

本書は、看護師国家試験の出題傾向を踏まえたオリジナルの模擬試験問題を、2回分収録しています。

特徴1 たっぷり480問の問題数！

　試験勉強のラストスパートの時期は、とにかく問題をたくさん解くことが重要です。本書では、午前と午後で各120問を2回分、合計480問の質の高い問題を掲載しています。繰り返し解くことで実力がつきます。

特徴2 制限時間の目安がわかる！

　問題の右端に、解答の制限時間を載せています。本試験の制限時間は、午前、午後ともに2時間40分。本書の制限時間で解いていくと、予備時間が残りますので、その時間は見直しの時間に利用しましょう。

はどれか。　　　　　　　制限時間 **70**秒

ている。

自己決定権」を表す言葉である。

　　　　　　　　　　　制限時間 **60**秒

一現象

特徴3 絞り込んだ傾向と対策！

　必修問題、一般問題、状況設定問題について、出題の傾向と対策を簡潔にまとめています。押さえておくべきポイントを掲載していますので、問題を解く前に目を通しておいてください。

目標Ⅰ 健康および看護における社会的・倫理識を問う。

　「健康の定義と理解」からは、毎年、数字の問題が出題さ概要など、最新の『国民衛生の動向（厚生労働統計協会）』医療保険制度や介護保険制度など、関連する法律も覚えてお

目標Ⅱ 看護の対象および看護活動の場と看護識を問う。

　「人間の特性」からは、基本的欲求などが出題されていますいますので、「看護活動の場」のしくみについても確認して

特徴4 出題基準に対応！

　令和4年に新しい出題基準が発表されました。本書は、問題、解答、解説とも、新基準に沿って作られています。

特徴5 マークシート答案用紙付きで便利！

　各模擬試験の最終ページに、マークシートの答案用紙が付いています。実際にマークシートを塗りつぶして、試験の解答形式に慣れておきましょう。答案用紙はコピーをして、少なくとも2回は解くようにしましょう。

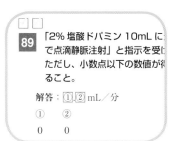

特徴6 非選択式形式問題にも対応！

　直接数字を選んで解答する、非選択式形式の問題が、毎年出題されています。本書では、この形式の問題にもしっかり対応しています。

特徴7 問題冊子が取り外せて使いやすい！

　第一回の午前、午後、第二回の午前、午後と、それぞれの問題冊子を取り外して使用することができます。1冊ずつ取り外して、本試験のつもりで、挑戦してみましょう。

特徴8 選択肢ごとに解説！ アイコンも付いてわかりやすい！

　解答・解説編では、○×の解答だけではなく、基本的に選択肢ごとに解説を載せています。問題を解き終わった後に、しっかり確認しておいてください。また、頻出度・難易度をA～C段階で表し、5肢問題、非選択式形式問題、ひっかけ・頻出のアイコン付で、ポイントがつかみやすくなっています。

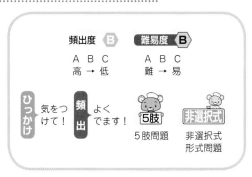

傾向と対策

　看護師国家試験の制限時間は午前と午後でそれぞれ2時間40分です。単純に計算すると1問題あたり1分30秒の解答時間がありますが、これでは見直しもできず、余裕がありません。1問題あたり1分強の速度を日ごろの学習時から体で覚える訓練をしておくことが肝要です。

　必修問題、一般問題、状況設定問題のそれぞれの出題傾向と対策を以下にまとめていますので、参考にしてください。なお、出題基準は、令和4年に発表されたものに則っています。厚生労働省のホームページに掲載されているので、確認しておきましょう。

必修問題

　必修問題は、基本的知識および技術の重要性から、基本的な事項を問う問題を中心に広範囲から出題されます。初めに看護師国家試験出題基準を確認してください。項目数がかなり多いので、**看護活動の場や基本的看護技術の知識**にも注目してください。例年、午前・午後で各25問、計50問が出題されていて、次回も同じように出題される予定です。必修問題で8割以上を正解していないと、一般問題や状況設定問題が高得点でも不合格の可能性があるので注意してください。

目標I 健康および看護における社会的・倫理的側面について基本的な知識を問う。

　「健康の定義と理解」からは、毎年、数字の問題が出題されています。人口や世帯数、死因の概要など、最新の『国民衛生の動向（厚生労働統計協会)』で確認しておいてください。また、医療保険制度や介護保険制度など、関連する法律も覚えておきましょう。

目標II 看護の対象および看護活動の場と看護の機能について基本的な知識を問う。

　「人間の特性」からは、基本的欲求などが出題されています。地域や在宅での看護も増えてきていますので、「看護活動の場」のしくみについても確認しておきましょう。

目標III 看護に必要な人体の構造と機能および健康障害と回復について基本的な知識を問う。

　出題範囲が広く出題数も多いところです。自分のノートを作成するなどして覚えるようにしてください。「主要な症状と徴候」は基本的なことが出題されますので、必ず押さえてください。「薬物の作用とその管理」も確認しておきましょう。

目標IV 看護技術に関する基本的な知識を問う。

　「看護における基本技術」をはじめ、全体にわたって幅広い問題が出題される傾向にあります。「患者の安全・安楽を守る介護技術」の中の、感染防止対策についても基本をしっかり押さえておきましょう。

一般問題は出題問題数全体の半数以上を占めています。そのうち「人体の構造と機能」、「疾病の成り立ちと回復の促進」、「健康支援と社会保障制度」で約3割弱が出題されています。これらは、看護職が、地域で暮らす人の健康の保持・増進、健康破綻の回復の促進を考え、人間を理解する基本の部分です。第113回の国試では、「人体の構造と機能」から多く出題され、難度が高い問題も出題されました。各看護学分野は看護職の専門分野ですので、出題数全体の半数以上を占めていることは当然でしょう。各分野の特徴をみていきましょう。

1．人体の構造と機能

看護を学ぶ上で基礎となる分野です。2の「疾病の成り立ちと回復の促進」と合わせて出題数が増加傾向にあります。また、「神経系」、「循環器系」、また「内分泌系」は、人間の身体の構造や機能の大事な部分であり、外せない分野です。しっかり学習しておきましょう。

2．疾病の成り立ちと回復の促進

この分野は、薬物療法に対する理解についてさらに強化されました。また、感染症疾患について、項目が新設されています。その年によって出題数にばらつきがありますが、1の「人体の構造と機能」と合わせて増加傾向にあります。疾病の特性についても理解しておきましょう。

3．健康支援と社会保障制度

生活者の健康と生活を守る分野ですから「社会保険制度の基本」は外せません。医療保険制度、介護保険制度に関連した内容の学習は必要です。また、虐待に関する法律など「社会福祉に関する法や施策」に関する出題も増えてきています。

4．基礎看護学

基礎看護学は看護学分野の中心的基礎領域であり、看護の基礎を学ぶところですから、出題数も多くなります。毎年、20題前後出題されています。当然のことながら「看護における基本技術」、「基本的日常生活援助技術」、「診療に伴う看護技術」の問題が大半を占めています。

5．成人看護学

成人看護学は、基礎看護学と並んで出題数の多い分野で、毎年、20題前後出題されています。人間の身体の解剖生理、病態生理が理解できていないと解答できず、多くの問題を落とす結果を招く恐れがあります。1の「人体の構造と機能」の分野をしっかり押さえておかないと看護過程の展開ができにくいでしょう。専門基礎分野がいかに重要な部分であるかを認識させられる領域です。

6．老年看護学

高齢者の特徴をつかみ、高齢者にどのような看護が求められるのかを考えながら、認知症、骨折、虐待、誤嚥性肺炎等や老年期に係る諸制度、施策を整理しておくとよいでしょう。

7．小児看護学

　小児看護学では小児期の成長発達段階の理解が重要です。小児期に多くみられる心疾患、腎疾患、感染症は学習しておきましょう。子どもの人権や、慢性的な疾患・障害を持つ子どもとその家族の看護および在宅における子どもと家族の看護についても肝要です。また、予防接種に関する知識も備えておきましょう。

8．母性看護学

　妊娠期、分娩期、産褥期の正常な経過および新生児期の看護を理解することが大切です。また、母子保健の動向（合計特殊出生率など）や「子育て支援に関する施策の活用」等も把握しておくことが大切です。

9．精神看護学

　精神の疾患・症状は多く、そのため問題の内容も多数にわたっていますが、中でもアルツハイマー型認知症、てんかん、統合失調症、躁うつ病は最低限押さえておきましょう。さらに、精神症状の理解と看護、ストレス反応とそれに伴う障害について、危機介入、精神保健制度等についても整理しましょう。社会的資源の活用についても確認しておきましょう。

10．地域・在宅看護論

　「看護師国家試験の試験科目を改正する省令」が施行されて、科目名は「地域・在宅看護論」となりました。地域・在宅看護におけるサービス体系に関する問題や、在宅看護の実践に関する基本、地域包括ケアシステムの位置づけなど、地域における看護の役割や多職種連携について、押さえておくようにしましょう。

11．看護の統合と実践

　基礎分野、専門基礎分野、専門分野で学修した知識や技術をすべて統合し、卒業後に臨床現場にスムーズに適応できるようにするという意図で設定された科目です。チーム医療及び他職種との協働、看護師としてのメンバーシップやリーダーシップ、医療安全や危機管理、災害時の看護、国際看護等、国家試験の出題基準をチェックしておきましょう。

状況設定問題

　状況設定問題は医学知識と看護の知識が問われます。また、状況設定文を読んだうえで状況を理解する能力と全体を把握する能力も問われ、看護学実習で体得した実習体験が効果を発揮する部分です。過去には出題が多かった5肢2択問題ですが、第113回の国試では、1問のみとなっていました。配点が1問2点の状況設定問題は、総合得点で合否の境目のカギを握るといえるでしょう。

模擬試験①

午前 （9時50分〜12時30分）

<注意事項>

1. 試験問題の数は120問で解答時間は正味2時間40分である。

2. 解答方法は次のとおりである。

　　各問題には1から4までの4つの選択肢、もしくは1から5までの5つの選択肢があるので、そのうち質問に適した選択肢を、質問に応じて1つあるいは2つ選び、答案用紙に記入すること。

　　なお、1つ選ぶ質問に2つ以上解答した場合は誤りとする。2つ選ぶ質問に1つ又は3つ以上解答した場合は誤りとする。

※以上の注意事項は、第113回の看護師国試を参考に作成しております。

※答えは、この問題冊子の末尾にある答案用紙に記入してください。

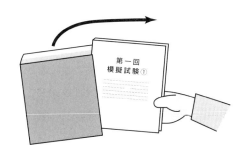

矢印の方向に引くと問題冊子が取り外せます。➡

成美堂出版

1 日本の令和4年（2022年）における年齢別人口について正しいのはどれか。

1．現在の人口ピラミッドはつりがね型となっている。
2．生産年齢人口の構成割合は低下が続いている。
3．老年人口とは75歳以上の人口である。
4．老年人口の構成割合は59.4%である。

2 患者の権利について正しいのはどれか。

1．患者の権利を守ることをアドボカシー〈権利擁護〉という。
2．アメリカで発令された「患者権利章典」は患者や社会市民が患者の権利を明らかにしたものである。
3．日本における患者の権利宣言が示されたのは昭和50年（1980年）である。
4．患者に判断能力がない場合は、治療は医師が決定する。

3 養成制度について正しいのはどれか。

1．通信制の2年課程に進学できるのは、准看護師の資格をもち、5年以上の実務経験をもった准看護師である。
2．保健師・助産師になるためには看護師国家試験に合格しなければならない。
3．看護師の国家試験受験資格は厚生労働大臣が指定した学校において3年以上必要な学科を修めたものである。
4．保健師の修業年限は6か月である。

4 ナースセンターについて正しいのはどれか。

1．都道府県ナースセンターは各県の看護協会会長が指定する。
2．都道府県ナースセンターは保健師助産師看護師法に規定されている。
3．中央ナースセンターは全国で数か所しかなく、都道府県知事が指定する。
4．ナースセンターは公共職業安定所との密接な連携が必要である。

5 マズローの基本的欲求5段階で（　）に当てはまるのはどれか。
Maslow, A. H.

制限時間 60秒

1．所属・愛の欲求
2．自尊の欲求
3．安全の欲求
4．自己実現の欲求

（ピラミッド図：生理的欲求）

---

6 性分化異常ではないのはどれか。

制限時間 70秒

1．精巣性女性化症候群
　testicular feminization syndrome
2．副腎性器症候群
　adrenogenital syndrome
3．X連鎖劣性遺伝病
　X-linked recessive disorder
4．真性半陰陽
　true hermaphroditism

---

7 幼児期の身体の発育で正しいのはどれか。

制限時間 70秒

1．体重が2倍になるのは生後6か月である。
2．大泉門は1歳6か月で閉鎖する。
3．乳歯は生後10か月頃から生え始める。
4．身体的発育の評価方法にローレル指数を用いる。

---

8 チーム医療について適切なのはどれか。

制限時間 70秒

1．複数の患者を1つのチームとして考え、医療従事者がケアするものである。
2．チーム医療には患者の生活面の情報は必要ない。
3．チーム医療での治療計画の作成等に関しては、患者や家族の参加は認めない。
4．チームはその目的によってさまざまな専門職が連携して展開する。

9 口蓋についての説明で適切なのはどれか。 制限時間 **80**秒

1．舌の下部に位置する。

2．口腔と鼻腔を隔てる。

3．前 2/3 は筋肉性である。

4．口蓋垂は硬口蓋の中央に位置する。

---

10 脊柱が前彎している部位はどれか。 制限時間 **80**秒

1．頭頂部

2．胸部

3．腰部

4．仙骨部

---

11 脳死判定の際に確認する事項で**適切でない**のはどれか。 制限時間 **70**秒

1．深昏睡

2．呼吸停止

3．瞳孔散大と固定

4．脳幹反射の消失

---

12 便秘の原因について適切なのはどれか。 制限時間 **80**秒

1．弛緩性便秘は、ストレスや副交感神経の過緊張による腸管への影響から生じる。

2．器質性便秘は、食物繊維不足や運動不足による腸蠕動の低下から生じる。

3．直腸性便秘は、便意を我慢することや緩下剤の乱用で生じる。

4．痙攣性便秘は、腸管の狭窄や閉塞が原因となって生じる。

13 下血について適切なのはどれか。

1．下血とは、消化管からの出血を肛門から排出することをいう。
2．上部消化管からの出血による下血では鮮血便がみられる。
3．大腸や肛門に近い部位からの出血ではタール便となる。
4．下血がみられても、特に安静にする必要はない。

14 生活習慣病の一次予防はどれか。

1．健康教育
2．スクリーニング検査
3．がん検診
4．機能回復訓練

15 空気感染するのはどれか。

1．破傷風
　　tetanus
2．B型肝炎ウイルス
3．麻　疹
　　measles
4．マラリア
　　malaria

16 糖尿病の確定診断ができる血液生化学検査の項目はどれか。
diabetes mellitus

1．間接ビリルビン
2．Hb
3．HbA1c
4．Alb

17 副腎皮質ステロイド薬の副作用で正しいものはどれか。

制限時間 **60**秒

1．低血圧
2．骨粗鬆症
　　osteoporosis
3．下　痢
4．食欲低下

18 廃用症候群の予防策として正しいのはどれか。
disuse syndrome

制限時間 **70**秒

1．他動運動
2．ベッド柵の使用
3．関節可動域測定
4．スタンダードプリコーション

19 支持基底面が最も小さい体位はどれか。

制限時間 **70**秒

1．仰臥位
2．側臥位
3．砕石位
4．端座位

20 転倒を予防するための環境整備として**適切でない**のはどれか。

制限時間 **80**秒

1．障害物を除去する。
2．段差の解消。
3．室内に直射日光を当てる。
4．衝撃吸収材の床を使用する。

21 エタノールと同じ効果になる消毒薬はどれか。

制限時間 80秒

1．フタラール
2．ポビドンヨード
3．グルタラール
4．ベンザルコニウム塩化物

---

22 経鼻胃管の先端が胃内に留置されていることを確認する方法はどれか。

制限時間 80秒

1．口腔内を観察する。
2．胃管の固定が適切かを確認する。
3．胃管に水を注入する。
4．吸引される内容物が胃液であることを確認する。

---

23 酸素ボンベの取り扱いで**誤っている**のはどれか。

制限時間 70秒

1．酸素ボンベの酸素残量は圧力計の示す値で確認する。
2．酸素ボンベに酸素流量計を取り付けるときは、酸素ボンベを床に垂直に置いて取り付ける。
3．酸素ボンベは絶対にＭＲ室へもち込んではいけない。
4．酸素ボンベの保管場所は火気厳禁とする。

---

24 日本の令和４年（2022年）における死因順位の第３位はどれか。

制限時間 80秒

1．心疾患
　　heart disease
2．悪性新生物
　　malignant neoplasm
3．脳血管疾患
　　cerebrovascular disease
4．肺　炎
　　pneumonia
5．老　衰

25 成人の静脈血採血の方法で正しいのはどれか。 制限時間 60秒

1．採血によく使われる静脈のひとつに肘正中皮静脈がある。

2．通常18Gの注射針が用いられる。

3．駆血帯を巻いている時間は5分以内とする。

4．血液を採取したら、採血管をホルダーから除去する前に駆血帯を外す。

5．針を抜いてから1分程度の圧迫止血を行う。

26 交感神経系の作用で正しいのはどれか。 制限時間 80秒

1．血液中のグルコースを増加させる。

2．気管支を収縮させる。

3．瞳孔を収縮させる。

4．腎臓には作用しない。

27 安静時に肺で酸素化されたヘモグロビンは pH 7.4、血液温 36℃、CO_2 分圧 46 mmHg、O_2 分圧 40 mmHg の末梢血では何％ぐらいの酸素飽和度になるか。 制限時間 70秒

1．98％

2．85％

3．75％

4．50％

28 食道と胃の構造で正しいのはどれか。 制限時間 70秒

1．食道には起始部と横隔膜貫通部の2か所に生理的狭窄部がある。

2．食道壁は内側から外側に向かい、粘膜・筋層・漿膜の3層からなっている。

3．胃の噴門周囲には噴門腺が存在し、胃液の大部分を分泌している。

4．胃の筋層は3層の平滑筋で構成されている。

29 体温について正しいのはどれか。 制限時間 70秒

1．体温は1日の中で昼に最高となる。

2．性周期においては卵胞期に体温が上昇する。

3．体温の変動を防ごうとする行動をフィードフォワード機構という。

4．体温調節中枢は視床下部にある。

30 間質性肺炎の患者でみられる所見はどれか。 制限時間 60秒
interstitial pneumonia

1．口すぼめ呼吸

2．捻髪音

3．濁　音

4．樽状胸郭

31 不整脈で緊急処置を要するのはどれか。 制限時間 70秒
arrhythmia

1．心室性期外収縮
ventricular premature contraction

2．心房細動
atrial fibrillation

3．Ⅱ度房室ブロック
second degree atrioventricular block

4．心室頻拍
ventricular tachycardia

32 心タンポナーデの患者の特徴で正しいのはどれか。 制限時間 60秒
cardiac tamponade

1．静脈圧の低下

2．血圧の上昇

3．脈圧の増加

4．奇脈の出現

33 タンパク質の変化で、浮腫の症状が出現するのはどれか。  制限時間 **70**秒

1．血漿中アルブミンの増加
2．尿中アルブミンの増加
3．血漿中γグロブリンのIgE増加
4．血漿中γグロブリンのIgG増加

34 播種性血管内凝固〈DIC〉の血液検査所見で認められるのはどれか。 制限時間 **60**秒
disseminated intravascular coagulation

1．血小板数の増加
2．プロトロンビン時間の短縮
3．活性化部分トロンボプラスチン時間の延長
4．フィブリン分解産物の減少

35 法律と交付される手帳の組合せで正しいのはどれか。 制限時間 **70**秒

1．母体保護法 ——————————— 母子健康手帳
2．身体障害者福祉法 ——————— 身体障害者手帳
3．生活保護法 ——————————— 健康手帳
4．障害者基本法 ————————— 精神障害者保健福祉手帳

36 感染症の予防及び感染症の患者に対する医療に関する法律〈感染症法〉で定める 制限時間 **70**秒
組合せで正しいのはどれか。

1．1類感染症 —— エボラ出血熱、コレラ
　　　　　　　　ebola hemorrhagic fever　cholera
2．2類感染症 —— 結核、破傷風
　　　　　　　　tuberculosis tetanus
3．4類感染症 —— 細菌性赤痢、後天性免疫不全症候群
　　　　　　　　bacillary dysentery　acquired immunodeficiency syndrome
4．5類感染症 —— B型肝炎、麻疹
　　　　　　　　hepatitis B　measles

37 地域保健法に基づく保健所の業務について**誤っている**のはどれか。　　制限時間 70秒

1．エイズの予防
2．環境衛生
3．人口動態統計
4．要介護認定

38 看護の理論について、正しいのはどれか。　　制限時間 70秒

1．ヘンダーソンは人間のニードに基づく 21 の看護の問題を示した。
　　Henderson, V. A.
2．オレムは適応モデルを示した。
　　Orem, D. E.
3．ロイはセルフケアを理論として示した。
　　Sr. Roy, C.
4．レイニンガーは文化ケア理論を示した。
　　Leininger, M. M.

39 専門看護師について適切なのはどれか。　　制限時間 70秒

1．看護系大学院修士課程修了者であることが求められる。
2．実務研修が通算 7 年以上、5 年以上は専門看護分野の経験が必要である。
3．看護の現場において、実践・指導・相談の役割を果たす。
4．資格取得後は 3 年ごとの更新が必要である。

40 呼吸音の聴取において、「ブクブク」という低く水をはじくような音が聴こえる副雑音はどれか。　　制限時間 70秒

1．高調性連続性副雑音
2．低調性連続性副雑音
3．細かい断続性副雑音
4．粗い断続性副雑音

41 チューブ・ライントラブルの対策として適切なのはどれか。 制限時間 **70**秒

1．チューブ類の留置時は、抜けかけたときすぐにわかるようマーキングしておく。

2．患者が気管内チューブを抜去した場合は、看護師が直ちに挿入し直す。

3．膀胱内留置カテーテルの導尿チューブは蓄尿バッグより下にする。

4．複数のチューブ・ラインがある場合は、観察しやすいよう一つに束ねる。

□ □

42 レム睡眠について正しいのはどれか。 制限時間 **60**秒

1．急速眼球運動を伴う睡眠である。

2．レム睡眠は4つの段階に分けられる。

3．大脳を休ませて回復させるという重要な役割をもつ。

4．成人では、全睡眠時間の70〜80％程度を占める。

□ □

43 褥瘡経過評価用スケールはどれか。 制限時間 **70**秒

1．ブレーデンスケール〈Braden Scale〉

2．K式スケール〈金沢大学式〉

3．OHスケール（大浦・堀田ら）

4．DESIGN-R分類

□ □

44 創傷部位のテープのはがし方で皮膚への負担が最も少ないのはどれか。 制限時間 **80**秒

1.   2.   3.   4.

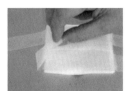

※本試験では、カラー写真で出題される場合があります。

45 壮年期の特徴はどれか。

制限時間 60秒

1．周波数の低い音の弁別力が低下する。

2．小さな文字がみえづらくなる。

3．瞬発力、柔軟性の身体能力が最も高い時期となる。

4．流動性知能、結晶性知能がともに低下する。

46 ハヴィガースト，R. J. による青年期の発達課題はどれか。
Havighurst, R. J.

制限時間 70秒

1．一定の経済的生活水準を築き、それを維持すること

2．社会的に責任のある行動への努力

3．配偶者との幸福な生活

4．仲間と交わることの学習

47 職業性疾患とその原因の組合せで正しいのはどれか。

制限時間 70秒

1．頸肩腕障害 ── 急激な気圧の低下

2．感音性難聴 ── 高周波の強い騒音

3．じん肺 ── 有機溶剤の長期使用
　　pneumoconiosis

4．振動障害 ── 異常乾燥条件での作業
　　vibration disease

48 情動中心型コーピングの行動はどれか。

制限時間 70秒

1．問題から逃避する。

2．問題となっていることに詳しい他者から、具体的な助言を求める。

3．問題を明確にする。

4．自分自身が変わることで、状況に適応する。

49 リハビリテーションの対象となる患者の説明で正しいのはどれか。　　制限時間 **60**秒

1．活動耐性が低下している患者も対象となる。
2．急性期の患者に対して行われるリハビリテーションの目標は、日常生活の拡大である。
3．患者の機能障害が重度である場合、対象とはならない。
4．ターミナル期の患者は対象とはならない。

50 呼吸のメカニズムで正しいのはどれか。　　制限時間 **80**秒

1．細気管支はガス交換に関与する。
2．予備呼気量は予備吸気量より大きい。
3．胸腔内圧は、呼気時のほうが陰圧が高まる。
4．交感神経が優位になると気管支平滑筋が弛緩する。

51 左橈骨動脈からの経皮的冠動脈形成術（PCI）終了後、穿刺部を圧迫固定した。　　制限時間 **80**秒
術中大きな変化はなく終了。Aさんへの説明で正しいのはどれか。

1．「明日まではベッド上で安静となります」
2．「本日は絶食で過ごしてもらいます」
3．「明日はシャワー浴ができます」
4．「左手首の圧迫は明日まで必要になります」

52 心房細動から脳梗塞を発症するリスクが最も高いのはどれか。　　制限時間 **80**秒
atrial fibrillation　　cerebral infarction

1．抗凝固薬の服用
2．高血圧
3．壮年期
4．甲状腺機能低下症

53 血液透析を受ける患者の日常生活の指導で正しいのはどれか。 制限時間 **80**秒

1．便秘で不快感がある場合は、市販の便秘薬を服用するよう勧める。
2．便秘予防として、芋類や生野菜やくだものを摂取するように指導する。
3．共同の入浴施設の利用時ではシャント側の腕への感染対策を行うように指導する。
4．体調がよい日でも運動は控えるように指導する。

54 めまいを**訴えない**のはどれか。 制限時間 **80**秒

1．中耳炎
　otitis media
2．Meniereae〈メニエール〉病
　Ménière's disease
3．一過性脳虚血発作
4．低血糖発作

55 フレイルの説明で正しいのはどれか。 制限時間 **70**秒

1．加齢に伴い筋肉量が減少している状態である。
2．フレイルの評価にはブレーデンスケールを使用する。
3．可逆性をもつ。
4．フレイルの状態にある高齢者に対する運動療法は禁忌である。

56 加齢に伴う廃用症候群の患者への対応で正しいのはどれか。 制限時間 **80**秒
　disuse syndrome

1．尿失禁時はおむつを早めに使用する。
2．危険を避けるため外出は控える。
3．褥瘡の改善には安静臥床を促す。
4．関節拘縮に対して関節可動域訓練を行う。

57 加齢による薬物動態への影響で正しいのはどれか。 制限時間 **60**秒

1．注射薬は吸収率が低下する。
2．坐薬の溶解、吸収は早まる。
3．半減期が短縮する。
4．脂溶性薬物が体内に蓄積しにくくなる。

□□

58 骨粗鬆症に対する日常生活の指導で正しいのはどれか。 制限時間 **60**秒
osteoporosis

1．運動すると破骨〈骨吸収〉されたカルシウムが血清中に流入するため、運動は控えるように説明する。
2．気分転換のため、コーヒーなどの嗜好品を積極的に摂取するように説明する。
3．カルシウムの吸収をよくするために、ビタミンDを多く含む果物を摂取するように説明する。
4．腰痛が悪化しないように、硬めの素材のベッドマットを使用するように説明する。

□□

59 Alzheimer〈アルツハイマー〉病に関して**誤っている**のはどれか。 制限時間 **80**秒
Alzheimer disease

1．発症年齢が若いほど知的機能低下が著しい。
2．初期には記銘力障害はみられない。
3．アミロイドβタンパクが蓄積する。
4．MRI所見では大脳の萎縮がみられる。

□□

60 75歳の女性、認知症高齢者の日常生活自立度はⅢaである。83歳の夫と 制限時間 **60**秒
dementia 二人暮らしであり、日中はトイレ誘導を、夜間はおむつを使用している。以
前は失禁がなかったが、1週間前より、夜間の失禁が増え、おむつをはずし
ベッドから降りて床にいることがあった。この場合の看護師のかかわりで適
切なのはどれか。

1．夕食後の水分量の確認をする。
2．ベッドを柵で囲む。
3．ポータブルトイレを設置する。
4．夜間もトイレへ誘導する。

61 子どもの歯について正しいのはどれか。

制限時間 **70**秒

1．乳歯の萌出は1歳ころから始まる。

2．乳歯は下顎の乳中切歯から萌出することが多い。

3．乳歯の数は永久歯の数より多い。

4．永久歯への生えかわりは10歳ころから始まる。

---

62 乳児期の栄養で正しいのはどれか。

制限時間 **70**秒

1．離乳の開始時は穀類よりたんぱく質性食品の割合を多くする。

2．母乳栄養では鉄が不足しやすい。

3．生後6か月の乳児の1日あたりの推定エネルギー必要量は1,300kcalである。

4．離乳食にはちみつを混ぜて与える必要がある。

---

63 小児の睡眠の特徴で正しいのはどれか。

制限時間 **70**秒

1．新生児の睡眠は多相性である。

2．幼児期の全睡眠におけるレム睡眠の割合は約60％である。

3．学童期ではノンレム睡眠の占める割合は減少する。

4．12歳前後で成人と同じ睡眠パターンになる。

---

64 Aちゃん（10歳、女児）は慢性の呼吸器疾患の治療のために入院しており、1か月が経過した。Aちゃんには感染の徴候はない。母親がAちゃんに面会をしている間、弟のB君（8歳）は、病棟の入口付近の待合室で母親の帰りを待っている。看護師がB君の近くを通ると、B君は看護師に「お姉ちゃんはもうすぐ退院できますか。お姉ちゃんがいなくて寂しい」と言う。
この家族への対応で最も適切なのはどれか。

制限時間 **80**秒

1．B君がAちゃんに面会できるように調整する。

2．Aちゃんの病状と治療についてB君に適切に説明する。

3．B君に、Aちゃんが元気であることを伝え、安心させる。

4．B君の感情を理解し、支援するためのカウンセリングを提案する。

65 受精後8週までの胎芽について正しいのはどれか。 制限時間 **70**秒

1．受精後1週では超音波断層法によりGS〈胎嚢〉が確認できる。

2．受精後8週では超音波断層法により胎児心拍動が確認できる。

3．この期間の胎児発育状況は主にBPD〈児頭大横径〉にて判断する。

4．受精後8週までは外因に対する感受性が高く、著明な形態異常が発生しやすい。

66 胃瘻による経管栄養のトラブルで下痢の症状がみられた場合の原因として**誤っているの**はどれか。 制限時間 **80**秒

1．注入速度が速い。

2．注入量が多すぎる。

3．浸透圧が低い。

4．食物繊維不足である。

67 成熟乳と比べて初乳に多く含まれているのはどれか。 制限時間 **60**秒

1．カロリー

2．水　分

3．糖　質

4．蛋白質

68 防衛機制について正しいのはどれか。

制限時間 70秒

1.「抑圧」は、耐え難い事態に直面したときに、過去の精神の発達状態に戻ることで、精神の緊張を解くことである。

2.「投影」は、自分の中にあるが自分のものとは認められない不快な感情を、意識から切り離し、相手に投げ込むことで、あたかも相手が抱いている感情であると錯覚することである。

3.「転移」は、実現困難な本能的欲動が抑圧されるかわりに、その本能的欲動が社会的に有用で価値のある仕事に向けられることである。

4.「置き換え」は、うまくできなかったことや、うしろめたい出来事に対して、都合のいい理由をつけて自己を正当化することである。

69 精神障害者のリカバリ〈回復〉について正しいのはどれか。

制限時間 70秒

1. リカバリ〈回復〉とは病気が治癒することである。
2. 精神障害者が病識を獲得するまでの過程である。
3. 患者の主体的な選択を支援することである。
4. 目標に向かう直線的な過程である。

70 介護保険の特定福祉用具販売で対象種目となるのはどれか。

制限時間 80秒

1. 移動用リフトのつり具の部品
2. 自動排泄処理装置の本体
3. 床ずれ防止用具
4. 吸引器

71 84歳の男性。80歳の妻と2人暮らしで、消化器疾患によりバンパー型の胃瘻を造設している。胃瘻栄養法を妻が行っているが、胃瘻栄養法には不安を抱いている。胃瘻栄養法の管理について適切なのはどれか。

1. 入浴時には瘻孔部をフィルムなどで覆う。
2. 栄養剤注入時は、半座位にする。
3. カテーテル抜去時は、抜けたカテーテルを挿入するように指導する。
4. 注入速度は本人の希望に沿って注入する。

---

72 多職種連携における看護師の役割で正しいのはどれか。

1. 対象となる人や家族の言いにくいことなどを代弁する。
2. 医療に関する情報を伝える時は専門用語を使用する。
3. 看護師は医療の知識だけをもつ専門職種として連携に関わる。
4. 各専門職から得た情報やアドバイスはケア方針に含めない。

---

73 診療情報の提供で正しいのはどれか

1. 診療情報の提供は家族など患者以外でも求めることが可能である。
2. 医療者は本人の意思に関係なく診療情報を提供する。
3. 目的は国民への医療情報の普及である。
4. 診療情報の提供は診療記録の開示による説明のみ可能である。

---

74 インシデントレポートで適切なのはどれか。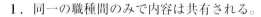

1. 同一の職種間のみで内容は共有される。
2. 法令で書式が統一されている。
3. 責任追及のために使用される。
4. 主な記述内容はインシデントの状況とその対応である。

75 政府開発援助について正しいのはどれか。　制限時間 **70**秒

1．日本政府が行う国内の保健事業の開発をいう。

2．日本政府が行う国内の保健事業の開発援助をいう。

3．日本政府が行う国際協力のことをいう。

4．日本政府に対する外国からの開発援助をいう。

76 Alzheimer〈アルツハイマー〉病の初期症状として正しいのはどれか。
Alzheimer disease　制限時間 **70**秒

1．歩行障害

2．幻　視

3．情動失禁

4．人格変化

5．見当識障害

77 医療法で規定されて**いない**施設はどれか。　制限時間 **60**秒

1．特定機能病院

2．歯科診療所

3．助産所

4．訪問看護ステーション

5．介護医療院

78 健康増進法に基づいて実施されるのはどれか。　制限時間 **70**秒

1．患者調査の実施

2．トータル・ヘルスプロモーション・プラン〈THP〉

3．受動喫煙の防止

4．予防接種の実施

5．40〜74歳までの者の特定健康診査の実施

79 患者との信頼関係の構築において適切なのはどれか。

1．患者にできる限り会話させ、沈黙させないようにする。
2．受容的・共感的態度で接し、価値判断を下さない。
3．患者の表情や行動である非言語の表現より言語による表現を重視する。
4．患者よりもキーパーソンとの信頼関係を優先する。
5．ケアの必要性は開示しなくてよい。

80 糸球体から濾過され、尿細管から100%再吸収される物質はどれか。**2つ選べ。**

1．尿　酸
2．アミノ酸
3．パラアミノ馬尿酸
4．グルコース
5．アンモニア

81 体重増加を来す疾患はどれか。**2つ選べ。**

1．甲状腺機能亢進症
　　hyperthyroidism
2．心不全
　　heart failure
3．糖尿病
　　diabetes mellitus
4．副腎皮質機能低下症
　　adrenal cortex hypothyroidism
5．ネフローゼ症候群
　　nephrotic syndrome

82 赤血球液の輸血について正しいのはどれか。**2つ選べ。**

1．使用直前まで振盪させて保管する。
2．専用の輸血セットを使用する。
3．使用時は必ず加温しながら滴下する。
4．輸血開始から5分間は滴下速度を1mL/分とする。
5．有効期限は採血後14日間である。

83 バセドウ病の術後合併症で**ない**のはどれか。**2つ選べ。**
Basedow disease

1．嚥下障害
2．手指のしびれ
3．低体温
4．徐　脈
　　bradycardia
5．呼吸困難

84 Parkinson〈パーキンソン〉病患者の運動障害に対して、縞模様などの視覚的
Parkinson's disease
な手がかりによって改善する症状はどれか。**2つ選べ。**

1．姿勢反射障害
2．すくみ足
3．小刻み歩行
4．突進歩行
5．安静時振戦

85 36歳の男性が、転落事故により救急搬送されてきた。第6頸椎レベルの頸髄
損傷と診断され、神経原性ショック（脊髄ショック）を起こしている。病態と
して正しいのはどれか。**2つ選べ。**

1．頸髄損傷により副交感神経遠心路の破綻が起きている。
2．頸髄損傷により交感神経遠心路の破綻が起きている。
3．損傷部位以下の末梢血管抵抗が減弱し、徐脈、血圧低下が起きる。
4．損傷部位以下の末梢血管抵抗が増大し、徐脈、血圧低下が起きる。
5．神経原性ショックは、出血による血管の破綻で起きる。

86 バセドウ病患者に対する援助として適切なのはどれか。**2つ選べ。**
Basedow disease

1．体重が増加する疾患であるため、摂取エネルギーを制限する。
2．気分転換のために賑やかな場所に出かけることを勧める。
3．頸部が目立たないように襟やスカーフで覆うことを提案する。
4．清潔保持のために入浴や清拭を勧める。
5．患者は寒がりであるため、部屋の温度を高く設定する。

87 老人性白内障の手術後の看護について正しいのはどれか。**2つ選べ。**
senile cataract

1．術後、麻酔覚醒後から車やバイクの運転が可能である。

2．術後の出血による眼痛が生じる可能性があるため眼帯は使用しない。

3．術後、麻酔覚醒後から歩行が可能である。

4．頭部の振動を避ける。

5．手術翌日より洗髪が可能である。

88 80歳代男性。独居、日常生活は自立している。やせ気味である。腰背部から下肢にかけて痒みが強く、冬季かゆみが増悪している。老人性皮膚瘙痒症のケアで
pruritus senilis
適切なのはどれか。**2つ選べ。**

1．入浴時、薬用石鹸を用いて身体を洗うように説明する。

2．入浴後に保湿剤を塗布するように説明する。

3．硫黄入り入浴剤を使用するように説明する。

4．天然繊維の素材の下着を着用するように説明する。

5．ヒスチジンを多く含むチーズなどの食品を摂取するように説明する。

89 妊娠28週のAさんは、妊婦健診時に血圧が150/100mmHg、尿蛋白3＋であり、妊娠高血圧症候群〈HDP〉と診断され、その日のうちに入院となった。
hypertensive disorders of pregnancy
入院中の指導の項目として正しいのはどれか。**2つ選べ。**

1．「塩分は控えめにしましょう」

2．「身体を動かしましょう」

3．「水分は1日1リットルまでに控えましょう」

4．「部屋は明るくしましょう」

5．「頭痛があるときは、スタッフにお知らせください」

90 レジリエンスについて正しいのはどれか。**2つ選べ。**

1．リカバリの実現にはレジリエンスが必要である。

2．レジリエンスとは、差別や偏見による無力な状態から力を取り戻すためのソーシャルワークのことである。

3．楽観性はレジリエンスを低下させる。

4．自己肯定感が低下すると、レジリエンスは高まる。

5．ソーシャルサポートはレジリエンスの構成要素の1つである。

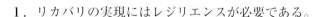

次の文を読み 91 〜 93 の問いに答えよ。

　Aさん（68歳、男性）は、妻（65歳）と2人暮らし。非結核性抗酸菌症による慢性呼吸不全で在宅酸
non-tuberculous mycobacterial infection　　　　chronic respiratory failure
素療法が必要である。子どもは他県に住んでおり、時折電話で様子を聞いてくる。Aさんは自宅での療
養を強く希望しており、安静時 1L/ 分の酸素投与下で過ごしている。労作時には呼吸苦が増大するため、
日中はソファーに座りテレビなどをみていることが多く、外出などは行えていない。また、入浴も行うこ
とができず、妻が清拭をしている。呼吸状態の管理目的で訪問看護が週2回利用開始となった。

91 訪問看護師としての指導で適切なのはどれか。　制限時間 80秒

1．喀痰貯留時にはハッフィングを行うように説明する。
2．なるべく安静に過ごすように説明する。
3．酸素は自由に増量してもよいことを説明する。
4．水分はできるだけ控えるように指導する。

92 訪問看護開始後1か月、Aさんから「久々にお風呂に入りたい。」と訴えがあった。　制限時間 70秒
訪問看護師が入浴支援をするための情報として最も優先度が高いのはどれか。

1．浴室や脱衣室の環境
2．歩行状態
3．排泄状況
4．妻の介護疲労度

93 妻から「最近、いろいろな災害が多くなってきて心配」といった発言があった。　制限時間 70秒
訪問看護師が妻に回答する内容で最も適切なものはどれか。

1．「何も心配することはありませんよ。」
2．「避難場所への移動方法を考えましょう。」
3．「痰の吸引の方法をお伝えしますね。」
4．「持ち出し物品の準備をあらかじめしましょう。」

　　解答・解説 ➡ P. 22〜23　①-24

次の文を読み 94 〜 96 の問いに答えよ。

　Aさん（89歳、女性）、夫（89歳）と2人暮らし。子宮癌末期で病状の説明は受けている。食事摂取量
uterine cancer
が低下し、ほとんど食べられなくなった。さらに下腹部痛が増強し、本人や家族の自宅療養の不安が強く、
看取りを含めた症状緩和を目的に緩和ケア病棟に入院した。疼痛緩和のため点滴静脈内注射から塩酸モル
ヒネを持続投与している。

94　10時頃にAさんは、穿刺部の固定部位をさわりながら「これがこうってる
から、あそこにかけないと。子どもの夜ご飯を作らなくちゃ」といい、点滴静
脈内注射の輸液ルートを引っ張っている。混乱している様子である。看護師の
対応で適切なのはどれか。

1．ナースコールや医療機器など音のなるものを外す。
2．室内を暗くし、カーテンを閉める。
3．家族の面会を制限する。
4．そばに寄り添い、気がかりになっていることを傾聴する。

95　Aさんは「最後は何も処置をしないでほしい」と事前指示書を主治医に提出し
ている。遠方から駆けつけた長男が到着し「どんなことをしても、少しでも長
く生かしてほしい」と懇願している。今後のケアの決定で最も優先されるのは
どれか。

1．長男の意見
2．主治医の判断
3．公正な立場の第三者の判断
4．夫の意見
5．本人の事前指示書

96　1週間後、Aさんは声かけに全く反応しなくなった。死期が迫っていると判断
される状態として**誤っている**ものはどれか。**2つ選べ。**

1．尿量の増加
2．血圧の低下
3．下痢便の出現
4．下顎呼吸の出現
5．喘鳴（気道のゴロゴロとした音）の出現

次の文を読み 97 〜 99 の問いに答えよ。

アジア国籍のＡさん（30代前半、経産婦）は、妊娠34週、身長157cm, 体重70kg（非妊体重55kg）。児の NST 所見は問題なく、推定体重は2,400g。Ａさんは1年前に日本人と結婚して来日した。母国で前夫との間に7歳の男児をもち、この男児は母国でＡさんの両親が育てている。既往歴なし。

定期健診で来院し、血圧140/90mmHg、尿蛋白(3+)が認められた。採血の結果では Hb12.0g/dL、Ht 36%、血中クレアチニン 2mg/dL、尿酸窒素(BUN)30mg/dL であるため、健康の管理目的で入院となった。入院時、夫が付き添っていたがＡさんは日本語が十分に理解できず、夫もＡさんの母国語を簡単な日常会話程度しか話せない。主治医からは症状及び治療や今後の注意点について、助産師からは入院生活や看護について説明されたが、Ａさんはその内容を十分に理解できなかった様子だった。検査のための蓄尿は翌日までに2回程度しかできなかった。

---

97 健康状態のアセスメントで適切なのはどれか。　　制限時間 70秒

1．胎児発育不全の徴候がみられる。
2．貧血がみられる。
3．妊婦期の最適体重増加である。
4．妊娠高血圧症候群である。
　　Hypertensive Disorders of Pregnancy

---

98 看護師の対応で適切なのはどれか。　　制限時間 70秒

1．説明を受けた内容を夫からＡさんに伝えてもらう。
2．Ａさんに検査の必要性を説明する。
3．Ａさんの母国語の医療通訳者を探す。
4．Ａさんの日本在留資格を確認する。

---

99 入院後、検査の結果に悪化がみられたため、妊娠36週での帝王切開術で 制限時間 70秒
3,000g の男児を出生した。手術当日から血栓症予防のため、離床訓練が実施
された。この訓練についてＡさんは泣きながら「母国では、分娩後1か月は
安静にし、出産した人には優しくしてくれるのに、ここではみんなに動けと言
われて、体がつらい」と言った。看護上の問題において最も適切なのはどれか。

1．分娩後の安静に関する認識の違いがある。
2．Ａさんは出産後に体を動かすのに医療者に依存する。
3．Ａさんが医療者の指示に従わない。
4．分娩後に離床訓練を実施する。

次の文を読み 100 〜 102 の問いに答えよ。

　Aさん（58歳、男性）は、身長170cm、体重54kg、自営業。喫煙は35年間40本／日。先月の人間ドックによる呼吸機能検査＜スパイロメトリー＞の結果、受診を勧められたが仕事が忙しくそのままにしていた。最近、坂や階段の昇降時の息切れが強くなり、平地でも息苦しさが出現するようになった。3日前から咳と痰が増え、昨夜から息苦しさが増強したため受診した。体温37.4℃、脈拍数90/分、呼吸数26/分。血圧138/72mmHg、SpO$_2$ 90%であった。胸部XPの結果、肺野の透過性亢進と横隔膜低位が認められた。慢性閉塞性肺疾患（COPD）と診断され入院となり、酸素療法が開始された。
chronic obstructive pulmonary disease

100 Aさんの呼吸機能検査＜スパイロメトリー＞の結果として、考えられるものはどれか。 制限時間 80秒

　1．%VC ≧ 80%、FEV$_1$% ≧ 70%

　2．%VC < 80%、FEV$_1$% ≧ 70%

　3．%VC ≧ 80%、FEV$_1$% < 70%

　4．%VC < 80%、FEV$_1$% < 70%

101 SpO$_2$ が84%に低下し呼吸困難が増強した。担当看護師は医師の指示によりO$_2$ は5Lへあげ、注意深く観察していた。しばらくしてAさんは、うとうとと傾眠し始めた。Aさんに観察される所見はどれか。 制限時間 70秒

　1．顔面蒼白

　2．安楽な呼吸

　3．四肢の麻痺

　4．血圧低下

　5．動脈血酸素分圧 65mmHg、動脈血炭酸ガス分圧 50mmHg

102 Aさんは、治療により順調に回復し退院が決定した。退院時の指導として**誤っているのはどれか**。 制限時間 70秒

　1．ハフィングによる排痰

　2．下肢筋力のトレーニング実施

　3．インフルエンザワクチンの接種

　4．高エネルギー、高蛋白な食品の摂取

　5．1回の食事量の増加

次の文を読み 103 〜 105 の問いに答えよ。

　Aさん（86歳、男性）は、妻と二人暮らし。高血圧の既往があり、服薬管理を自分で行い生活してい
た。7月下旬、昼頃に庭木の剪定をしていたところ気分が悪くなりはしごから転落、左大腿部の痛みが
強く、救急外来を受診後入院となった。入院時、体温37.7℃、脈拍60／分、整、呼吸数20／分、血圧
135/80mmHg、SpO_2 97％。看護師が声をかけるとやや興奮した状態であるが会話の速度が遅く、無表情
になった。朝から排尿がなく、皮膚の乾燥がみられた。検査結果は、白血球12,000／mm³、Ht 63％、血
清総蛋白7.2 g/dL、アルブミン5.5 g/dL、血清ナトリウム濃度155 mEq/L、血清カリウム濃度4.0 mEq/L、
血清塩素濃度120 mEq/Lであった。単純X線撮影で大腿骨転子部骨折と診断され翌日、手術予定となった。

---

103 入院時の所見で正しい組合せはどれか。 制限時間 **70**秒

　a．心不全　　b．脱　水　　c．せん妄　　d．認知症

　1．a 、b
　2．a 、d
　3．b 、c
　4．c 、d

---

104 最も優先度の高い処置として適切なのはどれか。 制限時間 **70**秒

　1．酸素投与の開始
　2．経口補水液の投与
　3．静脈路確保
　4．導　尿

---

105 入院翌日、大腿骨転子部骨折のため骨接合術が行われた。術後1日目、周囲
を見回して視線が定まらず体動が多くなり、心電図モニターの電極や酸素カ
ニューラ、点滴ルートなどを引っ張るようになった。Aさんに対する対応で
適切なのはどれか。 制限時間 **70**秒

　1．部屋を薄暗くする。
　2．日中は頻繁に声をかける。
　3．ルート類が外れないように身体に強固なテープで固定する。
　4．ベッドに離床センサーを設置する。

次の文を読み 106、107 の問いに答えよ。

　A君（6歳、男児、小学1年生）は、既往に卵アレルギーがある。普段は一緒に住んでいない祖母の家で出されたパスタを食べた後、近くの公園で遊んでいて、前胸部のかゆみを訴えた。その後、意識を失い倒れたため救急車で搬送された。救急外来では、体温 37.6℃、心拍数 120/ 分、血圧 88/50mmHg、SpO₂94%で全身の膨疹と紅斑、呼吸困難、喘鳴、下腹部痛があり、とぎれとぎれではあるが会話は可能であった。アナフィラキシーと診断され入院となった。
anaphylaxis

106 救急外来および入院時の看護で適切なのはどれか。
制限時間 **70**秒

　1．心電図モニターのみ装着する。

　2．室温を下げ全身を冷却する。

　3．薬剤準備と点滴静脈内注射による輸液を行う。

　4．ベッドの頭部を 30 度挙上する。

　5．下痢を訴えるときは歩行によりトイレまで誘導する。

107 発症 5 時間後に症状は消失し、その後 1 日症状の出現を認めなかったため、翌日退院となった。退院指導として正しいのはどれか。
制限時間 **80**秒

　1．祖母宅では 1 回の食事量を減らすよう説明した。

　2．定期的な外来受診は必要ないと説明した。

　3．学校での給食について学校の栄養士に相談するよう説明した。

　4．症状出現時には抗菌薬を内服するよう説明した。

　5．携帯用アドレナリン自己注射器を携行するよう説明した。

次の文を読み108の問いに答えよ。

　Aさん（36歳、初産婦）は、妊娠40週5日21時、陣痛発来により入院した。入院時、子宮口閉鎖、胎児心音138bpm、未破水、体温36.8℃、脈拍76回/分、血圧128/70mmHg、陣痛発作10〜20秒、陣痛間欠は8〜9分であった。翌日6時、子宮口開大5cm、疲労がみられ、陣痛は弱くなってきたものの、定期的に発来していた。14時、子宮口全開大にて分娩室に入室し、14時45分、4,020gの女児を娩出、14時50分、胎盤を娩出した。

108 今後、注意が必要な状態はどれか。

制限時間 **80**秒

1．産褥熱
　　puerperal fever
2．膀胱炎
　　cystitis
3．妊娠高血圧症候群
　　hypertensive disorders of pregnancy
4．子宮弛緩症
　　uterine atony

次の文を読み 109 ～ 111 の問いに答えよ。

　A さん（17 歳、高校生）は、普段は 28 ～ 35 日周期で月経があるが、最近 4 か月ないため婦人科を受診した。ダイエット願望があり、現在、3 か月前の体重 60kg より 20kg 減少している。時々立ちくらみがあると言う。初経は 10 歳。身長 160cm。

109　受診時に必要な情報として優先順位の**低い**のはどれか。　制限時間 **80**秒

　1．最終月経
　2．性交渉の有無
　3．血液型
　4．既往歴

110　月経のアセスメントとして正しいのはどれか。　制限時間 **70**秒

　1．原発性無月経
　2．続発性無月経
　3．早発月経
　4．遅発月経

111　保健指導の内容として正しいのはどれか。**2つ選べ**。　制限時間 **70**秒

　1．規則正しい食生活を送る。
　2．次の月経まで性交渉を禁止する。
　3．学校を休んで安静にする。
　4．起床時、ベッドから起き上がる前に基礎体温を測定する。
　5．運動はなるべく避ける。

次の文を読み 112 ～ 114 の問いに答えよ。

　A さん（36 歳、初産婦）は、妊娠 40 週 1 日に正常分娩にて、2,850g の女児を出生した。アプガースコ
アは 1 分後 9 点、5 分後 10 点。分娩所要時間は 14 時間 30 分、分娩時出血量は 450mL であった。分娩
直後の子宮底の高さは臍下 3 横指、子宮硬度は良好、バイタルサインは体温 37.3℃、脈拍 78 回/分、血圧
124/64mmHg であった。

---

112 分娩開始から分娩直後までの母子のアセスメントとして正しいのはどれか。**2つ選べ。** 制限時間 80秒

1．過期産である。

2．軽度新生児仮死がある。

3．平均分娩所要時間である。

4．分娩時出血量は、正常範囲内である。

5．褥婦は感染が疑われる。

---

113 生後 3 日目。体重 2,700g、バイタルサインは体温 37.1℃、心拍数 132 回/分、呼吸数 50 回/分、黄緑色の排便あり。大きな物音がしたときに両上肢を開き、抱きつくような動作をした。新生児のアセスメントとして正しいのはどれか。 制限時間 80秒

1．生理的体重減少の範囲内である。

2．胎便である。

3．微熱がある。

4．把握反射がある。

---

114 産褥 4 日目。産褥 1 日目より母児同室を開始している。授乳は完全母乳である。A さんは「母乳がどれくらい出ているかわからないので、不足していないか心配です」と言っている。A さんの授乳に関する退院指導として正しいのはどれか。 制限時間 80秒

1．「1 日 1 回は搾乳をして、母乳量を確認してください」

2．「毎日、沐浴前に裸の状態で赤ちゃんの体重を測ってください」

3．「3 ～ 4 時間間隔で赤ちゃんが泣くときは、ミルクを足してください」

4．「赤ちゃんのおしっこの回数・量が目安になります」

次の文を読み 115 〜 117 の問いに答えよ。

　A さん（48 歳、男性）は、妻（45 歳）と息子（18 歳）の 3 人暮らし。A さんは職場で、誰に対しても親切で丁寧な人柄と評判であった。しかし、1 年ほど前から気分が落ち込んだり、ささいなことでイライラしたりするようになった。A さんの飲酒量は次第に増加し、最近では 1 日中飲酒している状態で仕事を休みがちになっていた。心配した妻が A さんを精神科に受診させたところ、アルコール依存症と診断された。
alcohol dependence

---

115 その後も A さんの飲酒量は増加するばかりで仕事へ行くことができなくなったため入院となった。入院後 4 日目までに出現しやすい症状はどれか。
 制限時間 60秒

　1．ジストニア

　2．Parkinson 症候群（パーキンソニズム）
　　Parkinson's syndrome

　3．悪性症候群
　　malignant syndrome

　4．振戦せん妄
　　delirium tremens

---

116 ある日看護師が A さんの病室へ行くと、面会に来ていた妻が A さんに紙袋に入ったビールの缶を渡していた。妻はあわてて「電話で何度も持って来いって言うので、つい。すみません。」と弁解した。A さんと妻の関係性で考えられるものはどれか。
 制限時間 70秒

　1．共依存

　2．ネグレクト

　3．逆転移

　4．昇華

---

117 入院して 3 か月が経過した頃、A さんの退院が決まった。退院に対して A さんは「退院して酒が手に入る状況になっても大丈夫かな？」と看護師に不安を訴えた。この時に行う看護師の声掛けで適切なものはどれか。
 制限時間 60秒

　1．「なるべく休肝日を作りましょう。」

　2．「断酒会へ参加してみてはいかがですか？」

　3．「家族会へ参加してみてはいかがですか？」

　4．「退院を延期しましょう。」

次の文を読み118～120の問いに答えよ。

　Aさん（46歳、男性）は、妻（44歳）と中学生の娘（15歳）との3人暮らし。3年前にうつ病と診断された。半年ほど前に新しいプロジェクトを担当することになり、仕事のストレスが増加していた。「夜も眠れず、会社に行くのが辛い。入院させてもらえないか」と訴えがあり、休養と薬物療法の目的で精神科病院に入院した。入院後、Aさんから「実は薬を飲むのが嫌で、途中から飲むのをやめていました。薬を飲みたくないのですが、どうしたらよいでしょうか」と看護師に相談があった。

118 看護師のAさんへの対応で最も適切なのはどれか。　制限時間 70秒

1．自己判断で薬をやめたことへの反省を促す。
2．薬を飲むことを約束してもらう。
3．薬を飲みたくない理由を尋ねる。
4．薬の管理をAさんの妻にしてもらうよう勧める。

119 入院後1か月、面会に来た妻から「夫の会社から休業給付が出ないかもしれないと言われました。子どもが進学を控えており、生活費もかかるので、入院費用が払えるか心配です」と看護師に相談があった。妻の相談に関して、看護師が連携する職種として最も適切なのはどれか。　制限時間 70秒

1．医師
2．公認心理師
3．作業療法士
4．精神保健福祉士

120 Aさんのうつ症状が改善し、多職種で退院に向けた話し合いを始めた。会社の休職制度を利用し休んでいるAさんは、「薬が効いたので、今後も薬を飲み続けることが大切だと思っているが、復職してすぐに働ける自信がない」と看護師に話した。退院に向けてAさんが利用する社会資源で適切なのはどれか。　制限時間 80秒

1．就労継続支援
2．リワーク支援
3．職場適応援助者（ジョブコーチ）による支援
4．精神障害者社会適応訓練事業

第一回 模擬試験 午前 答案用紙

必修（1〜25） ／25点　　一般（26〜90） ／65点　　※1問2点で計算　状況設定（91〜120） ／60点

解答一覧は解答・解説編 p.1をご覧ください。
※この用紙はコピーをしてお使いください。

制限時間　2時間40分

番号	解答番号	番号	解答番号	番号	解答番号
1	① ② ③ ④ ⑤	41	① ② ③ ④ ⑤	81	① ② ③ ④ ⑤
2	① ② ③ ④ ⑤	42	① ② ③ ④ ⑤	82	① ② ③ ④ ⑤
3	① ② ③ ④ ⑤	43	① ② ③ ④ ⑤	83	① ② ③ ④ ⑤
4	① ② ③ ④ ⑤	44	① ② ③ ④ ⑤	84	① ② ③ ④ ⑤
5	① ② ③ ④ ⑤	45	① ② ③ ④ ⑤	85	① ② ③ ④ ⑤
6	① ② ③ ④ ⑤	46	① ② ③ ④ ⑤	86	① ② ③ ④ ⑤
7	① ② ③ ④ ⑤	47	① ② ③ ④ ⑤	87	① ② ③ ④ ⑤
8	① ② ③ ④ ⑤	48	① ② ③ ④ ⑤	88	① ② ③ ④ ⑤
9	① ② ③ ④ ⑤	49	① ② ③ ④ ⑤	89	① ② ③ ④ ⑤
10	① ② ③ ④ ⑤	50	① ② ③ ④ ⑤	90	① ② ③ ④ ⑤
11	① ② ③ ④ ⑤	51	① ② ③ ④ ⑤	91	① ② ③ ④ ⑤
12	① ② ③ ④ ⑤	52	① ② ③ ④ ⑤	92	① ② ③ ④ ⑤
13	① ② ③ ④ ⑤	53	① ② ③ ④ ⑤	93	① ② ③ ④ ⑤
14	① ② ③ ④ ⑤	54	① ② ③ ④ ⑤	94	① ② ③ ④ ⑤
15	① ② ③ ④ ⑤	55	① ② ③ ④ ⑤	95	① ② ③ ④ ⑤
16	① ② ③ ④ ⑤	56	① ② ③ ④ ⑤	96	① ② ③ ④ ⑤
17	① ② ③ ④ ⑤	57	① ② ③ ④ ⑤	97	① ② ③ ④ ⑤
18	① ② ③ ④ ⑤	58	① ② ③ ④ ⑤	98	① ② ③ ④ ⑤
19	① ② ③ ④ ⑤	59	① ② ③ ④ ⑤	99	① ② ③ ④ ⑤
20	① ② ③ ④ ⑤	60	① ② ③ ④ ⑤	100	① ② ③ ④ ⑤
21	① ② ③ ④ ⑤	61	① ② ③ ④ ⑤	101	① ② ③ ④ ⑤
22	① ② ③ ④ ⑤	62	① ② ③ ④ ⑤	102	① ② ③ ④ ⑤
23	① ② ③ ④ ⑤	63	① ② ③ ④ ⑤	103	① ② ③ ④ ⑤
24	① ② ③ ④ ⑤	64	① ② ③ ④ ⑤	104	① ② ③ ④ ⑤
25	① ② ③ ④ ⑤	65	① ② ③ ④ ⑤	105	① ② ③ ④ ⑤
26	① ② ③ ④ ⑤	66	① ② ③ ④ ⑤	106	① ② ③ ④ ⑤
27	① ② ③ ④ ⑤	67	① ② ③ ④ ⑤	107	① ② ③ ④ ⑤
28	① ② ③ ④ ⑤	68	① ② ③ ④ ⑤	108	① ② ③ ④ ⑤
29	① ② ③ ④ ⑤	69	① ② ③ ④ ⑤	109	① ② ③ ④ ⑤
30	① ② ③ ④ ⑤	70	① ② ③ ④ ⑤	110	① ② ③ ④ ⑤
31	① ② ③ ④ ⑤	71	① ② ③ ④ ⑤	111	① ② ③ ④ ⑤
32	① ② ③ ④ ⑤	72	① ② ③ ④ ⑤	112	① ② ③ ④ ⑤
33	① ② ③ ④ ⑤	73	① ② ③ ④ ⑤	113	① ② ③ ④ ⑤
34	① ② ③ ④ ⑤	74	① ② ③ ④ ⑤	114	① ② ③ ④ ⑤
35	① ② ③ ④ ⑤	75	① ② ③ ④ ⑤	115	① ② ③ ④ ⑤
36	① ② ③ ④ ⑤	76	① ② ③ ④ ⑤	116	① ② ③ ④ ⑤
37	① ② ③ ④ ⑤	77	① ② ③ ④ ⑤	117	① ② ③ ④ ⑤
38	① ② ③ ④ ⑤	78	① ② ③ ④ ⑤	118	① ② ③ ④ ⑤
39	① ② ③ ④ ⑤	79	① ② ③ ④ ⑤	119	① ② ③ ④ ⑤
40	① ② ③ ④ ⑤	80	① ② ③ ④ ⑤	120	① ② ③ ④ ⑤

◐ 矢印の方向に引くと問題冊子が取り外せます。

模擬試験②

午後 （14 時 20 分～ 17 時 00 分）

<注意事項>

1. 試験問題の数は 120 問で解答時間は正味 2 時間 40 分である。

2. 解答方法は次のとおりである。

　各問題には 1 から 4 までの 4 つの選択肢、もしくは 1 から 5 までの 5 つの選択肢があるので、そのうち質問に適した選択肢を、質問に応じて 1 つあるいは 2 つ選び、答案用紙に記入すること。

　なお、1 つ選ぶ質問に 2 つ以上解答した場合は誤りとする。2 つ選ぶ質問に 1 つ又は 3 つ以上解答した場合は誤りとする。

※以上の注意事項は、第 113 回の看護師国試を参考に作成しております。

※答えは、この問題冊子の末尾にある答案用紙に記入してください。

矢印の方向に引くと問題冊子が取り外せます。➡

成美堂出版

1 医療保険制度について正しいのはどれか。 制限時間 80秒

1．65歳以上の後期高齢者医療制度が含まれる。
2．雇用保険の給付が含まれる。
3．被用者保険と国民健康保険、後期高齢者医療制度がある。
4．医療保険給付には、正常分娩が含まれる。

2 国民医療費に含まれる費用として正しいのはどれか。 制限時間 80秒

1．予防接種の費用
2．健康診断の費用
3．正常な妊娠や分娩などの費用
4．訪問看護療養費

3 患者の権利について述べられているものはどれか。 制限時間 80秒

1．リスボン宣言
2．ヘルシンキ宣言
3．コンプライアンス
4．アドボカシー

4 保健師助産師看護師法に関して正しいのはどれか。 制限時間 70秒

1．医行為の禁止制限については規定されていない。
2．看護師は、業務独占は認められているが、名称独占は認められていない。
3．損害賠償責任についても規定されている。
4．「（相対的）欠格事由」に該当する場合は、免許を与えられない場合もある。

5 女性の第二次性徴について適切なのはどれか。  制限時間 **60**秒

1．乳房の発育→陰毛の発生→初経
2．乳房の発育→初経→陰毛の発生
3．陰毛の発生→初経→乳房の発育
4．陰毛の発生→乳房の発育→初経

6 エリクソンが提唱した発達課題・発達危機において、「統合」が課題となる時期 制限時間 **60**秒
Erikson,E.H.
として正しいのはどれか。

1．学童期
2．青年期
3．壮年期
4．老年期

7 令和３年（2021年）の国民生活基礎調査において、最も多い世帯構造はどれか。 制限時間 **60**秒

1．単独世帯
2．夫婦と未婚の子のみの世帯
3．夫婦のみの世帯
4．三世代世帯

8 地域包括支援センターについて正しいのはどれか。 制限時間 **70**秒

1．設置主体は市町村又は市町村から委託を受けた法人である。
2．介護予防支援事業は含まれない。
3．地域包括支援センターは老人福祉法により定められている。
4．センターの人員配置基準は原則として保健師、看護師、理学療法士である。

9 訪問看護ステーションについて正しいのはどれか。 制限時間 **70**秒

1．管理責任者は医師である。
2．訪問看護を利用するにはかかりつけの医師の指示書が必要である。
3．利用できるのは高齢者である。
4．ターミナルケアは含まれない。

10 脳幹の機能について正しいのはどれか。 制限時間 **80**秒

1．体温調節中枢
2．運動調節中枢
3．性中枢
4．満腹中枢

11 皮膚の構造・機能として正しいのはどれか。 制限時間 **70**秒

1．表皮は血管に富む。
2．アポクリン汗腺は内分泌腺である。
3．皮脂は皮膚や体毛を潤す役割をもつ。
4．真皮は角質層を含む。

12 加齢に伴う循環器系の変化で正しいのはどれか。 制限時間 **70**秒

1．心筋細胞の増加
2．収縮期血圧の低下
3．運動時の心拍出量の増加
4．心室収縮に対する抵抗の増大

13 女性生殖器について正しいのはどれか。

制限時間 **80**秒

1．腟は尿道の前方にある。

2．腟前庭の後方に陰核がある。

3．子宮は膀胱と直腸の間にある。

4．卵巣と卵管はつながっている。

14 妊娠による母体の生理的変化について適切なのはどれか。

制限時間 **70**秒

1．胎盤は、妊娠20週ごろに完成する。

2．ピスカチェック徴候とは、妊卵の着床部位が潤軟となり、膨隆することをいう。

3．子宮底の高さは、妊娠10か月に最高となる。

4．新妊娠線は初産婦のみに生じる。

15 ショック時の症状について正しいのはどれか。
shock

制限時間 **80**秒

1．脈拍数は減少する。

2．呼吸数は減少する。

3．尿量は減少する。

4．皮膚は乾燥する。

16 ナトリウム欠乏性脱水で著しく低下するものはどれか。

制限時間 **60**秒

1．尿　　量

2．循環血漿量

3．ヘマトクリット値

4．脈拍数

17 毒薬の表記と保存方法の組合せで正しいのはどれか。 制限時間 **60**秒

1．黒地に白枠で、「毒」と白字で記載 —— 鍵のかかる場所に貯蔵する
2．黒地に白枠で、「毒」と白字で記載 —— 鍵はかけずに貯蔵してよい
3．白地に赤枠で、「毒」と赤字で記載 —— 鍵のかかる場所に貯蔵する
4．白地に赤枠で、「毒」と赤字で記載 —— 鍵はかけずに貯蔵してよい

18 客観的情報はどれか。 制限時間 **80**秒

1．食欲がないという患者からの情報
2．昼食を残していたという家族からの情報
3．間食をしていたのをみたという看護師からの情報
4．入院前は朝食を食べていなかったという食習慣に関する情報

19 意識障害の評価方法で正しいのはどれか。 制限時間 **80**秒

1．意識障害を評価する場合、まず血圧を測定する。
2．呼びかけて反応があった場合、次に痛み刺激を与えて反応を確かめる。
3．ジャパン・コーマ・スケール〈JCS〉は3-3-9度方式とも呼ばれる。
4．グラスゴー・コーマ・スケール〈GCS〉は合計点が小さい方が、意識レベルが高い。

20 入院中の患者に対する食事の介助で適切なのはどれか。 制限時間 **70**秒

1．リハビリ直後などで疲労が強い場合には、食事を開始する時間を遅らせる。
2．他の患者がみえると気が散るかもしれないため、カーテンは必ず閉める。
3．介助する際は、食事状況がよくみえるように患者よりも高い位置になるように立つ。
4．スプーンをうまく口まで運べない場合には、看護師がすべて介助する。

21 嚥下機能が低下している患者の食事の援助で適切なのはどれか。　制限時間 **70**秒

1．食形態はきざみ食が望ましい。

2．スプーンで食物を舌へのせる際には、スプーンで舌を軽く刺激する。

3．頸部が後屈位となるように、枕を用いて調節する。

4．口腔内が乾燥している場合には、水分をそのまま摂取するよう促す。

22 廃用症候群の予防法で正しいのはどれか。　制限時間 **70**秒

1．冷罨法

2．温罨法

3．安静臥床

4．関節可動域訓練

23 外陰部洗浄について適切なのはどれか。　制限時間 **80**秒

1．逆性石鹸を使用する。

2．38℃程度の湯を使用する。

3．仰臥位の場合、膝関節を伸展させる。

4．肛門から洗浄を開始する。

24 与薬における6つの Right（6R）に当てはまるものはどれか。　制限時間 **70**秒

1．正しい患者

2．正しい場所

3．正しい医師

4．正しい廃棄

25 口腔内吸引時の手技で適切なのはどれか。 制限時間 **70**秒

1．無菌操作で行う。
2．吸引カテーテルは 7 ～ 10cm 程度挿入する。
3．一回の吸引時間は吸引圧をかけ 30 秒程度とする。
4．吸引圧は 20kPa(150mmHg) 未満に設定する。

26 骨格筋の収縮時に筋小胞体から放出されたカルシウムイオンが結合するのは
どれか。 制限時間 **70**秒

1．トロポニン
2．トロポミオシン
3．ミオシン頭部
4．アクチン

27 ヒトの聴覚について正しいのはどれか。 制限時間 **60**秒

1．可聴周波数の範囲は 20 ～ 10,000 Hz であり、老化とともに低域の感度が低下する。
2．会話は 20 ～ 600 Hz の範囲にあり、特に 100 ～ 300 Hz が敏感な範囲である。
3．大気の伝導音を聞き、測定する気導閾値は感音(性)難聴で上昇する。
sensorineural hearing loss
4．頭蓋骨の振動音を聞き、測定する骨導閾値は伝音(性)難聴で上昇する。
conductive hearing loss

28 酸素の供給が不足すると造血ホルモンである（　　　　　　）が働く。
（　　　　　　）に入るのはどれか。 制限時間 **70**秒

1．パラソルモン
2．エリスロポエチン
3．アルドステロン
4．レニン

29 次の成人の心電図記録（縦軸 1cm/1mV、横軸 25mm/sec）から1分間の心拍数の判断として正しいのはどれか。

制限時間 70秒

1．115 拍／分の頻脈

2．90 拍／分の安静時の脈

3．60 拍／分の安静時の脈

4．25 拍／分の徐脈

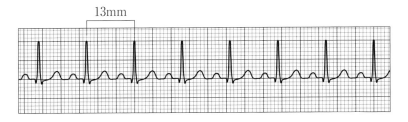

13mm

30 Cushing〈クッシング〉症候群でみられる症状として**適切でない**のはどれか。
Cushing syndrome

制限時間 70秒

1．胸郭の拡大

2．糖尿病
　　diabetes mellitus

3．月経異常

4．色素沈着

31 次の組合せで正しいのはどれか。

制限時間 60秒

1．ビタミンD欠乏 ─────── 出血傾向

2．ビタミンK欠乏 ─────── 巨赤芽球性貧血

3．ビタミンB₁欠乏 ─────── 代謝性アシドーシス
　　　　　　　　　　　　　　metabolic acidosis

4．ビタミンC欠乏 ─────── 夜盲症

32 腎盂腎炎の特徴として正しいのはどれか。
pyelonephritis

制限時間 70秒

1．患者は女性に比べ男性が多い。

2．感染経路は血行性感染が最も多い。

3．発熱はなく自覚症状に乏しい。

4．原因菌はグラム陰性桿菌が多い。

33 令和4年（2022年）の国民生活基礎調査で男性の有訴者率が最も高いのはどれか。 制限時間 **60**秒

1．腰　痛
2．手足の関節が痛む
3．肩こり
4．鼻がつまる・鼻汁が出る

34 日本の産業保健の動向で近年減少傾向にあるのはどれか。 制限時間 **70**秒

1．精神障害の労災認定件数
2．労働災害による死傷者数
3．定期健康診断の有所見率
4．男性の育児休業取得率

35 記録について正しいのはどれか。 制限時間 **70**秒

1．助産録の法的保管期間は2年間である。
2．看護記録の保管期間は診療に関する諸記録として2年間である。
3．診療録の法的保管期間は3年間である。
4．手術記録の保管期間は3年間である。

36 健康指標の説明で適切なのはどれか。 制限時間 **70**秒

1．健康指標として、日常生活動作（ADL）や手段的日常生活動作（IADL）が注目されている。
2．健康指標は、点数や数値であらわす量的な能力や医学的な診断やデータだけで示される。
3．健康度の評価は、患者自身の主観的な健康評価の大切さに目が向けられている。
4．健康度の評価は、患者の疾病、その症状、障害、身体的不調に注目して行われる。

37 看護倫理について正しいのはどれか。

1．医療法には「看護職者は正当な理由がなく、その業務上知り得た人の秘密を漏らしてはならない」
と定めている。

2．インフォームド・コンセントに必要不可欠な要素には「医療者が十分に情報開示すること」があ
げられる。

3．フライは倫理原則として「善行の原則」と「忠誠の原則」の二つを示した。
Fry. S. T.

4．医療倫理やインフォームド・コンセントが提唱されたのはリスボン宣言である。

38 クリティカルに考える人の特性として正しいのはどれか。

1．なにかを決めるとき、感情や主観に基づき決める。

2．自分のやり方・考え方を自在に改めることができる。

3．十分な根拠がなくても、結論を下すべきときには躊躇せず行う。

4．いろいろな問題に興味をもち、他人にその答えを質問する。

39 摂食嚥下の障害の段階における説明について正しいのはどれか。

1．いつまでも食物をかんでいて流涎が多い場合は、先行期の障害である。

2．嚥下時に咳き込む場合は、咽頭期の障害である。

3．口を閉じることが十分でなく、食べ物をこぼしたりする場合は、口腔期の障害である。

4．食物を認知できず、開口できない場合は、準備期の障害である。

40 写真の補助具を利用して患者を移送する場合に正しいのはどれか。

制限時間 **70**秒

1．急な下り坂ではそのまま前向きに直進する。

2．エレベーターに乗るときは、前向きで直進する。

3．移送時は患者の足がフットレストの上にのっているか確認する。

4．小さな穴や溝がある場合は、そのまま直進する。

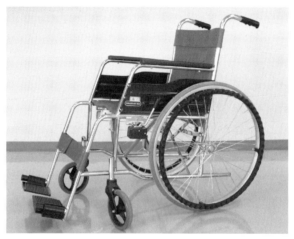

※本試験では、カラー写真で出題される場合があります。

---

41 歩行の介助として正しいのはどれか。

制限時間 **70**秒

1．患者の歩行を妨げないように、看護師の歩行ペースに合わせて介助する。

2．患者が杖を使用して歩行する場合、杖のある側に立って介助する。

3．杖を使って階段を上る場合は、まず杖を一段上について健側で上り、最後に患側をそろえる。

4．機能低下によって一人で歩行することが危険な場合、転倒に備えて患者の腰を支えて介助する。

---

42 体の各部位と清潔の状態についての説明で最も適切なのはどれか。

制限時間 **60**秒

1．腋窩・陰部にはエクリン汗腺があるため、清潔が保たれないと独特の異臭を放つ。

2．口腔・陰部は、粘膜からの分泌物による自浄作用により細菌の繁殖をまねきにくい。

3．頭皮には汗腺が多く存在するため、汚れやほこりがつきやすい。

4．手はいろいろなものに触れているため汚れが付着しやすく、清潔が保たれにくい。

43 創傷治癒過程における成熟期の説明で正しいのはどれか。

制限時間 80秒

1．細菌や壊死組織などの異物が排除される。

2．滲出液が創に貯留する。

3．上皮形成が起こる。

4．瘢痕組織の形成が促進される。

44 喀痰検査について正しいのはどれか。

制限時間 70秒

1．就寝前に痰を採取することが望ましい。

2．痰の採取前には含嗽を行う。

3．喀出が困難な場合は蒸留水の吸入により誘発する。

4．採取直後に検体を提出できない場合、常温で保管する。

45 検査目的と採尿方法の組合せで正しいのはどれか。

制限時間 70秒

1．膀胱の病変の推定 ——————— 自然排尿

2．糖尿病のスクリーニング ———— 食後尿
　　diabetes mellitus

3．腎機能の評価 ——————— 中間尿

4．細菌の特定 ——————— 24時間尿

46 手術侵襲による生体反応で、ムーア (Moore) の提唱する傷害期の際に分泌増加するホルモンと現れる反応の組合せで正しいのはどれか。

制限時間 70秒

1．アドレナリン ———— 末梢血管の収縮

2．糖質コルチコイド ———— 蛋白合成の亢進

3．レニン ———— 体液量減少

4．アルドステロン ———— 尿量増加

47 エンパワーメントモデルの特徴として正しいのはどれか。  制限時間 60秒

1．看護師と患者は知識を共有する。
2．学習ニーズと目標は看護師が選択する。
3．行動の変容は外部から動機づけられる。
4．患者は無力であるので医療者が力をもつ。

48 癌性疼痛を訴える患者に対し、WHO3段階除痛ラダーに基づき第1段階で使用する鎮痛薬はどれか。 制限時間 80秒

1．コデイン
2．モルヒネ
3．副腎皮質ステロイド薬
4．アスピリン

49 ステロイド薬を含む吸入薬を使用した後、薬剤が口腔内に残留することで起こる最も可能性の高い副作用（有害事象）はどれか。 制限時間 80秒

1．口腔内カンジダ症
　　oral candidiasis
2．舌　炎
3．う　歯
4．動　悸

50 体液調節に関して正しいのはどれか。  制限時間 80秒

1．水欠乏性脱水によって血清ナトリウム値は減少する。
2．発汗量の増加は血圧の上昇を招く。
3．血漿浸透圧の上昇により口渇が生じる。
4．バソプレシンが分泌されると水の再吸収が低下する。

51 脳と中枢神経の関係の組合せとして正しいのはどれか。 制限時間 **80**秒

　　1．延　髄　————　排尿中枢
　　2．間　脳　————　平衡を保持する中枢
　　3．視床下部　————　体温調節中枢
　　4．橋　　　————　摂食中枢

52 人工股関節置換術後の説明で適切なのはどれか。 制限時間 **70**秒

　　1．術後1日は患肢を保持して体位変換をする。
　　2．患側の股関節は軽度内転位を保つ。
　　3．患側の膝関節は伸展位を保つ。
　　4．術後麻痺を起こしやすい神経は大腿神経である。

53 高齢者に多くみられる疾患とその症状との組合せで**誤っている**のはどれか。 制限時間 **60**秒

　　1．白内障
　　　　cataract　————————　視力障害
　　2．パーキンソン病
　　　　Parkinson disease　————————　起立性低血圧
　　3．逆流性食道炎
　　　　reflux esophagitis　————————　呑　酸
　　4．老人性難聴
　　　　presbyacusis　————————　伝音性難聴

54 加齢に伴う睡眠の変化について正しいのはどれか。 制限時間 **60**秒

　　1．入眠潜時が短くなる。
　　2．中途覚醒回数が少なくなる。
　　3．多相性睡眠になりやすい。
　　4．ノンレム睡眠が減少し、レム睡眠が多くなる。

55 高齢者のせん妄_{delirium}について**誤っている**のはどれか。 制限時間 **70**秒

1．器質的な脳の障害である。

2．不穏、意識混濁、幻覚体験などを生じる状態をいう。

3．特に夜間に多くあらわれ、激しい症状を示すことがある。

4．環境の変化に伴うせん妄_{delirium}に陥ることは少ない。

---

56 子どもの権利に関する条約について正しいのはどれか。 制限時間 **60**秒

1．平成元年（1989 年）に国連総会で採択され、平成 12 年（2000 年）に日本は批准した。

2．15 歳未満を対象として、性別や人種によって異なって扱うことを定めている。

3．子どもの人権擁護が義務になり、締約国において法的拘束力をもっている。

4．家族関係の中で子どもを保護していく親の責任については明記されていない。

---

57 日本では 2013 年より定期接種となり、小児の細菌性髄膜炎の予防が期待されている対象疾患で正しいのはどれか。 制限時間 **80**秒

1．百日咳菌〈*Bordetella pertussis*〉

2．大腸菌〈*E. coli*〉

3．肺炎球菌〈*Streptococcus pneumoniae*〉

4．B 群溶血性レンサ球菌〈*Group B streptococcus*〉

---

58 乳児の心拍測定について正しいのはどれか。 制限時間 **70**秒

1．聴診時は心拍数が変動しないように無言で測定する。

2．心拍数 140/分は正常である。

3．心拍数の測定は薄手の衣類上や背部からの測定が可能である。

4．心拍数の聴取部位は心基部が最も聞こえやすい。

59 10か月の乳児。2時間程前にタバコを誤飲した疑いで来院した。母親が発見したとき、児はタバコの葉が口の周りに付着した状態で泣いており、吐き出したあとがあった。来院時、顔色および機嫌は良好であった。適切な処置はどれか。

制限時間 **80**秒

1．硫酸アトロピンを投与する。

2．胃洗浄を行う。

3．咽頭を舌圧子で刺激して催吐を試みる。

4．経過観察をする。

60 A君（7歳、男児）。5歳のときに急性リンパ性白血病と診断され、化学療法
acute lymphoblastic leukemia
と同種骨髄移植を実施した。治療経過は順調で、移植後4か月程で退院した。
白血病の発病前から、簡単な質問にほとんど答えられず言葉での表現が少な
かったが、小学校に入学後、集中が続かない、不注意や落ち着きのなさ、整理
整頓の難しさが目立つとともに、忘れっぽくてミスが多くなった。学校でのこ
れらの様子を母親が担任から聞き、A君を受診させた。A君の診察と学校にお
ける聞き取りの調査が行われ、注意欠陥・多動性障害（ADHD）と診断された。
attention deficit hyperactivity disorder
診察後、A君の母親は「親としてどうしたらよかったのでしょうか、私たち
の育て方に問題があったのでしょうか」と外来看護師に話した。
このときのA君の両親への対応として適切なのはどれか。

制限時間 **70**秒

1．「お母さんが家で早くにA君の問題に気づくべきでしたね」

2．「お母さんの育て方が原因ではないですよ」

3．「A君のように育てるのが難しいお子さんはいますよ」

4．「小学校の環境が悪かったのだと思いますよ」

61 不妊検査のうち、排卵期の推定を行うための検査はどれか。
infertility

制限時間 **70**秒

1．子宮卵管造影法

2．頸管粘液検査

3．フューナーテスト

4．ミラー－クルツロクテスト〈Miller-Kurzrok test〉

62 向精神薬と副作用〈有害事象〉の組合せで正しいのはどれか。 制限時間 80秒

1. 抗精神病薬 ―――― 依存性
2. 抗うつ薬 ―――― セロトニン症候群
3. 抗認知症薬 ―――― 耐糖能の異常
4. 抗てんかん薬 ―――― 遅発性ジスキネジア

63 認知症の夫を介護する妻に対して、訪問看護師の支援として適切なのはどれか。 制限時間 80秒

1. 施設入所を介護支援専門員と相談することを勧める。
2. 妻に、一緒に住んでいない家族に介護の協力を説得することを勧める。
3. 訪問看護の契約は夫の支援のために交わしているため、訪問看護師は妻への支援は行わない。
4. 妻の健康管理や日常生活に関する相談にのる。

64 Aさん（80歳）は回腸ストーマを造設して2年間、在宅療養中である。今朝、布団を運ぼうとして腹圧をかけてから腹痛があると訪問看護師に緊急コールがあった。このとき最も優先して考えるべきAさんの状態はどれか。 制限時間 80秒

1. 機能性便秘
2. 傍ストーマヘルニア嵌頓
3. 粘膜皮膚接合部離開
4. 心筋梗塞
   myocardial infarction

65 Parkinson〈パーキンソン〉病、Hoehn-Yahr〈ホーエン・ヤール〉の重症
Parkinson's disease
度分類Ⅲの療養者から、レボドパの増量で足のすくみが改善したため入浴してもよいか相談があった。訪問看護師の指導内容で最も適切なのはどれか。 制限時間 60秒

1.「訪問入浴介護の利用を検討しましょう。」
2.「薬が効いている時間に入浴しましょう。」
3.「しばらくシャワー浴で様子をみましょう。」
4.「通所介護の入浴を利用しましょう。」

□□□

66 地域包括支援センターについて適切なのはどれか。 制限時間 **80**秒

1．介護福祉士、社会福祉士、主任介護支援専門員の3職種を配置する必要がある。

2．設置主体は都道府県である。

3．保健医療の向上及び福祉の増進を包括的に支援することを目的としている。

4．住民の要介護認定審査を行っている。

□□□

67 外来での在日外国人への対応について正しいのはどれか。 制限時間 **70**秒

1．コミュニケーションに工夫をする。

2．通訳が必要な場合には患者自身に連れてきてもらうようにする。

3．不法滞在者をみつけたら治療をせずに通報する。

4．痛みの表現は万国共通と考える。

□□□

68 呼吸器系について正しいのはどれか。 制限時間 **70**秒

1．胸膜腔内圧は常に陰圧であり、安静時の呼息時には約 $-4 \sim -2\,cmH_2O$ の圧力である。

2．吸息時には外肋間筋の弛緩と横隔膜の弛緩によって胸郭内の容積が増大する。

3．呼吸気量の機能的残気量〈FRC〉は予備吸気量〈IRV〉と1回換気量〈TV〉の和である。

4．努力性肺活量から求める1秒率は拘束性障害では70％以下となる。

5．慢性閉塞性肺疾患〈COPD〉では1秒率が70％以上、％肺活量が80％以下となる。
chronic obstructive pulmonary disease

□□□

69 副交感神経の中で迷走神経の働きはどれか。 制限時間 **80**秒

1．毛様体筋収縮

2．瞳孔縮小

3．涙腺分泌

4．気管支収縮

5．排尿筋収縮

70 前立腺肥大症の特徴として**誤っている**のはどれか。
prostatic hyperplasia

制限時間 **70**秒

1．PSA 値が高値となる。

2．加齢と性ホルモンが関与している。

3．直腸内指診で弾性硬の腫大した前立腺を触れる。

4．排尿困難を伴う。

5．夜間頻尿を伴う。

---

71 下記の表は令和4年（2022 年）の人口動態統計における女性の部位別にみた悪性新生物死亡数である。Dの部位はどれか。
malignant neoplasm

制限時間 **60**秒

癌の部位	A	B	C	D	E
死亡数	14,256	7,157	22,913	24,989	15,912

1．胃

2．肺

3．大　腸

4．乳　房

5．子　宮

---

72 健康日本 21（第三次）において 2032 年度の「睡眠時間6〜9時間（60 歳以上は6〜8時間)」を確保できている人の達成目標割合で正しいのはどれか。

制限時間 **80**秒

1．65％

2．60％

3．55％

4．50％

5．45％

---

73 令和2年（2020 年）患者調査における 65 歳以上の外来受診で最も多い傷病はどれか。

制限時間 **70**秒

1．脳血管疾患
cerebrovascular disease

2．糖尿病
diabetes mellitus

3．高血圧性疾患
hypertensive disease

4．歯肉炎及び歯周疾患

5．脊柱障害

74 更年期の女性の特徴として正しいのはどれか。　　制限時間 **80**秒

1. 月経困難症
2. 貧　血
   anemia
3. エストロゲン分泌の上昇
4. 腟の自浄作用の上昇
5. 骨粗鬆症
   osteoporosis

75 うつ病の発症に最も関連が強い神経伝達物質はどれか。　　制限時間 **70**秒
depression

1. ドパミン
2. セロトニン
3. グルタミン酸
4. アセチルコリン
5. ヒスタミン

76 Duchenne〈デュシェンヌ〉型筋ジストロフィーに合併するのはどれか。　　制限時間 **80**秒
Duchenne muscular dystrophy
2つ選べ。

1. 脊柱側弯
   scoliosis
2. 糖尿病
   diabetes mellitus
3. 白内障
   cataract
4. 心筋症
   cardiomyopathy
5. 性腺萎縮
   gonadal atrophy

77 Broca〈ブローカ〉失語の特徴として適切なものはどれか。**2つ選べ。**　　制限時間 **70**秒

1. 喋るリズムや強弱が不正確になる。
2. 会話の内容は支離滅裂であるが、会話の量が多い。
3. 単語や決まり文句などは話すことができる。
4. 文字を書くことに障害はない。
5. 聞いたことを理解してすぐに話し出すことはできるが、物の名前がさっと出てこない。

78 自己効力感を高めるものとして適切なのはどれか。**2つ選べ。** 制限時間 **70**秒

1．必要とされる情報をできるだけ多く提供する。
2．達成可能な目標を看護師が設定する。
3．他人の成功談やデモンストレーションを見聞きする機会をつくる。
4．患者の目標が達成できた時は、称賛する。
5．不適切な行為をその都度指摘する。

---

79 気管支内視鏡検査について適切な説明はどれか。**2つ選べ。** 制限時間 **80**秒

1．「気管支鏡の管が入るときは、しっかり息止めをしてください」
2．「検査中、痛みや苦痛なことがあったらすぐにおっしゃってください」
3．「4時間前から何も食べないでください」
4．「検査2時間後に、水を飲んでむせがないか確認します」
5．「検査終了後は、自由に歩いてもかまいません」

---

80 持続的携帯型腹膜透析〈CAPD〉について正しいのはどれか。**2つ選べ。** 制限時間 **80**秒

1．シャント造設は必要ない。
2．2日に1回、透析療法を行う。
3．終了後はカテーテルを抜去する。
4．入浴は禁止する。
5．清潔操作が十分行われない場合、腹膜炎を起こす可能性がある。
　　　　　　　　　　　　　peritonitis

---

81 二卵性双胎の妊婦が妊娠中に起こしやすい疾患として正しいのはどれか。 制限時間 **70**秒
dizygotic twins
2つ選べ。

1．妊娠糖尿病
　　gestational diabetes mellitus
2．切迫早産
　　threatened premature delivery
3．胎位異常
　　abnormal position
4．双胎間輸血症候群
　　twin-to-twin transfusion syndrome
5．結合体
　　conjoined twins

82 Aさんは33歳の初産婦。妊娠31週0日の妊婦健診時の子宮底長27cm、血圧126/74mmHg、体重は前回の健診より1.5kg増加し、浮腫（±）、蛋白尿（−）、尿糖（−）であった。超音波検査では胎児推定体重1,500gであった。血液検査では、血中ヘモグロビン濃度10.8g/dL、ヘマトクリット値30%であった。アセスメントとして適切なのはどれか。**2つ選べ。**

制限時間 **80**秒

1．貧血である。
   anemia
2．体重増加は順調である。
3．妊娠高血圧症候群〈HDP〉である。
   hypertensive disorders of pregnancy
4．胎児発育不全〈FGR〉である。
   fetal growth restriction
5．子宮底長は正常範囲内である。

83 正常分娩で出産したAさん（37歳、経産婦）の産褥1日目の子宮底の高さは臍上2横指、子宮収縮良好。バイタルサインは体温36.9℃、脈拍52回/分、血圧120/64mmHg。乳房緊満なし。乳管開通は左右10本以上あり、乳汁は黄白色で粘稠度が高い。Aさんのアセスメントとして、正しいのはどれか。**2つ選べ。**

制限時間 **70**秒

1．子宮復古は良好である。
2．バイタルサインに異常がある。
3．乳房の状態は順調である。
4．乳管開通が少ない。
5．初乳である。

84 Rh式血液型不適合妊娠〈D型不適合妊娠〉について正しいのはどれか。**2つ選べ。**

制限時間 **70**秒

1．母親がRh（+）、胎児がRh（−）のときに生じる。
2．1回目の妊娠時に児が発症する。
3．間接クームス試験の検体は、母体血である。
4．胎児は多血になる。
5．新生児は、高ビリルビン血症のリスクが高い。
   hyperbilirubinemia

85 胸腔ドレナージの管理について適切なのはどれか。**2つ選べ。** 制限時間 **80**秒

1．胸腔内の空気が、排液ボトルに貯留する。

2．胸腔ドレナージは、皮下気腫による空気の排出に有効である。

3．胸腔内圧は－15cmH$_2$Oであり、吸引圧は，約－5～10cmH$_2$Oで行う。

4．気泡の有無、ランニングチューブ内の排液の呼吸性移動などを観察する。

5．水封室と吸引制御ボトルの2か所に滅菌蒸留水を入れる。

---

86 クモ膜下出血について正しいのはどれか。**2つ選べ。** 制限時間 **80**秒
subarachnoid hemorrhage

1．症状は、激しい頭痛、悪心・嘔吐であり、意識障害を起こすことはまれである。

2．クモ膜下出血の典型的な後遺症に、麻痺が出現する。
subarachnoid hemorrhage

3．発症後4日～14日後頃に脳血管攣縮が起きやすいため、神経学的所見の観察が必要である。

4．発症後3年経過した頃に、水頭症を併発し、認知症や歩行障害となることがある。
hydrocephalus　dementia

5．再出血は、発症後24時間以内に起きやすく予後が悪いため、安静管理と早期手術が必要である。

---

87 医療安全と関連する方法の組合せで正しいのはどれか。**2つ選べ。** 制限時間 **70**秒

1．事故防止対策　――――――　クリティカルパス

2．医療の質の保証　――――――　プライマリナーシング

3．手術時の安全対策　――――――　タイムアウト

4．院内感染対策　――――――　インシデントレポート

5．患者識別　――――――　ダブルチェック

---

88 看護におけるマネジメントについて正しいものはどれか。**2つ選べ。** 制限時間 **70**秒

1．特定行為研修を受けるには、実務経験が10年以上必要である。

2．多重課題は医療事故を引き起こす可能性がある。

3．看護業務基準は看護職の中でも特に看護師の責務を明確に示している。

4．「重症度，医療・看護必要度」はおもに看護配置が手厚い病棟の要件として、診療報酬の算定に用いられる。

5．入院基本料は、病棟ごとの看護職員数と入院患者数に関わらず、全ての病棟で同一の金額である。

89 「2% 塩酸ドパミン 10mL に生理食塩水を合わせて 100mL にして、3mg/分で点滴静脈注射」と指示を受けた。注入速度を求めよ。   制限時間 70秒

　　ただし、小数点以下の数値が得られた場合には、小数点以下第2位を四捨五入すること。

解答：①.② mL／分

①	②
0	0
1	1
2	2
3	3
4	4
5	5
6	6
7	7
8	8
9	9

90 「酸素吸入を毎分 3L で投与」の指示が出された。使用開始前に 500L 酸素ボンベ（14.7MPa 充填）の内圧計が 5MPa を示していた。現在、酸素吸入を始めて 30 分経過した。   制限時間 70秒

　　酸素ボンベの残量（L）を求めよ。

　　ただし、小数点以下の数値が得られた場合には、小数点以下第 1 位を四捨五入すること。

解答：①②L

①	②
0	0
1	1
2	2
3	3
4	4
5	5
6	6
7	7
8	8
9	9

次の文を読み 91 〜 93 の問いに答えよ。

　Aさん（70歳、男性）は妻と2人暮らしである。肺癌のため右肺葉切除術を受けた。その後状態が落ち着いてから、入院を継続したまま化学療法が開始された。しかし、脱毛、味覚障害、上下肢の痺れなどの症状が現れ、妻や本人から「家に帰りたい」と希望があり、化学療法を中断し退院することになった。

91 退院調整の看護において適切なのはどれか。　　　　 制限時間 **80**秒

1．入院早期から始まる退院支援の最終的な段階である。
2．退院が決まってから患者か家族の意思決定に基づき調整する。
3．訪問看護師は退院翌日から対象者の自宅を訪問することができる。
4．退院時に退院後の主治医を決めるように家族に伝える。

92 Aさんは医療保険により訪問看護を週に1回利用することになった。公的保険 制限時間 **80**秒
サービスについて適切なのはどれか。

1．要介護認定の申請ができる。
2．Aさんが希望すれば、体調不良時は体調に合わせ訪問看護を毎日利用することができる。
3．緊急時訪問看護加算は緊急時の訪問に関して看護師の判断で訪問した場合の加算である。
4．訪問看護は1日1回の利用制限がある。

93 在宅療養を始めて3か月が経過した。脱毛、味覚障害、上下肢の痺れなどの症 制限時間 **80**秒
状は消失し食欲もある。庭に出て園芸を楽しむこともできるようになってきたが、2時間作業をすると腰痛と呼吸困難が出現する。退院時に処方された医療用麻薬は使用していない。訪問看護師の対応として適切なのはどれか。**2つ選べ。**

1．疼痛時は医療用麻薬を使用するように勧める。
2．医療用麻薬は使用していないため可燃ごみとして破棄するように伝える。
3．園芸時の体位や状況、呼吸困難発生時の状況などを確認する。
4．理学療法士による訪問看護を提案する。
5．NRS（numericalratingscale）を用いて痛みの評価を行う。

次の文を読み 94 〜 96 の問いに答えよ。

　A さん（80 歳、女性）。82 歳の夫と二人暮らし。近所に長女夫婦が住んでいる。大腸癌ステージIVで
_{colorectal cancer}
腹膜播種、肝転移、骨転移を認め、主治医に余命数か月から半年程度と説明されている。残された時間を
穏やかに過ごし、家で最期を迎えたいという A さんと夫の希望で在宅療養中。骨転移による骨盤周囲の
癌性疼痛があり、フェントステープを毎日訪問看護で交換している。A さんは体力低下や、全身倦怠感、
疼痛などから臥床安静傾向であるが、寝室横にあるトイレには伝い歩きでなんとか行くことができる。経
口摂取は可能であるが、腹水による膨満感や倦怠感から食事摂取量が少ないため、皮下埋め込み式ポート
から在宅中心静脈栄養法（HPN）を行っている。

94 A さんの家屋環境において、トイレ移動時に転倒するリスクが最も高いのはど
れか。
 制限時間 60秒

1．滑り止めのないラグ
2．上がり框
3．手すりのついたトイレ内
4．足元灯の点灯した廊下

95 在宅中心静脈栄養法（HPN）とその対応について適切なのはどれか。
 制限時間 70秒

1．投与時間は、訪問看護師の訪問時間に投与が終了するよう行う。
2．感染予防のため入浴はしない。
3．発熱を認めた場合はすぐに訪問看護師に連絡をする。
4．経口摂取は禁止となる。

96 終末期が近づき、A さんに夜間不穏がみられるようになった。夫は介護に慣
れてきているが、長女から「病院の方が安全だしお父さんの負担も減るのでは
ないか」と促されたことで、A さんの安全のためには入院した方がよいので
はないかと迷い始めている。A さんは変わらず最期まで家にいたいと主張し
ている。訪問看護師の対応として適切なのはどれか。
 制限時間 70秒

1．入院可能な病院の調整に入る。
2．長女に同居を勧め、介護の協力を促す。
3．A さんの希望を最後まで叶えるよう促す。
4．家族で話し合う場を設ける。

次の文を読み 97 〜 99 の問いに答えよ。

　Aさん（50 歳、男性）は、以前から２型糖尿病を指摘され、外来通院をしていた。今までは、内服薬
type 2 diabetes mellitus
での治療が行われていたが、飲み忘れることもあった。定期の外来受診時に、頻尿があり、下肢のしびれ、
疲労感を感じていた。

　医師からの説明があり、糖尿病性神経障害も出現しているため、入院となった。入院時の検査データは、
diabetic neuropathy
空腹時血糖 150mg/dL、グリコヘモグロビン 10.0%、尿糖（+）尿たんぱく（+）であった。

97　Aさんへの糖尿病の説明として正しいのはどれか。

1．頻尿は、尿中に糖が出現することにより、水分の再吸収が抑制されるため尿量が増加し、出現し
　ている。
2．高度なインスリン分泌障害が起こっているが、インスリン感受性に変化はない。
3．グリコヘモグロビンは過去半年の血糖コントロールの指標となっている。
4．患者からの訴えはないが、糖尿病性神経障害が体幹から始まっている。
diabetic neuropathy

98　入院中にインスリン投与が開始となり、退院後には、ペン型の中間型インスリ
ンの自己注射の開始予定となった。インスリン注射が開始となったこともあり、
Aさんから生活全般を見直したいと希望があった。Aさんへ行う指導として適
切なのはどれか。

1．運動は控えてください。
2．足のしびれがあり、感覚が鈍っているので、1 週間に 1 回は足の裏まで観察してください。
3．アルコール摂取に制限はありません。
4．炭水化物による摂取カロリーは全体の 50 〜 60% としてください。

99　Aさんと退院後の生活について話していたところ、災害時のインスリン注射に
ついて知りたいとの申し出があった。看護師が行う指導の中で正しいのはどれ
か。

1．食事の内容が普段と変わるため、インスリン注射は中止してください。
2．ペン型インスリンの針は、同一人物であれば、針が詰まるまで繰り返し使用できます。
3．アルコール綿などがなく、消毒ができない状況でも、消毒せずに注射をすることが可能です。
4．ペン型のインスリン注射器であれば、インスリンの作用は同じなので、他者と共有してください。

次の文を読み 100 ～ 102 の問いに答えよ。

　Ａさん(26歳、女性)は、夫と２人暮らし。最近、疲れやすくなっていることやイライラすることが多くなっていたが、仕事が忙しいためだと思い放置していた。夫からは「最近イライラしているよ。ちょっと痩せたんじゃないか」と指摘され、体重を測定したところ、この２か月で4kg痩せていた。お風呂あがりに鏡をみたところ、首のあたりが腫れていることに気づき、翌日受診した。受診結果は、体温 37.5℃、脈拍 94 回 / 分、頸部の腫脹あり、軽度の眼球突出あり、手指振戦あり、TSH：0.04 μU/mL、遊離 T3：10.12pg/mL、遊離 T4：6.66ng/dL、抗 TSH 受容体抗体（TRAb、TBII）：陽性、甲状腺超音波検査、甲状腺シンチグラフィの結果から、バセドウ病と診断された。薬物療法を行ったが、副作用が強いことから手術療法となった。
Basedow disease

100　甲状腺手術後の合併症で最も緊急性の高いものはどれか。

制限時間 **80**秒

1．吐き気・嘔吐

2．術後出血

3．術直後ドレーンからの排液が血性

4．体温 37.5℃

101　術後の看護で適切なのはどれか。

制限時間 **80**秒

1．体位変換時は、頸部が伸展しないよう注意する。

2．術後の発声は控えるようにさせる。

3．甲状腺クリーゼの症状が発現した場合は照明を明るくする。

4．口の周囲や手指のしびれはそのまま様子をみる。

102　退院後の生活における説明で適切なのはどれか。

制限時間 **80**秒

1．術後１か月は入浴を控えましょう。

2．歯の治療や抜歯は手術後２週間経過したら行ってもかまいません。

3．車の運転は左右の確認ができるようになるまで控えてください。

4．術後、特に避妊する必要はありません。

次の文を読み 103 ～ 105 の問いに答えよ。

　A さん（80 歳、女性）は、夫とは死別し、息子夫婦と同居中である。白内障と診断されていたが、生
活に支障が出るようになったため、入院し手術を受けることとなった。

　既往には、高血圧、骨粗鬆症、Parkinson〈パーキンソン〉病がある。食事は嫁が調理し家族と一緒に
食べている。食べるのに時間がかかるが、主食のご飯は全量食べていた。総義歯は使用したり、しなかっ
たりしている。

---

103 高齢者によく使われる薬剤について正しいのはどれか。 制限時間 60秒

　1．利尿薬には、脱水や高カリウム血症、高ナトリウム血症の副作用がある。
　2．高血圧治療薬を服用していても効果が少ないため、低血圧によるふらつきはみられない。
　3．ビスホスホネートなどの骨粗鬆症治療薬は、動悸や不整脈への副作用がある。
　4．抗パーキンソン薬（レボドパなど）は、起立性低血圧に注意しなければならない。

---

104 高齢者の白内障手術の説明として適切なのはどれか。 制限時間 60秒

　1．注意事項などは、記憶力や聴力を考慮し、口頭を避け紙に記載したものを渡した。
　2．手術直後から、目に水が入らなければ洗顔、シャワーが可能であることを伝えた。
　3．高齢であるため、手術の説明は家族を中心に行う。
　4．手術後は感染予防のため抗生剤の点眼が必要であることを説明した。

---

105 手術後、A さんへの食事指導で正しいのはどれか。 制限時間 60秒

　1．サプリメントを積極的に取り入れるよう勧める。
　2．炭水化物が不足しているため摂取を促す。
　3．肉や魚の摂取量を控えるように言う。
　4．退院後に歯科を受診し、義歯の調整を勧める。

次の文を読み 106 〜 108 の問いに答えよ。

　Ａちゃん（5歳、女児）は、一昨年から保育園に通い始めたが、2か月ごとに発熱と扁桃炎を繰り返し、半年前から睡眠中のいびきと睡眠時無呼吸があった。今回、口蓋扁桃摘出術を受けるために入院した。入院時、Ａちゃんは心細げに母親と手をつないで病棟に来た。Ａちゃんは、看護師の問いかけに緊張した様子で「病院にお泊りして、手術でのどのばい菌をやっつけるの」と答えた。

106 入院初日、Ａちゃんと母親への対応として、最も適切なのはどれか。　制限時間 60秒

1．家から持参したおもちゃはすべて持ち帰ってもらった。
2．母親からＡちゃんのニックネームを聞き、ニックネームで呼びかけ自己紹介した。
3．術前はプレイルームに行かないように説明した。
4．入院後の予定を母親のみに説明した。

107 看護師がバイタルサイン測定のために訪室をすると、Ａちゃんは緊張した様子もなく、「手術って何するの」と聞いてきた。Ａちゃんへの説明で最も適切なのはどれか。　制限時間 70秒

1．「全身麻酔をしてアデノイドを切除するよ」
2．「眠ってる間にお薬を使うよ」
3．「のどの腫れているところを取るよ」
4．「お父さんとお母さんはお部屋で待っているからね」

108 手術後6日目。合併症などもなく順調に経過し、予定通り退院することになった。次回の外来受診までの母親への説明で適切なのはどれか。　制限時間 70秒

1．「38.0℃以上の発熱がみられても、術後の吸収熱なので心配ありません」
2．「痛みは1週間程度様子をみるようにしてください」
3．「毎日清拭をするようにしてください」
4．「硬いものや刺激のある食べものは避けましょう」
5．「食後は歯磨きよりも白湯を飲水させるようにしてください」

次の文を読み109〜111の問いに答えよ。

　A君（7歳、男児）は、両親と妹のBちゃん（3歳）との4人暮らし。数日前から微熱と両側の耳下腺の腫れが出現し、痛みを訴えていた。昨日からは39℃の高熱と頭痛が続き、夜間に3回の嘔吐もみられたため、本日父親に連れられて小児科を受診した。診察の結果、髄膜炎が疑われ、精査加療のため個室に入院することになった。入院時の所見では、体温38.6℃、両側耳下腺部の腫脹と圧痛が持続していた。胸部聴診では異常所見なく、腹部は平坦・軟で圧痛はなかった。A君が通っている保育園では、最近流行性耳下腺炎（おたふくかぜ）に罹患した園児が数名いるとのことだった。A君の両親はおたふくかぜに罹患した既往があるが、妹のBちゃんは定期予防接種を受けているものの、おたふくかぜワクチンは未接種で、罹患歴もない。

109　A君にみられる可能性が高いのはどれか。　制限時間　60秒

1．肝臓の腫大
2．大泉門の膨隆
3．Kernig（ケルニッヒ）徴候
4．眼瞼腫脹
5．呻吟

110　A君に腰椎穿刺を行うことになった。検査の介助を行う際の対応で最も適切なのはどれか。　制限時間　80秒

1．穿刺中は体動を最小限にするよう、A君にしっかり言い聞かせる。
2．心拍モニターのみ装着する。
3．検査中のA君の顔色の観察を家族に行ってもらう。
4．A君に背中を丸めた姿勢になってもらう。

111　体温は微熱となり食欲が回復してきたことから、入院4日目に退院が決定した。退院に向けて家族への看護師の対応で最も適切なのはどれか。　制限時間　80秒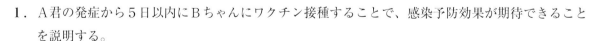

1．A君の発症から5日以内にBちゃんにワクチン接種することで、感染予防効果が期待できることを説明する。
2．A君の聴力の低下に注意するように説明する。
3．A君の精巣の腫脹に注意するように説明する。
4．A君は退院後、10日間は登園できないことを説明する。

次の文を読み 112 ～ 114 の問いに答えよ。

　Aさん（27歳、初産婦）は、妊娠 40 週 3 日午前 1 時に破水感あり、午前 2 時 30 分に入院した。羊水流出少量あり、羊水混濁なし。内診所見は、子宮口 3 cm 開大、展退 80％、児頭下降度 ± 0 cm、子宮口の硬さは軟らかい、子宮口の位置は中央。分娩監視装置にて、胎児心拍数基線 100 bpm、痛みを伴う子宮収縮が 15 ～ 20 分間隔で規則的にあった。

112 入院時のアセスメントとして、正しいのはどれか。　　　制限時間 **70**秒

1．分娩第 I 期である。
2．前期破水である。
3．ビショップスコアは 5 点である。
4．胎児心拍数基線は正常脈である。

113 その日の午前 5 時ごろより痛みが強くなり、子宮収縮は 5 ～ 10 分間隔に短くなってきた。分娩監視装置を装着すると、変動一過性徐脈がみられた。このとき、最優先される看護援助はどれか。　　　制限時間 **70**秒

1．酸素を投与する。
2．医師に報告する。
3．腰部マッサージをする。
4．体位変換をする。

114 その後、吸引分娩で午前 5 時 57 分に 2,890 g の女児を出生した。アプガースコアは 1 分後 7 点、5 分後 8 点であった。出生時の新生児のバイタルサインは体温 37.4℃、心拍数 160 回 / 分、呼吸数 64 回 / 分で不規則。経皮的動脈血酸素飽和度〈SpO_2〉は 94％。出生時、臍帯巻絡が首に 1 回あり、排便あり、口腔吸引にて混濁した羊水を吸引した。最も起こる危険性が高いのはどれか。　　　制限時間 **80**秒

1．呼吸窮迫症候群〈RDS〉
　　respiratory distress syndrome
2．胎便吸引症候群〈MAS〉
　　meconium aspiration syndrome
3．新生児一過性多呼吸〈TTN〉
　　transient tachypnea of the newborn
4．新生児メレナ
　　melena neonatorum

次の文を読み 115 〜 117 の問いに答えよ。

　A さん（40歳、男性）は、大学 1 年生のときに統合失調症を発症し、精神科病院に 20 年入院している。今回、退院して両親と同居することになった。入院中は定期的に作業療法に参加しており、日常生活は自立している。服薬は自己管理となっているが、時々飲み忘れることがある。

---

115 A さんは 1 週間後に退院する予定だが「退院したら薬を飲むのはやめようかな」と看護師に話すことがある。時々幻聴に関して訴えがあり、睡眠が不規則になる。退院後 A さんが利用するサービスで最も適切なのはどれか。

 制限時間 70秒

1．訪問介護
2．精神科訪問看護
3．訪問リハビリテーション
4．就労移行支援

---

116 退院後 3 か月、A さんは処方どおりに服薬している。A さんの母親から「退院してからずっと 1 日中家の中で何もせず過ごしています。夫は本人へ働くように言っています」と看護師に相談があった。母親への対応として最も適切なのはどれか。

 制限時間 60秒

1．「もう一度入院を考えてみますか」
2．「アルバイトを探してはいかがですか」
3．「A さんはどう考えているようですか」
4．「お薬の調整を主治医に相談してみましょうか」

---

117 A さんは受診時に「毎日父親に責められます。実家を出て生活してみたいです」と訴えた。A さんに単身生活の経験はない。A さんに勧める社会資源で最も適切なのはどれか。**2つ選べ。**

 制限時間 70秒

1．自立訓練〈生活訓練〉
2．小規模多機能型居宅介護
3．短期入所〈ショートステイ〉
4．共同生活援助〈グループホーム〉
5．就労継続支援 A 型

次の文を読み 118 ～ 120 の問いに答えよ。

　6月上旬の朝7時頃、最大震度6強の地震が発生し、多くの家屋が倒壊した。発災後から地域の住民や消防隊によって救助活動が開始された。震源から近いA市民病院には、地震発生後より負傷した住民が来院しはじめていた。

118 A市民病院は、来院者が増加したため START 法によるトリアージを実施した。以下の被災者のうちトリアージ区分が黄（Ⅱ・待機的治療群）と判断されるのはだれか。

 制限時間 60秒

1．歩いて来院した、右上肢に 10cm ほどの創傷および出血のある 60 代女性

2．意識がなく、気道確保をしても自発呼吸のない 10 代男性

3．頭部から出血があり歩行ができない、呼吸5回／分で簡単な指示にも応じることのできない 20 代女性

4．大腿部から出血があり歩行ができず、呼吸が 20 回／分、橈骨動脈触知が可能で脈拍 100 回/分で簡単な指示に応じることのできる 30 代男性

119 発災から6時間後、倒壊した家屋の下敷きとなり両下肢を長時間圧迫されていたBさんが救出され、A市民病院に搬送された。Bさんの体温は 35.0℃、脈拍 120 回／分、SpO_2 95%、赤褐色尿がみられた。両下肢は著しく腫脹しており、感覚が無くなっていると訴えがあった。搬送後に集中治療室で治療が開始された。搬送後のBさんの血液検査データで予測されるものはどれか。

 制限時間 70秒

1．血清カリウムが高値となる。

2．クレアチンキナーゼが低値となる。

3．HbA1C が高値となる。

4．血清カルシウムが高値となる。

120 今回の大規模災害に対して、DMAT（災害派遣医療チーム）が派遣されることとなった。DMAT の活動について正しいものはどれか。

 制限時間 70秒

1．DMAT は被災地域内での傷病者の搬送は行わず、負傷者の治療を専門的に行う。

2．心的外傷後ストレス障害〈PTSD〉への対応を行う。

3．活動期間は、被災地に到着してから1か月を基本としている。

4．自己完結型の活動を行う。

第一回 模擬試験 午後 答案用紙

※1問2点で計算

解答一覧は解答・解説編 p.31 をご覧ください。
※この用紙はコピーをしてお使いください。

必修（1〜25） /25点	一般（26〜90） /65点	状況設定（91〜120） /60点

制限時間　2時間40分

番号	解答番号	番号	解答番号	番号	解答番号
1	① ② ③ ④ ⑤	43	① ② ③ ④ ⑤	85	① ② ③ ④ ⑤
2	① ② ③ ④ ⑤	44	① ② ③ ④ ⑤	86	① ② ③ ④ ⑤
3	① ② ③ ④ ⑤	45	① ② ③ ④ ⑤	87	① ② ③ ④ ⑤
4	① ② ③ ④ ⑤	46	① ② ③ ④ ⑤	88	① ② ③ ④ ⑤
5	① ② ③ ④ ⑤	47	① ② ③ ④ ⑤	89 ①	⓪ ① ② ③ ④ ⑤ ⑥ ⑦ ⑧ ⑨
6	① ② ③ ④ ⑤	48	① ② ③ ④ ⑤		
7	① ② ③ ④ ⑤	49	① ② ③ ④ ⑤	89 ②	⓪ ① ② ③ ④ ⑤ ⑥ ⑦ ⑧ ⑨
8	① ② ③ ④ ⑤	50	① ② ③ ④ ⑤		
9	① ② ③ ④ ⑤	51	① ② ③ ④ ⑤	90 ①	⓪ ① ② ③ ④ ⑤ ⑥ ⑦ ⑧ ⑨
10	① ② ③ ④ ⑤	52	① ② ③ ④ ⑤		
11	① ② ③ ④ ⑤	53	① ② ③ ④ ⑤	90 ②	⓪ ① ② ③ ④ ⑤ ⑥ ⑦ ⑧ ⑨
12	① ② ③ ④ ⑤	54	① ② ③ ④ ⑤		
13	① ② ③ ④ ⑤	55	① ② ③ ④ ⑤	91	① ② ③ ④ ⑤
14	① ② ③ ④ ⑤	56	① ② ③ ④ ⑤	92	① ② ③ ④ ⑤
15	① ② ③ ④ ⑤	57	① ② ③ ④ ⑤	93	① ② ③ ④ ⑤
16	① ② ③ ④ ⑤	58	① ② ③ ④ ⑤	94	① ② ③ ④ ⑤
17	① ② ③ ④ ⑤	59	① ② ③ ④ ⑤	95	① ② ③ ④ ⑤
18	① ② ③ ④ ⑤	60	① ② ③ ④ ⑤	96	① ② ③ ④ ⑤
19	① ② ③ ④ ⑤	61	① ② ③ ④ ⑤	97	① ② ③ ④ ⑤
20	① ② ③ ④ ⑤	62	① ② ③ ④ ⑤	98	① ② ③ ④ ⑤
21	① ② ③ ④ ⑤	63	① ② ③ ④ ⑤	99	① ② ③ ④ ⑤
22	① ② ③ ④ ⑤	64	① ② ③ ④ ⑤	100	① ② ③ ④ ⑤
23	① ② ③ ④ ⑤	65	① ② ③ ④ ⑤	101	① ② ③ ④ ⑤
24	① ② ③ ④ ⑤	66	① ② ③ ④ ⑤	102	① ② ③ ④ ⑤
25	① ② ③ ④ ⑤	67	① ② ③ ④ ⑤	103	① ② ③ ④ ⑤
26	① ② ③ ④ ⑤	68	① ② ③ ④ ⑤	104	① ② ③ ④ ⑤
27	① ② ③ ④ ⑤	69	① ② ③ ④ ⑤	105	① ② ③ ④ ⑤
28	① ② ③ ④ ⑤	70	① ② ③ ④ ⑤	106	① ② ③ ④ ⑤
29	① ② ③ ④ ⑤	71	① ② ③ ④ ⑤	107	① ② ③ ④ ⑤
30	① ② ③ ④ ⑤	72	① ② ③ ④ ⑤	108	① ② ③ ④ ⑤
31	① ② ③ ④ ⑤	73	① ② ③ ④ ⑤	109	① ② ③ ④ ⑤
32	① ② ③ ④ ⑤	74	① ② ③ ④ ⑤	110	① ② ③ ④ ⑤
33	① ② ③ ④ ⑤	75	① ② ③ ④ ⑤	111	① ② ③ ④ ⑤
34	① ② ③ ④ ⑤	76	① ② ③ ④ ⑤	112	① ② ③ ④ ⑤
35	① ② ③ ④ ⑤	77	① ② ③ ④ ⑤	113	① ② ③ ④ ⑤
36	① ② ③ ④ ⑤	78	① ② ③ ④ ⑤	114	① ② ③ ④ ⑤
37	① ② ③ ④ ⑤	79	① ② ③ ④ ⑤	115	① ② ③ ④ ⑤
38	① ② ③ ④ ⑤	80	① ② ③ ④ ⑤	116	① ② ③ ④ ⑤
39	① ② ③ ④ ⑤	81	① ② ③ ④ ⑤	117	① ② ③ ④ ⑤
40	① ② ③ ④ ⑤	82	① ② ③ ④ ⑤	118	① ② ③ ④ ⑤
41	① ② ③ ④ ⑤	83	① ② ③ ④ ⑤	119	① ② ③ ④ ⑤
42	① ② ③ ④ ⑤	84	① ② ③ ④ ⑤	120	① ② ③ ④ ⑤

必修午前　点	合計	一般午前　点	合計		状況設定午前　点	合計		合計
必修午後　点	/50点	一般午後　点	/130点	＋	状況設定午後　点	/120点	＝	/250点

合格ライン　40点　　　　　※1問2点で計算　　　　合格ライン　160点

◀ 矢印の方向に引くと問題冊子が取り外せます。

模擬試験③

午前 （9 時 50 分～ 12 時 30 分）

<注意事項>

1. 試験問題の数は 120 問で解答時間は正味 2 時間 40 分である。

2. 解答方法は次のとおりである。

各問題には 1 から 4 までの 4 つの選択肢、もしくは 1 から 5 までの 5 つの選択肢があるので、そのうち質問に適した選択肢を、質問に応じて 1 つあるいは 2 つ選び、答案用紙に記入すること。

なお、1 つ選ぶ質問に 2 つ以上解答した場合は誤りとする。2 つ選ぶ質問に 1 つ又は 3 つ以上解答した場合は誤りとする。

※以上の注意事項は、第 113 回の看護師国試を参考に作成しております。

※答えは、この問題冊子の末尾にある答案用紙に記入してください。

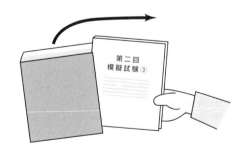

矢印の方向に引くと問題冊子が取り外せます。➡

成美堂出版

1 日本の世帯構造の推移で、平成元年（1989 年）と比べて減少傾向を示しているのはどれか。 制限時間 60秒

1．単独世帯

2．夫婦のみの世帯

3．夫婦と未婚の子のみの世帯

4．ひとり親と未婚の子のみの世帯

---

2 生活行動・習慣について正しいのはどれか。 制限時間 80秒

1．BMI が 16.5 以下をやせ、23.0 以上を肥満と判定する。

2．炭水化物の摂取基準は総エネルギーの 30％以上 40％未満が目標量とされている。

3．メタボリックシンドロームはアルコールの飲み過ぎが原因である。

4．ナトリウムの成人（18 ～ 49 歳）の目標量は、食塩換算で男性が 7.5g/ 日未満、女性が 6.5g/ 日未満である。

---

3 日本の労働衛生の現状について正しいのはどれか。 制限時間 60秒

1．労働災害による死傷者数は、平成以降増加傾向を続けており、令和 4 年（2022 年）には休業 4 日以上の死傷者数は 30 万人となった。

2．業務上疾病の発生状況は、近年では増減を繰り返しており、その内訳は災害性腰痛が全体の半数以上を占めている。

3．精神障害の労災認定数は、脳・心臓疾患の認定数より多い。

4．石綿による肺癌・中皮腫の労災保険給付支給決定件数の年次推移をみると、平成 16 年以降、減

lung cancer mesothelioma
少傾向をたどっている。

---

4 日本の国民医療費について正しいのはどれか。 制限時間 70秒

1．国民医療費は国民皆保険達成の昭和 40 年度（1965 年度）には 1 兆円を超え、令和 2 年度（2020 年度）には 50 兆円を超えている。

2．国民医療費の国内総生産に対する比率は年々上昇傾向を示し、令和 2 年度（2020 年度）には 15％をはるかに超えている。

3．人口 1 人当たりの国民医療費は年々上昇傾向を示し、令和 2 年度（2020 年度）には 40 万円をはるかに超えている。

4．国民医療費の国民所得に対する比率は平成 21 年度（2009 年度）以降 10％を超えている。

5 インフォームド・コンセントについて、正しいのはどれか。 制限時間 60秒

1．昭和50年（1975年）には世界医師会がヘルシンキ宣言にインフォームド・コンセント指針を盛り込み修正がなされている。
2．昭和22年（1947年）の「看護者の倫理綱領」を倫理的原則としてインフォームド・コンセントという考え方が生み出された。
3．日本にインフォームド・コンセントが紹介されたのは昭和25年（1950年）である。
4．インフォームド・コンセントは、看護師の看護行為をめぐる議論から生まれたものである。

6 QOL について正しいのはどれか。 制限時間 70秒

1．生命の延長をすることがQOLの向上に最も重要である。
2．QOLの基準はその人の生活の経済的豊かさである。
3．QOLには生命の質は含まれない。
4．QOLはその人の価値観や人生観を尊重する指標である。

7 発達の原則について正しいのはどれか。 制限時間 70秒

1．脚部から頭部へと進む。
2．周辺部から中心部へ向かって進む。
3．一定の順序性をもって進む。
4．速度は一定である。

8 乳児の発達の過程において、人見知りをするようになる時期はいつか。 制限時間 60秒

1．3か月
2．5か月
3．7か月
4．12か月

9 3歳児の基本的生活習慣で正しいのはどれか。 制限時間 **70**秒

1．排便後の後始末ができる。
2．うがい・口をすすぐことができる。
3．箸を使うことができる。
4．上着の前後を間違えずに着ることができる。

10 心臓に関する説明として正しいのはどれか。 制限時間 **60**秒

1．縦隔内に位置する。
2．心尖部は左第2肋間に位置する。
3．心房の壁は心室より厚い。
4．右房室弁〈三尖弁〉は動脈血の逆流防止機能をもつ。

11 呼吸器の機能構造について正しいのはどれか。 制限時間 **80**秒

1．左気管支は右に比べて太く短く、傾斜が急である。
2．肺におけるガス移動は拡散作用によって起こる。
3．横隔膜のみの収縮により、胸腔を拡大させる。
4．呼吸中枢は橋にある。

12 日本人の食事摂取基準（2020年版）において、男性、身体活動レベルⅠの場合、最も多くのエネルギーを必要とする年代は次のうちどれか。 制限時間 **70**秒

1．6〜7歳
2．15〜17歳
3．30〜49歳
4．75歳以上

13 排尿のしくみとして正しいのはどれか。　制限時間 **80**秒

1．膀胱内容量が 600mL を超えるとようやく尿意を感じ始める。
2．内尿道括約筋は随意筋である。
3．蓄尿反射では排尿筋の収縮が起きる。
4．膀胱壁の平滑筋は交感神経と副交感神経の二重支配を受けている。

14 ジャパン・コーマ・スケール〈JCS〉において、痛み刺激に対し、払いのけるような動作をするのはどれか。　制限時間 **80**秒

1．Ⅱ - 20
2．Ⅱ - 30
3．Ⅲ - 100
4．Ⅲ - 200

15 閉塞性黄疸の症状はどれか。　制限時間 **70**秒
obstructive jaundice

1．間接ビリルビンの上昇
2．皮膚の瘙痒感
3．黄褐色の便
4．色の薄い尿

16 膀胱癌のリスク要因となる生活習慣はどれか。　制限時間 **60**秒
bladder cancer

1．野菜摂取不足
2．運動不足
3．喫　煙
4．肥　満

17 気管支喘息患者に禁忌なのはどれか。
bronchial asthma

制限時間 60秒

1. β_2 作動薬
2. キサンチン誘導体
3. β 遮断薬
4. 抗コリン作動薬

18 患者と面接をする環境について正しいのはどれか。

制限時間 80秒

1. 病室で実施することが好ましい。
2. 特別な部屋よりも、ロビーなどで実施することが好ましい。
3. ナースステーションの状況が把握しやすい場所が好ましい。
4. あたたかい雰囲気の場所が好ましい。

19 持続的導尿における管理について適切なのはどれか。

制限時間 80秒

1. 陰部洗浄の回数をできるだけ減らす。
2. カテーテルを屈曲させないように保つ。
3. 蓄尿バッグは膀胱と同じ高さに保つ。
4. 水分の摂取を制限する。

20 腹圧性尿失禁のある患者の援助で最も適切なのはどれか。
stress incontinence of urine

制限時間 70秒

1. 腹圧をかけやすい体位に整える。
2. 腹筋を鍛えるトレーニングを行う。
3. 下腹部や鼠径部を軽く叩き、排尿を促す。
4. 腹圧のかかる作業の前や外出前には排尿を済ませておくように伝える。

21 入浴の効果・援助に関して正しいのはどれか。 制限時間 **60**秒

1．温熱効果により、循環血流量の増加、筋緊張の亢進、慢性疼痛や慢性疲労の改善などがみられる。
2．温熱効果を引き出すためには、42〜45℃の温浴がよい。
3．静水圧により、末梢血管へのマッサージ効果が生じるとともに、循環器系や呼吸器系に負荷がかかる。
4．浮力によって筋力の負担が軽減され、身体のバランスは安定する。

22 病室内の環境調整として正しいのはどれか。 制限時間 **80**秒

1．湿度が65％であったため、加湿器を使用した。
2．病室の照明は1,000ルクス程度の明るさにする。
3．快適と感じる室温は患者により異なるため、患者の状態にあわせて室温を調整した。
4．騒音の基準は、昼間は80dB以下であれば問題ない。

23 誤薬防止のために確認する事項として最も適切なのはどれか。 制限時間 **80**秒

1．目的
2．副作用
3．アレルギーの有無
4．服用歴

24 静脈留置針による点滴静脈内注射を施行中の患者への観察及び対応について適切なのはどれか。 制限時間 **70**秒

1．訪室時には、静脈留置針刺入部の疼痛、発赤、腫脹、熱感、硬結の有無を観察する。
2．患者から疼痛の訴えがあっても、点滴の落下があればそのまま様子をみる。
3．発赤や腫脹があっても、決められた与薬時間を守る必要があるために輸液の注入を最優先する。
4．刺入部を固定するドレッシング材やテープがはがれかかっていても、点滴静脈内注射の施行中は触らずそのままにしておく。

25 採血の手技で適切なのはどれか。 制限時間 **70**秒

1．採血部位の真上に駆血帯を巻く。
2．刺入部位の中心から外側に向かって消毒する。
3．ホルダーに真空採血管を装着してから刺入する。
4．真空採血管は室温よりも低い状態で使用する。

26 日本の脳死判定基準の中で、（　　　　　　　）は耳の中に冷たい水を入れ、眼球が 動かないことを確認する脳幹反射である。（　　　　　　）に入るのはどれか。 制限時間 **70**秒

1．毛様脊髄反射
2．前庭反射
3．咽頭反射
4．眼球頭反射

27 体重 60kg の健常成人男性の血液量はどれくらいか（血液比重は 1.055 とする）。 制限時間 **70**秒

1．36L
2．4.80L
3．4.55L
4．3L

28 酸塩基平衡障害についての組合せとして正しいのはどれか。 制限時間 **60**秒

（酸塩基平衡障害の種類）	（変化物質）	（代償作用）
1．呼吸性アシドーシス respiratory acidosis	$Paco_2$ 上昇	腎臓から HCO_3^- の再吸収抑制
2．呼吸性アルカローシス	$Paco_2$ 低下	腎臓から HCO_3^- の排泄抑制
3．代謝性アシドーシス metabolic acidosis	HCO_3^- 低下	呼吸調節による動脈血 Pco_2 の低下
4．代謝性アルカローシス	HCO_3^- 増加	呼吸調節による動脈血 Po_2 の増加

29 先天性心疾患でチアノーゼを伴う疾患はどれか。
congenital heart disease

制限時間 **70**秒

1．心房中隔欠損症
atrial septal defect
2．心室中隔欠損症
ventricular septal defect
3．動脈管開存症
patent ductus arteriosus
4．ファロー四徴症
tetralogy of Fallot

---

30 肝細胞癌について適切なのはどれか。
hepatocellular carcinoma

制限時間 **70**秒

1．男性よりも女性に多い。
2．腫瘍マーカー：AFP（α-フェトプロテイン）が低下している。
3．慢性肝疾患を有することが多い。
4．治療後の再発の可能性は低い。

---

31 大腸癌で最も頻度が高い組織型はどれか。
colorectal cancer

制限時間 **60**秒

1．小細胞癌
2．扁平上皮癌
3．大細胞癌
4．腺癌

---

32 全身性エリテマトーデス〈SLE〉の患者の特徴として正しいのはどれか。
systemic lupus erythematosus

制限時間 **70**秒

1．高齢女性に多い。
2．血液検査所見として、白血球数の増加、血小板数の増加が認められる。
3．約半数の患者でループス腎炎を合併する。
lupus nephritis
4．皮膚や眼球に限定した症状が出現する。

33 ネフローゼ症候群の診断基準で正しいのはどれか。
nephrotic syndrome

制限時間 **80**秒

1．血　尿
2．高血圧
　　hypertension
3．蛋白尿：3.0g/日以上が持続する
4．低アルブミン血症：血清アルブミン値 3.0g/dL 以下

---

34 慢性腎不全の特徴で正しいのはどれか。
chronic renal failure

制限時間 **70**秒

1．代謝性アルカローシスの出現
2．赤血球産生の低下
3．血圧低下
4．糸球体濾過量の増加

---

35 オタワ憲章でのヘルスプロモーションの活動方針で正しいのはどれか。

制限時間 **70**秒

1．食料確保と適切な栄養摂取
2．適正技術の導入
3．健康を支援する環境づくり
4．地域で入手可能な資源の優先利用

---

36 生活習慣病の一次予防はどれか。

制限時間 **70**秒

1．運動習慣の定着を図った。
2．喫煙者に肺がん検診を実施した。
　　lung cancer
3．高血圧の要治療者に食事指導を行った。
4．脳血管疾患等のリハビリを目的とした機能訓練教室を行った。
　　cerebrovascular disease

37 検査に用いる器具を示す。リンネ試験に用いるのはどれか。

①  ②  ③  ④

1. ①
2. ②
3. ③
4. ④

38 針刺し事故を防止するための対策について適切なのはどれか。

1. 針の使用後は必ずリキャップを行う。
2. 病室で針を使用する際には、専用廃棄容器を携帯する。
3. 職務中は、サンダル型の靴をはく方がよい。
4. 処置のための時間と作業スペースを確保することは、針刺し事故の防止にはならない。

39 ベッド周囲の環境整備において適切なのはどれか。

1. 物品を整理・整頓し、不必要なものはベッド周囲に置かない。
2. ベッド上での生活を余儀なくされる患者の場合は、必要なものがあるたびに看護者を呼ぶよう指導する。
3. ベッド周辺の清掃・換気への配慮は必要ない。
4. 入院時の病室内における患者の物品配置は、退院時まで同じにしておいた方がよい。

40 1日の推定エネルギー必要量が 2,600kcal の 50 歳の男性。1日の脂肪摂取量で適切なのはどれか。

1. 45g
2. 52g
3. 65g
4. 92g

第二回　模擬試験　午前　問32〜問39

41 清拭の方法で適切なのはどれか。

1．清拭用の洗浄剤は、アルコールを含むものが最適である。
2．清拭する湯の温度は40℃程度で手を楽に入れられる温度にする。
3．湯の量はベースンの2/3程度とする。
4．室内環境は約22±2℃とし、すきま風を避ける。

42 病棟での医薬品の管理で正しいのはどれか。

1．開封前のインスリン製剤は冷凍で保存する。
2．用時溶解の薬剤は、溶解後36時間以内に使用する。
3．麻薬の空アンプルは麻薬管理責任者に返却する。
4．シロップ剤は常温で保存する。

43 ポジトロン断層撮影法〈PET〉の説明として適切なのはどれか。

1．検査の直前まで食事や糖分の入った水分を摂取できる。
2．薬剤投与後、撮影までの間の行動制限はない。
3．撮影に2時間程度を要するため、同一体位での苦痛を伴う。
4．検査終了後、2時間程度は人ごみを避ける。

44 更年期の女性の特徴について正しいのはどれか。

1．閉経前後の1年間を指す。
2．月経周期は変化しない。
3．エストロゲンの分泌が上昇する。
4．心理的に不安定になることがある。

45 肥満症で適切なのはどれか。
obesity

1．ＢＭＩ〈Body Mass Index〉が20以上である。

2．臍部における腹部ＣＴスキャンで、内臓脂肪面積が50cm²以上であれば内臓脂肪型肥満である。

3．内臓脂肪型肥満を基礎にして、耐糖能障害、脂質異常症、低血圧をもたらした状態は、メタボ
impaired glucose tolerance　dyslipidemia
リックシンドロームである。

4．肥満症の治療の基本は、食事と運動の生活習慣を改善することである。
obesity

---

46 アナフィラキシーショック患者の処置として適切なのはどれか。
anaphylactic shock

1．輸血を行う。

2．強心剤を投与する。

3．気道確保をする。

4．Ｘ線検査を行う。

---

47 エンパワメントアプローチの説明で正しいのはどれか。

1．行動変容は外部からの動機づけで行われる。

2．成人は、自由意思で決めた行動変容であれば、継続しやすい。

3．医療チームが決定の全ての責任をもつ。

4．目標は、看護師が設定する。

---

48 慢性疾患をもつ患者への自己効力感を高める支援として最も適切なのはどれ
か。

1．同じ疾患をもつ患者の失敗例を話し、危機感をもたせる。

2．達成が容易でない水準に目標を設定する。

3．患者の行動を監視し、望ましい行動をしていない場合は注意をする。

4．自己管理できた点が少しでもあればそれを評価する。

49 リハビリテーションの説明として正しいのはどれか。 制限時間 **70**秒

1．作業療法の目的は、社会適応のための能力回復である。

2．理学療法の目的は、応用動作をする能力の獲得である。

3．リハビリテーションの目標は、医師が設定するのではなく、医療チームが設定する。

4．疾病の2次予防となる。

---

50 肝臓癌の患者にコデインが使用されているが、患者は「痛みが強くて我慢できない」と言っている。看護師の関わりとして**適切でない**のはどれか。
hepatoma
制限時間 **70**秒

1．痛みの程度をスケールで経時的に把握する。

2．疼痛の部位・程度を確認し、日常生活援助を行う。

3．悪心、便秘、眠気、不整脈、眩暈などの副作用の有無・程度を観察する。
　　　　　　arrhythmia

4．医師に患者の疼痛状態と心理状態を報告し、アセトアミノフェンに切り替えることを提案する。

---

51 嚥下障害のある患者のベッド上での食事摂取時の援助で正しいのはどれか。 制限時間 **70**秒

1．冷たい食材は誤嚥を起こしやすいため、温める。

2．むせたら水分を摂取させる。

3．固い食材は細かく刻む。

4．食物の咽頭への送り込みが困難な患者の場合、ベッドを30〜60度にして食事介助を行う。

---

52 ギプス固定中の看護で正しいのはどれか。 制限時間 **70**秒

1．患肢の末梢に冷感があるときは保温をする。

2．ギプス固定中は入浴できないため清拭を行う。

3．患肢に疼痛出現時は鎮痛剤を投与してしばらく様子をみる。

4．ギプスから出ている手指、足指の屈伸運動を促す。

53 骨盤底筋群の筋力低下によって起きる尿失禁はどれか。 制限時間 80秒

1．溢流性尿失禁
overflow incontinence of urine
2．腹圧性尿失禁
stress incontinence of urine
3．反射性尿失禁
reflex incontinence of urine
4．機能性尿失禁
functional incontinence of urine

54 加齢によるホルモンの基礎分泌量の変化で正しいのはどれか。 制限時間 80秒

1．メラトニンは増加する。
2．コルチゾルは変化しない。
3．成長ホルモンは変化しない。
4．副甲状腺ホルモンは減少する。

55 高齢者の身体機能の変化で正しいのはどれか。 制限時間 60秒

1．聴覚中枢の機能低下によって伝音性難聴を起こしやすい。
conductive hearing loss
2．体温調節機能の低下によって脱水を起こしやすい。
dehydration
3．消化液の分泌の亢進によって下痢を起こしやすい。
4．水晶体の老化によって赤色の視覚異常を起こしやすい。

56 令和3(2021)年度高齢者の日常生活・地域社会への参加に関する調査で、高齢者が参加している活動のうち割合が最も高いのはどれか。 制限時間 70秒

1．趣味
2．健康・スポーツ
3．地域行事
4．高齢者の支援

57 義歯の手入れの方法と理由との組合せで正しいのはどれか。 制限時間 **80**秒

1．食物残渣や歯垢の付着を観察する ─── 義歯不具合状態の発見
2．毎食後歯みがき剤をつけずに磨く ─── 変色の予防
3．義歯洗浄剤を用いる ─── 変形の予防
4．夜は外して水につける ─── 臭気の予防

58 機能性尿失禁のある認知症高齢者への援助で正しいのはどれか。 制限時間 **70**秒

1．排尿パターンを把握し、排尿誘導を行う。
2．骨盤底筋体操を毎日一緒に行う。
3．間欠的に導尿を行う。
4．水分摂取を控えるよう繰り返し伝える。

59 高齢者に対するリハビリテーションについて最も正しいのはどれか。 制限時間 **60**秒

1．リハビリテーション開始時には、高齢者の身体面のみアセスメントする。
2．理学療法士と作業療法士で実施する。
3．障害された機能が回復することを第一の目標とする。
4．廃用症候群の予防に役立つ。
  disuse syndrome

60 Parkinson〈パーキンソン〉病について**誤っている**のはどれか。 制限時間 **80**秒
  Parkinson's disease

1．錐体路系の疾患である。
2．L‐ドーパが有効である。
3．安静時振戦がみられる。
4．小刻み歩行がみられる。

61 75歳の男性。4日前に脳出血を発症し言語障害を来した。「今日は何月何日ですか」と尋ねたところ「はい、そうです。それはどうもあります。なんでもないです」と明瞭な口調で答えた。運動神経麻痺はなく、アルコール依存症の既往はない。最も考えられる障害はどれか。

制限時間 80秒

1．Wernicke〈ウェルニッケ〉失語
2．構音障害
3．健忘失語
4．作　話

62 Broca〈ブローカ〉失語のある患者とのコミュニケーション方法で**適切でないの**はどれか。

制限時間 80秒

1．短文でゆっくり話しかける。
2．患者の言い間違いは訂正するよう促す。
3．ゆっくり待ち聴く姿勢をもつことで、語りを促す。
4．「はい」、「いいえ」で答えられる質問をする。

63 Parkinson〈パーキンソン〉病の高齢者に対する看護で正しいのはどれか。
Parkinson's disease

制限時間 70秒

1．歩行時は一定のリズムに合わせながら歩くよう勧める。
2．立ち上がり動作は、勢いをつけて行うよう指導する。
3．外出はなるべく控えるよう勧める。
4．服用中の薬の副作用が強くても、そのまま内服を継続するよう伝える。

64 認知症対応型共同生活介護（グループホーム）について正しいのはどれか。

制限時間 60秒

1．看護職員の配置が義務付けられている。
2．介護保険制度の地域密着型サービスである。
3．看取りは必ず提携している病院で行う。
4．居宅での生活への復帰を目指す役割がある。

65 出生後の身体の各器官別の発育について、全身の器官を 4 型に分類した発育曲線を図に示す。①の曲線が示しているのはどれか。

1．消化器

2．胸腺

3．脳

4．睾丸

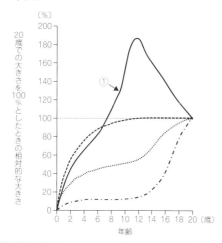

---

66 乳児に経口薬を投与する方法で適切なのはどれか。

1．ミルクに混ぜる。

2．満腹時に与薬する。

3．散剤の場合は 5mL 以上の白湯で溶解する。

4．スポイトを用いて舌の側面に沿って注入する。

---

67 A君（8歳、男児）。両親と兄（12歳）との4人家族である。進行神経芽腫と診断された。A君は化学療法により一時的に病状が改善されたが、入院から8か月後、病状が悪化し、余命が限られていることが確認された。担当医から両親に現在の治療では生存率の向上が見込めないこと、緩和ケアへの移行について説明がなされた。担当医からの説明時、両親は大きなショックを受けていたが、冷静に医師の説明を聞いていた。両親への対応で最も適切なものはどれか。

1．A君の活動を制限し、安静を保つよう指導する。

2．緩和ケアの目的と効果について詳細な情報を提供する。

3．A君の意向よりも、医療者の判断を優先する。

4．A君と家族の心理的サポートは不要である。

68 胎児位置について、第1胎向・骨盤位はどれか。 制限時間 **80**秒

1. 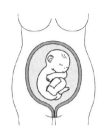　　2. 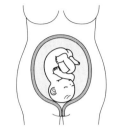　　3. 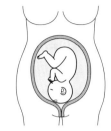　　4.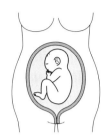

---

69 認知行動療法で最も期待される効果はどれか。 制限時間 **70**秒

1. 自分で緊張や不安を和らげることができるようになる。
2. 薬物療法についての理解が深まる。
3. 物事の捉え方のゆがみが修正される。
4. 過去の心的外傷に気づく。

---

70 パートナーシップ・ナーシングについて正しいのはどれか。 制限時間 **70**秒

1. 教育背景や資格の異なるものから構成されたチームによって看護を実践する。
2. 情報交換や確認作業などでパートナー同士が互いを補完し合いながら看護を実践する。
3. 経験年数の違いにより発生する看護実践能力の差が問題となる。
4. パートナーとなる看護師は一定期間固定する。

71 都道府県ナースセンターについて正しいのはどれか。 制限時間 80秒

1．保健師助産師看護師法に規定されている。
2．日本看護協会が指定する。
3．ナースバンク事業を実施している。
4．訪問看護活動を実施している。

72 看護におけるチームアプローチについて正しいのはどれか。 制限時間 60秒

1．チームの目標はメンバーそれぞれが設定する。
2．患者や家族は支援の対象であり、チームの一員ではない。
3．医学的な問題や身体的な問題を解決することが最も優先される。
4．看護師は患者や家族の代弁者としての役割も担う。

73 国際協力活動について正しいのはどれか。 制限時間 70秒

1．多国間援助とは複数の国に対する直接援助である。
2．二国間援助は二つの国の関係をよくするための援助である。
3．青年海外協力隊は無償資金協力を行う。
4．政府開発援助の実施機関は国際協力機構〈JICA〉である。

74 循環血液量が増加すると働くホルモンはどれか。 制限時間 70秒

1．心房性ナトリウム利尿ペプチド
2．バソプレシン
3．グルカゴン
4．カルシトニン
5．ヒト絨毛性ゴナドトロピン

75 糸球体から原尿が濾過され、尿として排泄されるために必要な腎動脈の平均血圧はどれくらいか。　制限時間　60秒

1．5 mmHg

2．10 mmHg

3．20 mmHg

4．40 mmHg

5．60 mmHg

76 褥瘡の治癒に適しているのはどれか。**2つ選べ。**　制限時間　60秒

1．創部消毒

2．創部除圧

3．湿潤環境

4．血腫形成

5．痂皮形成

77 術後合併症について正しいのはどれか。**2つ選べ。**　制限時間　70秒

1．機械的イレウスは、腹部レントゲンで鏡面像が認められる。
mechanical ileus

2．術後せん妄の症状の1つとして、知能低下がある。
post-operative delirium

3．縫合不全は、手術直後から1日の間で起こりやすい。

4．早期離床は、肺炎の予防に効果がある。
pneumonia

5．術後の無気肺予防には、弾性ストッキングの着用が有効である。
atelectasis

78 成年後見制度で正しいのはどれか。**2つ選べ。**　制限時間　70秒

1．成年後見制度は、法定後見と任意後見の2つの制度で構成されている。

2．法定後見人は、都道府県知事が選任する。

3．任意後見制度は親族が後見人となる制度である。

4．高齢者は、判断能力があるうちに後見人を指定できる。

5．日常生活自立支援事業の一部として位置づけられる。

79 児童虐待について正しいのはどれか。

 制限時間 **70**秒

1．家庭内暴力を目の当たりにすることは虐待に含まれる。
2．虐待者として実父の占める割合が最も多い。
3．虐待を疑えば保健所に通告する。
4．児童虐待防止法の施行後は相談対応件数が減少している。
5．2020年度の心中を除いた死亡原因で最も多いのは身体的虐待である。

---

80 生殖補助医療技術において、国で認められて**いない**のはどれか。

 制限時間 **70**秒

1．配偶者間の人工授精
2．非配偶者からの卵子提供による体外受精
3．代理懐胎
4．非配偶者からの精子提供による人工授精
5．非配偶者からの精子提供による体外受精

---

81 炭水化物を消化し、単糖に分解する過程で必要な消化酵素はどれか。**2つ選べ**。

 制限時間 **70**秒

1．リパーゼ
2．α-アミラーゼ
3．ペプシン
4．トリプシン
5．マルターゼ

---

82 生活保護制度について**誤っている**のはどれか。**2つ選べ**。

 制限時間 **70**秒

1．健康で文化的な生活水準が保障されている。
2．生活保護の扶助は、他の法律や施策に優先して行われる。
3．医療扶助の範囲には看護が含まれる。
4．生活保護は個人単位で行われる。
5．生活保護のうち医療扶助と介護扶助は現物給付である。

 Ⓒ成美堂出版

83 高次脳機能障害について正しいのはどれか。**2つ選べ。**
higher brain dysfunction

制限時間 **80**秒

1．学習された行動や動作が正しくできない失認がある。

2．左半側空間無視は左半分がみえないため、左に顔を向けてみえるように援助する。

3．ブローカ失語患者は、言葉の理解ができるのでゆっくりクローズドクエスチョンなどを使う。

4．ウェルニッケ失語患者は、五十音表を用いてコミュニケーションをとる。

5．手にした物を閉眼では識別できない触覚失認は、頭頂葉の障害である。

84 脳室ドレナージ中の看護について正しいのはどれか。**2つ選べ。**

制限時間 **80**秒

1．ドレーン挿入部のガーゼが濡れてきた場合、その都度ガーゼ交換を行う。

2．ドレナージのルート（回路）内の髄液の滴下では、心拍に同期して拍動しているか観察する。

3．脳圧測定、髄液排除、術後の水頭症予防、人工髄液による灌流などの目的がある。

4．髄液面の高さは、$10cmH_2O \sim 30cmH_2O$ の変化があるか観察する。

5．1日に産生される髄液量は約 1,000mL である。

85 性器クラミジア感染症について正しいのはどれか。**2つ選べ。**
genital chlamydiosis

制限時間 **60**秒

1．令和4（2022）年では男性よりも女性の罹患者が多い。

2．令和4（2022）年では 20 歳未満の罹患者が最も多い。

3．令和4（2022）年では性感染症の中で最も多い。
sexually transmitted disease

4．女性は症状が強く現れる。

5．性交のパートナーの治療を同時に行う。

86 次世代育成支援対策推進法について、**当てはまらない**のはどれか。**2つ選べ。**

制限時間 **80**秒

1．家庭における子育ての意義が理解され尊重されることが基本理念である。

2．児童虐待の早期発見や通告などの支援について定めている。

3．急速な少子化の進行に対応している。

4．子どもの健全な育成を支援するための社会づくりを目的とする。

5．市町村が健康診査で3歳児健診を行うことを定めている。

87 常位胎盤早期剥離に**当てはまらない**のはどれか。**2つ選べ**。 制限時間 70秒

1．子宮壁が板状硬を示し、子宮底は上昇する。
2．外部出血が主に起きる。
3．子宮収縮を起こし、痛みも強い。
4．子宮筋腫などが誘因である。
5．DIC を合併しやすい。

---

88 母子相互作用について、**当てはまらない**のはどれか。**2つ選べ**。 制限時間 70秒

1．クラウス，M.H. とケネル，J.H. が提唱した概念である。
2．ルービン，R.が提唱した概念である。
3．愛着行動によって促進される。
4．母親は、エントレインメントの言動や行動の反応をする。
5．分娩後から、形成されていく。

---

89 平成 26 年（2014 年）4 月「精神保健及び精神障害者福祉に関する法律」の改正に伴い変更された医療保護入院制度について正しいのはどれか。**2つ選べ**。 制限時間 80秒

1．家族の 1 人を特別に「保護者」とする保護者制度は継続した。
2．医療保護入院の同意者となれる家族は二親等までである。
3．病院管理者は退院後生活環境相談員を選任し、医療保護入院者の早期退院に向けた支援を行うことが新たに義務づけられた。
4．病院管理者は行動制限最小化委員会を設置し、行動制限に関する院内審査を行うことが新たに義務づけられた。
5．病院管理者は医療保護入院者退院支援委員会を設置し、入院の必要性や期間について審議することが新たに義務づけられた。

---

90 「精神保健及び精神障害者福祉に関する法律」により、病院の管理者が精神科病院に入院中の者に対して制限できるのはどれか。**2つ選べ**。 制限時間 80秒

1．精神医療審査会への電話
2．弁護士との面会
3．手紙の発信
4．信書の中の異物の受け渡し
5．任意入院患者の開放処遇

次の文を読み 91 ～ 93 の問いに答えよ。

Ａさん（70歳、男性）は妻と２人暮らしである。庭木の剪定をしていて転落し、脊髄損傷のため手術を受けた。両下腿の麻痺のため歩行不可能となり機能回復訓練を行ってから退院となった。Ａさんの病状は安定しているが、妻は退院後の介護が心配になり、入院中にＡさんの介護保険の申請を行っている。

91 初回訪問時の看護内容で、優先度が**低い**のはどれか。　制限時間 **80**秒

1．生活環境の確認
2．Ａさんの心理状況
3．妻の介護力
4．妻へのフィジカルアセスメント

92 Ａさんは介護保険により訪問看護を週に１回、デイサービスを週に３回利用することになった。３か月が経過し、車いすへの移乗動作がスムーズに行えるようになったが、訪問看護師に対して「肩が痛くて仕方がない、もうデイサービスには行きたくない」と訴えた。訪問看護師の対応について最も適切なのはどれか。　制限時間 **80**秒

1．妻の介護負担軽減のためにもデイサービスに行くように説得する。
2．デイサービスの機能訓練を中止してもらうように介護支援専門員に連絡する。
3．車いすの移乗動作が上手になったことを褒め叱咤激励する。
4．Ａさんの考えや思いを受け止める。

93 在宅療養生活を行い３年が経過した。Ａさんは日中車いすで過ごす時間も増え、現在は２～３時間ほど車いすで過ごすこともある。訪問看護師に対して妻より、「最近、お尻が赤い時があるので心配です」と訴えがあった。訪問看護師の対応として適切なのはどれか。**２つ選べ**。　制限時間 **80**秒

1．車いすで過ごす時間を制限するように伝える。
2．プッシュアップを行うように伝える。
3．皮膚を清潔に保ち、保湿クリームなどを塗って乾燥から守るように伝える。
4．訪問看護時に発赤がないため心配ないと伝える。
5．円座を使用するように伝える。

次の文を読み94〜96の問いに答えよ。

　Aさん（80歳、女性）は、84歳の夫と二人暮らし。大腸癌ステージⅣで腹膜播種、肝転移、骨転移を
　　　　　　　　　　　　　　　　　　　　colorectal cancer
認め、主治医に余命数か月から半年程度と説明されている。残された時間を穏やかに過ごし、家で最期を
迎えたいというAさんと夫の希望で在宅療養中。骨転移による骨盤周囲の癌性疼痛があり、フェントステー
プを毎日訪問看護で交換している。Aさんは体力低下や、全身倦怠感、疼痛などから臥床安静傾向である
が、オムツは絶対にしたくないという想いがあり、伝い歩きでなんとかトイレは行っている。

---

94 看護師の訪問時に、Aさんより「夜間にトイレへ移動しようとした際、痛みから力が抜けてベッドの下に尻餅をついてしまった」と訴えがあった。訪問看護師の声のかけ方で適切なものはどれか。 制限時間 **60**秒

1．骨折の危険性もあるのでオムツを着用しましょう。
2．夜は暗くて危ないので、水分摂取を控えて移動を減らしましょう。
3．再び転ばないようにリハビリをして筋力をつけましょう。
4．ポータブルトイレの使用も検討しましょう。

---

95 Aさんの状態の変化や、突出痛が頻回に出るようになったことから、PCA（patient-controlled analgesia）機能を備えたポンプを用いて塩酸モルヒネの持続皮下点滴をすることになった。この時の説明として正しいのはどれか。 制限時間 **80**秒

1．レスキューとしての塩酸モルヒネの追加注入はAさんが行う。
2．レスキューで用いる塩酸モルヒネの1回量に制限はない。
3．痛みの訴えがなくなったら注入ポンプの電源をoffにする。
4．薬剤の交換は夫が行う。

---

96 終末期が近づき、医師から病状が説明された。夫から「家で看取ってあげたいが、今後どうしたらよいかわからない」と相談があった。夫への対応で適切なのはどれか。 制限時間 **70**秒

1．呼びかけに反応がなくなったら救急車を呼ぶよう説明する。
2．妻と死について話すのは控えるよう伝える。
3．終末期の介護は大変であるため妻の入院を促す。
4．死に至るまでの予想される妻の様子を夫に伝えておく。

次の文を読み 97 ～ 99 の問いに答えよ。

　Aさん（34歳、女性）は、2年前に結婚し、現在、夫と2人暮らしである。お風呂あがり、タオルで体をふいたところ、血性乳頭分泌がみられた。気になっていたが仕事が忙しく1か月くらい放置していた。その後、左乳房外上部に小さな硬いしこりがあることに気づき、急いで受診をした。分泌物細胞診、超音波検査、マンモグラフィーを実施した結果、早期乳癌と診断され、乳房部分切除術を行うことになった。
breast cancer

97 乳癌について正しいのはどれか。
breast cancer

制限時間 **80**秒

1．乳癌の好発部位は外側上部である。
breast cancer
2．両側に同時に発生することが多い。
3．女性の死亡数が最も多い疾患である。
4．好発年齢は30歳代である。

98 術後のリハビリテーションについて適切なのはどれか。

制限時間 **80**秒

1．リハビリテーションは手のしびれが軽減する術後3日目から実施する。
2．壁登りは1日ごとに手の届く高さを上げる。
3．振り子運動を行う時は肘を曲げた状態で行う。
4．退院後からタオルを絞ったりテーブルを拭いたりする動作を開始する。

99 退院指導として適切なのはどれか。

制限時間 **80**秒

1．検診での血圧測定は患側上肢で行わないように自分自身で申し出るように伝える。
2．ブラジャーは退院後から着用できることを伝える。
3．性生活は手術前と同様に行い、妊娠も可能であるため避妊は必要ないと伝える。
4．退院後の自己検診は月経直前に行うように伝える。

次の文を読み 100 〜 102 の問いに答えよ。

　A さん（75 歳、女性）は、心不全で今日、入院した。心筋梗塞と高血圧症の既往がある。入院時、体温 36.9℃、脈拍 120 回 / 分、呼吸 28 回 / 分浅表性、SpO₂ 89%、血圧 170/100mm Hg、胸部聴診で、ラ音を聴取。「昨日は、普通に動けていた。急に息苦しくなった。息がしにくい」と息苦しさと喘鳴を訴えている。全身性の浮腫は軽度あるが、「そういえばおしっこの回数が、2 〜 3 回 / 日だった」と言っている。医師の指示で酸素 2L/ 分経鼻、血管拡張剤の点滴が開始された。

---

100 入院時の看護として適切なのはどれか。　　　　　　　　　　　　制限時間 80秒

　1．ベッド上で安静にする。
　2．面会制限をする。
　3．制限なく水分摂取を促す。
　4．口腔ケアは控える。

---

101 心不全の状況を把握して看護していくために必要な血液検査はどれか。　制限時間 80秒
heart failure

　1．BUN（尿素窒素）
　2．CRP（C 反応性たんぱく）
　3．NT-proBNP（N 末端プロ B 型ナトリウム利尿ペプチド）
　4．Fe（鉄）

---

102 退院に向けての指導で適切なのはどれか。　　　　　　　　　　　　制限時間 80秒

　1．体重が 1 か月で 2 kg 増えたら受診する。
　2．血圧、体重、経皮的酸素飽和度、尿回数など毎日チェックをする。
　3．7,000 歩程度のウォーキングを毎日行う。
　4．息苦しさがあったら救急車で来院をする。

　　　　　　　　　　　　　　　　　　　　　　　　　　　　　　　　　©成美堂出版

次の文を読み 103 ～ 105 の問いに答えよ。

　Aさん（82歳、女性）は、夫と2人暮らし。自宅の玄関で転倒し、右大腿骨骨折と診断され、手術目
的で入院した。5年前に右中大脳動脈領域の脳梗塞の既往があり、左上肢に軽度のしびれがある。入院前
より食事の時にむせることがあるとのことから頭部 MRI 検査を行うこととなった。入院時の長谷川式認
知症スケール（HDS-R）は 28 点。

---

103 高齢者が MRI 検査を受ける前に、看護師が確認する内容で適切なのはどれか。

1．「何か薬は飲んでいますか。」
2．「義歯を装着していますか。」
3．「老眼鏡の度数は合っていますか。」
4．「水を飲むときにむせることはありますか。」

---

104 入院2日目に人工骨頭置換術が行われた。その日の夜から、ここが病院であることがわからなくなったり、ボーっとしたり、叫ぶこともあった。Aさんのバイタルサインは、体温 36.9℃、呼吸数 22/ 分、脈拍 88/ 分、血圧 136/80 mmHg。Aさんの状態で最も考えられるのはどれか。

1．認知症
　dementia
2．うつ病
　depression
3．せん妄
　delirium
4．パニック障害
　panic disorder

---

105 Aさんはその後状態が落ち着き、時々むせるが、元気に過ごしている。Aさんの食事指導として最も適切なのはどれか。 制限時間 60秒

1．食後と就寝前に口腔ケアを行う。
2．粘稠度の低いサラサラした食品にする。
3．むせがない場合は問題がないことを説明する。
4．糖質の制限を厳しくする。

次の文を読み 106、107 の問いに答えよ。

　A君（10歳、男児）は、1か月前から倦怠感、口渇、多飲、多尿の症状があった。旅行中に急激な症状の悪化があり、現地の病院に救急搬送された。既往歴にアトピー性皮膚炎があった。血液検査の結果、血糖値 550mg/dL、Na140mEq/L、K4.8mEq/L、Cl102mEq/L、尿素窒素 20mg/dL であった。動脈血ガス分析では、PaO_2 96mmHg、$PaCO_2$ 24mmHg、pH は 7.15 と代謝性アシドーシスを認めた。尿検査で尿糖（3+）、尿ケトン体（2+）を認め、1型糖尿病が疑われ入院となった。その後、1型糖尿病と確定診断され、治療が開始されて順調に回復した。今後は持効型と超速効型インスリンの1日4回皮下注射に加え、カーボカウントを用いた食事療法による血糖コントロールが必要となる。

---

106 A君への自己注射とカーボカウントの指導において最も適切なものはどれか。　制限時間 **80**秒

1．インスリン注射は1日4回の定時に行えばカーボカウントは必要ないと指導する。

2．インスリン注射1時間後と食後2時間の血糖測定のみでカーボカウントの効果を評価できると指導する。

3．カーボカウントはA君の家族だけに指導する。

4．インスリン注射は部位をずらして注射することを指導する。

---

107 退院後3か月が経過した。インスリン注射とカーボカウントを用いた食事療法により、血糖コントロールは良好であった。しかし、2日前から発熱と咳が続き、食欲が低下している。自己血糖測定の結果、血糖値は 280mg/dL であった。A君の母親から、この状況での対処方法について外来看護師に電話で相談があった。母親への適切な電話対応はどれか。　制限時間 **70**秒

1．食欲がないため、おかゆやゼリーなどの摂取のみでよいと説明する。

2．血糖値は高いが、インスリン注射を中止するよう説明する。

3．脱水予防のために、1日の水分摂取量を 500mL 以上とするよう説明する。

4．発熱が続いているため、かかりつけ医に受診するよう説明する。

次の文を読み 108 の問いに答えよ。

　A さん（38 歳、女性）は、夫と長男との 3 人暮らしである。1 か月ほど前から、手指の関節の腫れと熱感、疼痛があり病院を受診した。血液検査の結果、リウマトイド因子および抗核抗体の陽性、CRP の上昇があり、関節リウマチ rheumatoid arthritis と診断された。同時にプレドニゾロン錠 60mg／日（毎食後 20mg 処方）のステロイド内服治療が開始された。

---

108 患者への説明で最も適切なのはどれか。

1．「内服後、短期間のうちに筋肉が増強します」
2．「体調に合わせて服薬量は自己調節しても大丈夫です」
3．「関節の拘縮予防のため、痛くてもしっかり関節を伸ばしましょう」
4．「感染しやすい状態になるので、感染予防に努めましょう」

次の文を読み 109 〜 111 の問いに答えよ。

　Aさん（35歳、初産婦）は、非妊娠時の体重が 50.0kg。これまでの妊娠経過は順調であった。本日、妊娠 28 週 3 日であり、定期妊娠健康診査のため受診した。体重 57.0kg、血圧 110/64mmHg、脈拍 70 回／分、子宮底長 26.0cm、腹囲 76.5cm、血液検査にて Hb11.5g/dL、Ht35.0%、尿蛋白なし、尿糖なし、浮腫なし、超音波ドップラー法にて胎児心拍数 130bpm であった。

---

109 Aさんのアセスメントとして正しいのはどれか。**2つ選べ**。

制限時間 **70**秒

　1．妊娠 7 か月である。

　2．高年初産婦である。

　3．妊娠貧血はない。

　4．子宮底長は異常値である。

　5．胎児心拍数は異常値である。

---

110 Aさんの保健指導として適切なのはどれか。

制限時間 **80**秒

　1．「靴はかかとの高さがないものを選んでください」

　2．「おっぱいの手入れは妊娠 10 か月に入る妊娠 36 週から始めてください」

　3．「妊娠中の性生活は控えてください」

　4．「入院の準備を進めてください」

---

111 妊娠 37 週 5 日の AM 2：00 にAさんは自宅にて破水したため、病院に電話した。このときに、Aさんがスタッフに伝える内容として優先度の最も**低い**のはどれか。

制限時間 **80**秒

　1．羊水の性状

　2．胎動の有無

　3．最終排尿の日時

　4．病院に到着するまでの所要時間

次の文を読み 112 ～ 114 の問いに答えよ。

　Aさん（50歳、女性）は、夫と2人暮らし。娘がいるが、今年4月に結婚して引っ越しをした。月経は不規則で今月はまだ来ていない。1～2か月前から急に汗をかいたり、のぼせたりするようになり、全身が疲れやすく、夜もよく眠れていない。イライラすることも多くなった。婦人科を受診したところ、更年期障害と診断された。
climacteric disorder

☐☐

112 Aさんの検査データで予測されるのはどれか。　制限時間 60秒

1．黄体形成ホルモンが上昇している。
2．エストロゲンが上昇している。
3．卵胞刺激ホルモンが低下している。
4．プロゲステロンが上昇している。

☐☐

113 更年期症状の組み合わせで適切なのはどれか。　制限時間 60秒

1．動悸　　　　　　　　　―――――――　血管運動神経症状
2．手足の感覚の鈍化　―――――――　運動器官への症状
3．肩こり　　　　　　　　―――――――　知覚神経症状
4．手足の冷え　　　　　―――――――　精神神経症状

☐☐

114 Aさんへの説明で適切なのはどれか。　制限時間 70秒

1．「更年期障害には、手足のしびれや腰痛などもあります。」
climacteric disorder
2．「性生活については、症状が消失するまでは行わないようにしましょう。」
3．「適度な運動であっても骨折などを起こすため、行わないようにしましょう。」
4．「更年期障害は閉経後すぐに回復しますよ。」
climacteric disorder

次の文を読み 115 〜 117 の問いに答えよ。

　Aさん（45歳、男性）は、母親と姉の３人暮らし。20 代前半に統合失調症と診断され、これまでに何度も入退院を繰り返している。最近は家族への暴言や暴力がひどく、１カ月前から精神科病院に入院している。Aさんは 20 代で統合失調症を発症して以来、長期に渡って抗精神病薬の内服を続けている。最近になって舌の突出や口をもぐもぐとさせるような、不自然な動きが目立つようになった。

---

115 Aさんに見られる症状はどれか。 制限時間　60秒

1. 悪性症候群
2. 無為
3. 遅発性ジスキネジア
4. 炭酸リチウム中毒

---

116 Aさんは思考がまとまらず、話の内容も一貫性がなくバラバラな状態である。 制限時間　70秒
Aさんに見られる思考障害はどれか。

1. 被害妄想
2. 滅裂思考
3. 思考途絶
4. 体感幻覚

---

117 入院して３カ月が経過し、Aさんは症状が安定したため、自宅に退院することが決まった。面会に来た姉から看護師に「いつも退院してしばらくは調子がいいのに、だんだんと生活リズムが乱れていって、怒りっぽくなるんです。その繰り返しです。どうしたらいいでしょう？」と相談があった。Aさんに勧める障害福祉サービスについて、適切なのはどれか。 制限時間　70秒

1. 精神科デイケア
2. ショートステイ
3. グループホーム
4. 就労移行支援

次の文を読み 118 ～ 120 の問いに答えよ。

　Aさん（21歳、女性）は、両親と弟の4人暮らし。以前から自分の体型に対するコンプレックスを抱えていた。大学2年生の時、友人関係に悩むようになり、食欲が低下して体重が減少した。Aさんは痩せたことを喜び、そのことがきっかけでダイエットにのめり込んでいった。痩せが顕著になり野菜とヨーグルト以外は口にしなくなった。大学3年生になってからは過食が始まり、太ることへの恐怖から食べた後に嘔吐するようになった。最近では1日中過食嘔吐を繰り返し、大学へも行けなくなってしまった。心配した母親に付き添われて精神科を受診し、摂食障害の診断で入院となった。
eating disorder

☐☐☐

118 摂食障害（神経性無食欲症）の説明で適切なのはどれか。
eating disorder　anorexia nervosa
制限時間 **70**秒

　1．浮腫はみられない。
　2．再体験症状（フラッシュバック）が主な症状である。
　3．本人には十分な病識がある。
　4．ボディイメージのゆがみがある。

☐☐☐

119 入院時、Aさんの身長は163cm、体重35kg、体温35.5℃、脈拍60回/分、血圧88/56mmhg。特に注意が必要な血液検査データはどれか。
制限時間 **70**秒

　1．血清カリウム
　2．カルシウム
　3．尿酸
　4．HbA1c

☐☐☐

120 食事の際Aさんは看護師にみつからないように、食べ物をティッシュペーパーに包んでこっそり捨てていた。Aさんの行動を目撃した看護師の声かけで、適切なものはどれか。
制限時間 **60**秒

　1．「これからは看護師の目の前で食事をしてもらいます。」
　2．「捨てた分のカロリー分をすぐに補ってもらいます。」
　3．「治療する気がないのなら退院してください。」
　4．「なぜそのようなことをしたのか聞かせてください。」

第二回 模擬試験 午前 答案用紙

※1問2点で計算

必修（1～25）	一般（26～90）	状況設定（91～120）
／25点	／65点	／60点

解答一覧は解答・解説編 p.61 をご覧ください。
※この用紙はコピーをしてお使いください。

制限時間　2 時間 40 分

番号	解答番号	番号	解答番号	番号	解答番号
1	① ② ③ ④ ⑤	41	① ② ③ ④ ⑤	81	① ② ③ ④ ⑤
2	① ② ③ ④ ⑤	42	① ② ③ ④ ⑤	82	① ② ③ ④ ⑤
3	① ② ③ ④ ⑤	43	① ② ③ ④ ⑤	83	① ② ③ ④ ⑤
4	① ② ③ ④ ⑤	44	① ② ③ ④ ⑤	84	① ② ③ ④ ⑤
5	① ② ③ ④ ⑤	45	① ② ③ ④ ⑤	85	① ② ③ ④ ⑤
6	① ② ③ ④ ⑤	46	① ② ③ ④ ⑤	86	① ② ③ ④ ⑤
7	① ② ③ ④ ⑤	47	① ② ③ ④ ⑤	87	① ② ③ ④ ⑤
8	① ② ③ ④ ⑤	48	① ② ③ ④ ⑤	88	① ② ③ ④ ⑤
9	① ② ③ ④ ⑤	49	① ② ③ ④ ⑤	89	① ② ③ ④ ⑤
10	① ② ③ ④ ⑤	50	① ② ③ ④ ⑤	90	① ② ③ ④ ⑤
11	① ② ③ ④ ⑤	51	① ② ③ ④ ⑤	91	① ② ③ ④ ⑤
12	① ② ③ ④ ⑤	52	① ② ③ ④ ⑤	92	① ② ③ ④ ⑤
13	① ② ③ ④ ⑤	53	① ② ③ ④ ⑤	93	① ② ③ ④ ⑤
14	① ② ③ ④ ⑤	54	① ② ③ ④ ⑤	94	① ② ③ ④ ⑤
15	① ② ③ ④ ⑤	55	① ② ③ ④ ⑤	95	① ② ③ ④ ⑤
16	① ② ③ ④ ⑤	56	① ② ③ ④ ⑤	96	① ② ③ ④ ⑤
17	① ② ③ ④ ⑤	57	① ② ③ ④ ⑤	97	① ② ③ ④ ⑤
18	① ② ③ ④ ⑤	58	① ② ③ ④ ⑤	98	① ② ③ ④ ⑤
19	① ② ③ ④ ⑤	59	① ② ③ ④ ⑤	99	① ② ③ ④ ⑤
20	① ② ③ ④ ⑤	60	① ② ③ ④ ⑤	100	① ② ③ ④ ⑤
21	① ② ③ ④ ⑤	61	① ② ③ ④ ⑤	101	① ② ③ ④ ⑤
22	① ② ③ ④ ⑤	62	① ② ③ ④ ⑤	102	① ② ③ ④ ⑤
23	① ② ③ ④ ⑤	63	① ② ③ ④ ⑤	103	① ② ③ ④ ⑤
24	① ② ③ ④ ⑤	64	① ② ③ ④ ⑤	104	① ② ③ ④ ⑤
25	① ② ③ ④ ⑤	65	① ② ③ ④ ⑤	105	① ② ③ ④ ⑤
26	① ② ③ ④ ⑤	66	① ② ③ ④ ⑤	106	① ② ③ ④ ⑤
27	① ② ③ ④ ⑤	67	① ② ③ ④ ⑤	107	① ② ③ ④ ⑤
28	① ② ③ ④ ⑤	68	① ② ③ ④ ⑤	108	① ② ③ ④ ⑤
29	① ② ③ ④ ⑤	69	① ② ③ ④ ⑤	109	① ② ③ ④ ⑤
30	① ② ③ ④ ⑤	70	① ② ③ ④ ⑤	110	① ② ③ ④ ⑤
31	① ② ③ ④ ⑤	71	① ② ③ ④ ⑤	111	① ② ③ ④ ⑤
32	① ② ③ ④ ⑤	72	① ② ③ ④ ⑤	112	① ② ③ ④ ⑤
33	① ② ③ ④ ⑤	73	① ② ③ ④ ⑤	113	① ② ③ ④ ⑤
34	① ② ③ ④ ⑤	74	① ② ③ ④ ⑤	114	① ② ③ ④ ⑤
35	① ② ③ ④ ⑤	75	① ② ③ ④ ⑤	115	① ② ③ ④ ⑤
36	① ② ③ ④ ⑤	76	① ② ③ ④ ⑤	116	① ② ③ ④ ⑤
37	① ② ③ ④ ⑤	77	① ② ③ ④ ⑤	117	① ② ③ ④ ⑤
38	① ② ③ ④ ⑤	78	① ② ③ ④ ⑤	118	① ② ③ ④ ⑤
39	① ② ③ ④ ⑤	79	① ② ③ ④ ⑤	119	① ② ③ ④ ⑤
40	① ② ③ ④ ⑤	80	① ② ③ ④ ⑤	120	① ② ③ ④ ⑤

矢印の方向に引くと問題冊子が取り外せます。

模擬試験④

午後 （14時20分〜17時00分）

＜注意事項＞

1. 試験問題の数は120問で解答時間は正味2時間40分である。

2. 解答方法は次のとおりである。

　　各問題には1から4までの4つの選択肢、もしくは1から5までの5つの選択肢があるので、そのうち質問に適した選択肢を、質問に応じて1つあるいは2つ選び、答案用紙に記入すること。

　　なお、1つ選ぶ質問に2つ以上解答した場合は誤りとする。2つ選ぶ質問に1つ又は3つ以上解答した場合は誤りとする。

※以上の注意事項は、第113回の看護師国試を参考に作成しております。

※答えは、この問題冊子の末尾にある答案用紙に記入してください。

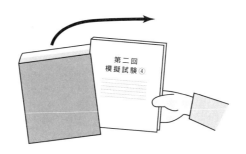

矢印の方向に引くと問題冊子が取り外せます。➡

成美堂出版

1 令和4年（2022年）の都道府県別合計特殊出生率で、最も**低い**のはどれか。

制限時間 70秒

1．北海道
2．東　京
3．奈　良
4．沖　縄

---

2 入浴時の静水圧に最も注意する必要がある人はどれか。

制限時間 80秒

1．皮膚疾患のある人
2．心肺機能に障害のある人
3．褥婦
4．消化器疾患のある人

---

3 日本におけるたばこ対策について正しいのはどれか。

制限時間 70秒

1．現在習慣的に喫煙をしている男性を年齢階級別にみた場合、50歳代の割合が最も高い。
2．喫煙者率は、諸外国に比べて低率である。
3．妊婦が喫煙している場合でも、食事を注意することでその影響を回避することができる。
4．健康増進法により受動喫煙防止対策の徹底が発出された。

---

4 食品の安全確保対策に関して正しいのはどれか。

制限時間 80秒

1．遺伝子組換え食品の安全性審査は、平成13年（2001年）4月から食品安全基本法に基づく義務である。
2．平成8年（1996年）に牛海綿状脳症〈BSE〉の人への感染性が指摘されて以降、厚生労働省は食品衛生法施行規則の改正を行い、疑いのある牛肉及びその加工品等は輸入禁止措置の対応を行っている。
   bovine spongiform encephalopathy
3．食用として処理される牛で食肉処理時の特定部位は舌と回腸であるが、法令上の義務化はない。
4．食用として処理される牛のBSE検査の対象月齢は15か月以上とされている。

5 医療保険制度について正しいのはどれか。  制限時間 70秒

1. 健康保険法による給付は、大正11年（1922年）から労働者を対象に開始された。
2. 国民健康保険法は昭和13年（1938年）に制定されたが、当初は保険者の強制加入の制度で始まった。
3. 国民皆保険体制は昭和36年（1961年）に実現し、その医療給付の内容で、当初被用者本人は原則10割給付とされた。
4. 後期高齢者医療制度で医療給付の財源負担は、現役世代からの支援金が約2割としている。

6 医療関係者の養成機関で、指定権者が都道府県知事であるのはどれか。 制限時間 60秒

1. 短期大学専攻科で学ぶ保健師教育養成
2. 専修・各種学校で学ぶ准看護師教育養成
3. 大学に付設する専修・各種学校で学ぶ助産師教育養成
4. 高等学校・高等学校専攻科一貫教育5年で学ぶ看護師教育養成

7 学童期における特徴はどれか。   制限時間 60秒

1. 分離不安
2. 第1次反抗期
3. モラトリアム
4. ギャングエイジ

8 ハヴィガースト，R. J.による発達課題で成人期の社会的責任で正しいのはどれか。 制限時間 70秒
Havighurst, R. J.

1. 満足すべき職業的遂行の維持
2. 社会的に責任のある行動への努力
3. 社会的役割の柔軟な受け入れ
4. 積極的な自己概念の形成

9 診療所について正しいのはどれか。 制限時間 **60**秒

1．患者を入院させるための施設を有するもののみをいう。
2．19人以下の患者を入院させることができる。
3．診療所の管理者は医師のみである。
4．歯科医師は診療できない。

10 耳の構造と機能について正しいのはどれか。 制限時間 **80**秒

1．外耳道から鼓膜までの長さは5cm程である。
2．耳小骨は鼓膜の振動を前庭窓に伝える。
3．中耳は蝸牛、前庭、半規管からなる。
4．鼓室は耳管で喉頭とつながっている。

11 液性調節の特性はどれか。 制限時間 **80**秒

1．導管に分泌する。
2．シナプスを介して作用する。
3．標的細胞をもつ。
4．速効性である。

12 次のうち死の三徴候はどれか。 制限時間 **80**秒

1．自発呼吸がみられない。
2．深昏睡状態である。
3．脳波が平坦化している。
4．体温が低下している。

13 増加によってチアノーゼを来すのはどれか。

制限時間 80秒

1．動脈血酸素分圧
2．動脈血酸素飽和度
3．脱酸素化ヘモグロビン
4．酸化ヘモグロビン

14 吐血の特徴で適切なのはどれか。

制限時間 80秒

1．咳嗽時に排出
2．鮮紅色
3．酸　　性
4．食物残渣なし

15 うつ病に特徴的にみられる妄想として**適切でない**のはどれか。
depression

制限時間 60秒

1．貧困妄想
2．心気妄想
3．被毒妄想
4．罪業妄想

16 先天異常はどれか。

制限時間 60秒

1．気管支喘息
　bronchial asthma
2．インフルエンザ脳症
　influenza encephalopathy
3．成人 T 細胞白血病
　adult T-cell leukemia
4．Marfan〈マルファン〉症候群
　Marfan syndrome

第二回　模擬試験　午後　問9~問16

17 ワルファリンの作用を減弱させるビタミンはどれか。

制限時間 60秒

1．ビタミンA
2．ビタミンB
3．ビタミンC
4．ビタミンK

18 成人の上腕での血圧測定で適切なのはどれか。

制限時間 80秒

1．仰臥位から立位へと体位を変えると一時的に収縮期血圧が低下する。
2．マンシェットの幅は、約20cmのものを使用する。
3．マンシェットの下縁は肘窩になるようにし、指が3本入る程度に巻く。
4．減圧は、1秒間に5mmHgの速度で行う。

19 床上排泄の器具について正しいのはどれか。

制限時間 70秒

1．洋式便器は先端が薄くなっているため、腰の下に入れやすい。
2．ゴム便器は弾力性があり、容量が大きい。
3．便器は女性の排尿時にも用いることができる。
4．男性用尿器は臥床した女性の排尿時にも用いることができる。

20 滅菌物の取り扱いで正しいのはどれか。

制限時間 80秒

1．鉗子でガーゼを掴んだ後、ガーゼを水平位より下に向けた。
2．滅菌バッグを破いて開封した。
3．鑷子の先端を開いて滅菌バッグから取り出した。
4．滅菌ガウンの前面を素手で掴んで、着用した。

21 鎖骨下からの中心静脈カテーテル穿刺に伴う合併症はどれか。　制限時間 **80**秒

1．誤嚥性肺炎
2．汎発性腹膜炎
3．気　胸
4．イレウス

22 薬物動態について正しいのはどれか。　制限時間 **70**秒

1．代謝は主に胃で行われる。
2．薬物はすべて腎臓から尿中へ排泄される。
3．舌下錠は唾液腺から吸収される。
4．直腸内与薬は初回通過効果を受けない。

23 鼻カニューレの特徴として適切なのはどれか。　制限時間 **70**秒

1．二酸化炭素分圧が上昇する危険があるため、酸素流量は 5L/ 分以上に設定する。
2．患者の 1 回換気量に左右されず、一定濃度の酸素を吸入することができる。
3．口呼吸をしている患者には適さない。
4．高濃度の酸素を投与することができる。

24 救命救急処置における胸骨圧迫の手順で正しいのはどれか。　制限時間 **70**秒

1．圧迫部位は、胸骨の上半分とする。
2．圧迫する手の指は、胸壁に密着させる。
3．胸骨が約 8cm 下がる程度の圧を加える。
4．1 分間に 100 ～ 120 回の速度で圧迫する。

25 介護保険制度について正しいのはどれか。 制限時間 **70**秒

1．第1号被保険者は40歳〜65歳未満である。

2．保険者は市町村である。

3．第1号被保険者の介護保険料は全国同額である。

4．要介護状態の区分は7段階である。

5．介護保険給付の利用者負担は、一律3割である。

26 大脳辺縁系に属する部位はどれか。 制限時間 **60**秒

1．海　馬

2．下垂体

3．視　床

4．橋

27 脳の部位である(　　　　　)は、身体の平衡、協調運動などに深く関与している。 制限時間 **70**秒
(　　　　　)に入るのはどれか。

1．延　髄

2．小　脳

3．中　脳

4．視床下部

28 眼窩を形成しないのはどれか。 制限時間 **70**秒

1．前頭骨

2．鼻　骨

3．蝶形骨

4．上顎骨

29 大動脈から分岐する動脈について**間違っている**のはどれか。

 制限時間 **70**秒

1．左鎖骨下動脈は左腕頭動脈から分岐する。

2．大動脈は左心室より分岐し、全身に動脈血を送る。

3．右総頸動脈は腕頭動脈から分岐する。

4．左総頸動脈は大動脈から分岐する。

---

30 中等症（Ⅱ期）の肺気腫で認められる呼吸機能検査所見はどれか。
pulmonary emphysema

 制限時間 **60**秒

1．1秒率と％肺活量ともに低下する。

2．1秒率は低下せず、％肺活量は低下する。

3．1秒率は低下し、％肺活量は低下しない。

4．1秒率と％肺活量ともに低下しない。

---

31 バセドウ病で特徴的に出現する症状はどれか。
Basedow disease

 制限時間 **70**秒

1．眼球突出

2．蝶形紅斑

3．中心性肥満

4．テタニー

---

32 後頭葉が主な障害部位である認知症はどれか。
dementia

 制限時間 **60**秒

1．レビー小体型認知症
dementia with Lewy bodies

2．脳血管性認知症
vascular dementia

3．Alzheimer〈アルツハイマー〉型認知症
dementia of Alzheimer type

4．前頭側頭型認知症
frontotemporal dementia

33 令和元年（2019年）国民生活基礎調査について正しいのはどれか。 制限時間 **60**秒

1．12歳以上の者で悩みやストレスがあるものは半数を超えている。
2．20歳以上の者で健診や人間ドックを受けたものは約4割である。
3．有訴者率は男性より女性が高い。
4．5年ごとに大規模調査を実施する。

---

34 労働衛生の3管理で**誤っている**のはどれか。  制限時間 **60**秒

1．作業環境管理
2．健康管理
3．作業管理
4．衛生管理

---

35 患者の権利と擁護について正しいのはどれか。 制限時間 **70**秒

1．患者の権利主張を支援代弁していくのはパターナリズムである。
2．日本看護協会の看護職の倫理綱領には「人々の権利」については策定されていない。
3．リビング・ウィルとは判断能力のあるうちに死の迎え方などについて「自己の決定」を文書に示したものである。
4．インフォームド・コンセントの目的は医師や看護師の情報提供や説明を省略するためのものである。

---

36 看護計画の評価について適切なのはどれか。  制限時間 **60**秒

1．患者の容体が変化してアセスメントの見直しが必要となった場合は、評価日まで経過を観察する。
2．期待される成果に到達できなかった場合は、アセスメント、診断、計画立案、実施のどの段階に原因があるかを分析する。
3．期待される成果に到達していれば、どのような状態であってもその看護問題は解決したとして、看護介入を終了する。
4．評価の際は、期待される結果の評価を行い、看護問題の優先順位は看護計画を立案した時のままでよい。

37 死後の処置で適切なのはどれか。 制限時間 **70**秒

1. 家族のグリーフケアの一環として、必ず看護師と一緒に行うことを説明する。
2. 全身清拭を行う場合は、生前と同様の方法で、湯を用い、不必要な露出を避けて行う。
3. 必要に応じて、口腔や肛門などに青梅綿、脱脂綿の順に詰める。
4. 和式の着衣の場合は、右前合わせ、帯は縦結びにする。

38 安楽な体位保持の説明として正しいのはどれか。 制限時間 **60**秒

1. 仰臥位は安楽な体位ではあるが、長時間の同一体位では褥瘡の発生や尖足などを引き起こす可能性が高い。
2. 側臥位にした後、下肢は上側の足を伸展、下側の足を屈曲させると安定しやすい。
3. ファウラー位で頭側のベッドを挙上した後はそのままでよい。
4. 端座位時、膝関節を130度屈曲させて足底が床面につくようにベッドの高さを調整する。

39 日本人の食事摂取基準（2020年版）の栄養素の指標について正しいのはどれか。 制限時間 **70**秒

1. 栄養素の摂取不足の回避を目的として、推定平均必要量が設定されている。
2. 過剰摂取による健康障害の回避を目的として推奨量が設定されている。
3. 生活習慣病の一次予防を目的として耐容上限量が設定されている。
4. 目標量は、ほとんどの者が充足している量である。

40 成人女性に膀胱留置カテーテルを挿入する方法で適切なのはどれか。 制限時間 **60**秒

1. 水溶性の滅菌潤滑剤を用いる。
2. カテーテルは外尿道口から3〜4cm挿入する。
3. 固定用バルーンを膨らませた後、尿の流出を確認する。
4. 固定用バルーンには滅菌生理食塩水を注入する。

41 右前腕から持続点滴静脈内注射を行っている患者の寝衣交換で適切なのはどれか。 制限時間 80秒

1．脱衣時は右腕から寝衣を脱がせる。
2．着脱時の点滴ボトルは心臓より高く保つ。
3．着衣時は腕を袖に通したあと点滴ボトルを通す。
4．輸液ルートはゆとりがない状態にして通す。

---

42 写真の物品を利用して陰部洗浄を行う場合に正しいのはどれか。 制限時間 80秒

1．歩行や移動動作が可能な患者に用いる。
2．患者の肛門部が便器の中央になるように
　　挿入する。
3．洗浄時の湯の温度は42℃にする。
4．女性の場合、まず肛門から洗浄する。

※本試験では、カラー写真で出題される場合が
あります。

---

43 輸血後移植片対宿主病〈PT-GVHD〉について正しいのはどれか。 制限時間 70秒
post-transfusion graft-versus-host disease

1．受血者の免疫細胞が輸血された血球を攻撃するために起こる。
2．放射線照射したものを輸血することで発症を予防できる。
3．新鮮凍結血漿では起こらない。
4．消化器症状として便秘が多い。

---

44 ホルター心電図検査時の患者への説明で正しいのはどれか。 制限時間 80秒

1．「活動中だけでなく睡眠中も含めて、24時間連続して心電図を記録します」
2．「胸部に6個の電極を装着します」
3．「心臓にある弁の動きを診断する検査です」
4．「睡眠中、寝返りをうったり、うつ伏せにならないでください」

45 レイニンガー , M. M. の看護の理論はどれか。
Leininger, M. M.

1．文化的ケア理論

2．セルフケア理論

3．適応理論

4．ニード理論

---

46 メタボリックシンドローム発症の女性患者の生活指導で最も正しいのはどれか。
metabolic syndrome

1．「腹囲 100cm 未満を目指しましょう」

2．「塩分摂取量は控えなくても大丈夫です」

3．「高蛋白質の食事を摂るようにしましょう」

4．「脂肪摂取を減らすために牛乳は避けましょう」

---

47 情報機器作業による健康障害の予防として正しいのはどれか。

1．椅子に浅く腰掛ける。

2．ディスプレイを用いる場合のキーボード上における照度は 200 ～ 250 ルクスとする。

3．ディスプレイと目の距離は 40cm 以上とする。

4．一連続作業時間は 2 時間を超えないようにする。

---

48 腹腔鏡下低位前方切除術を受けた A さん（62歳　女性）から手術翌日に寝衣交換時、右腕が上げづらく、ボタンができないと訴えがあった。考えられる原因はどれか。

1．両上肢を外転 90 度未満の角度で固定した。

2．支持手台に腕を固定するときベルトを前腕の遠位部にした。

3．頭部をベッドの正中に固定した。

4．両手掌を天井に向けて固定した。

49 肺癌により放射線治療が開始された。最も早期にみられる有害事象の症状はどれか。
lung cancer

制限時間 70秒

1. 放射線宿酔による倦怠感や食欲不振
2. 放射線皮膚炎による発赤や瘙痒感
3. 放射線肺臓炎による咳嗽や呼吸困難
4. 放射線食道炎による嚥下困難や胸やけ

---

50 虚血性心疾患について適切なのはどれか。
ischemic heart disease

制限時間 80秒

1. 心筋梗塞の痛みは狭心症の痛みより短い。
   myocardial infarction
2. 安静時狭心症は入眠直後に起こりやすい。
   angina of rest
3. 労作性狭心症は安静時にも痛みが出現する。
   angina of effort
4. 心筋梗塞は冠血管に生じた血栓によって心筋が壊死を起こすことにより発症する。
   myocardial infarction

---

51 肥満、脂質異常症および高血圧症を有する患者への日常生活指導として正しいのはどれか。
dyslipidemia　hypertension

制限時間 60秒

1. 飽和脂肪酸を多く含む食品を多く摂取するよう指導する。
2. 食塩の代わりとして、酸味や香辛料の使用を紹介する。
3. 間食は1日500kcalを目安に摂取するよう指導する。
4. 無酸素運動を1回に5分行うよう勧める。

---

52 急性硬膜外血腫の特徴として正しいのはどれか。

制限時間 60秒

1. 受傷部に一致した凸レンズ型の高吸収域がみられる。
2. 脳挫傷を合併していることが多い。
3. 認知機能障害があらわれることが多い。
4. 記銘力低下や会話困難、小脳失調などがみられる。

53 超音波水晶体乳化吸引術と眼内レンズ挿入術後の退院指導で適切なのはどれか。 制限時間 **60**秒

1．危険を回避するためにも、早めに眼鏡合わせを行う。

2．視力低下や眼痛があれば速やかに病院に受診をするように説明する。

3．手術後のため点眼薬はしなくてもよい。

4．日常生活上の制限がなくなるため、運動や仕事は退院後から再開してもよい。

54 乳癌の手術後の看護で正しいのはどれか。 制限時間 **80**秒
breast cancer

1．手術をした側の乳房の自己検診は実施しなくてもよい。

2．乳房手術後専用の補正下着を必ず着用する。

3．腋窩リンパ節郭清を受けた場合、術直後より制限なしで肩関節可動域訓練を実施する。

4．放射線療法により放射線があたった皮膚は保清・保湿により保護を行う。

55 子宮頸癌について正しいのはどれか。 制限時間 **80**秒
cancer of the uterine cervix

1．定期検診は40歳代以上の女性から受けるように推奨されている。

2．自治体や会社、婦人科の細胞診などによる子宮頸がん検診は、定期的に受けるように推奨されている。

3．ヒトパピローマウイルス（HPV：Human Papillomavirus）感染者の多くは、子宮頸癌に進む可能性がある。

4．子宮頸癌の異形成が進行する速度は、通常1年から2年である。

56 高齢者の身体的特徴について正しいのはどれか。 制限時間 **80**秒

1．加齢を伴っても脳重量はかわらない。

2．姿勢の変化により肋間筋などの呼吸筋力が高まる。

3．腎血流量の低下や糸球体ろ過率の低下により腹圧性尿失禁が起こる。
　　　　　　　　　　　　　　　　　　　　stress incontinence of urine

4．男性はテストステロンの低下が起こる。

57 高齢者のエイジズムにあたるのはどれか。　制限時間 **80**秒

1．65歳の定年前に退職するように強制すること。
2．核家族化による高齢者のみの世帯。
3．高齢者だけのシニアクラブの活動推進。
4．高齢者の権利擁護をすること。

58 令和3年（2021年）の65歳以上の者のいる世帯数で最も多いのはどれか。　制限時間 **60**秒

1．単独世帯
2．夫婦のみの世帯
3．親と未婚の子のみの世帯
4．三世代世帯

59 小規模多機能型居宅介護について正しいのはどれか。　制限時間 **70**秒

1．ユニットケアを実施している。
2．訪問、通所は提供しているが、泊まり（ショートステイ）は提供していない。
3．介護保険制度の施設サービスである。
4．市町村が指定・監督を行うサービスである。

60 MRワクチンに関して正しいのはどれか。　制限時間 **70**秒

1．結核の予防接種である。
　tuberculosis
2．生ワクチンである。
3．予防接種は1回でよい。
4．10歳になったら接種する。

61 乳児の心肺蘇生における胸骨圧迫の方法で正しいのはどれか。

制限時間 **70**秒

1．1分間に60～80回の速さで行う。
2．胸の厚さが3分の1沈むまで圧迫する。
3．救助者が複数の場合は2本指圧迫法で行う。
4．2分間実施したら中断する。

62 正常な妊娠の成立過程について正しいのはどれか。

制限時間 **70**秒

1．黄体形成ホルモンの急激な低下によって排卵が誘発される。
2．卵管狭部で卵子と精子が受精する。
3．受精卵は卵分割を繰り返しながら子宮腔へ移送される。
4．桑実胚となった胚が子宮内膜へ着床した時点で妊娠が成立する。

63 分娩後の初回の歩行開始時に確認する内容として優先度の最も**低い**のはどれか。

制限時間 **80**秒

1．分娩後の食事摂取量
2．会陰損傷部の状態
3．悪露の性状と量
4．尿意の有無

64 精神科デイケアについて正しいのはどれか。

制限時間 **70**秒

1．精神科デイケアは、陽性症状の鎮静化に効果的である。
2．精神科デイケアは、通院医療である。
3．精神科デイケアの従事者として、看護師は必須ではない。
4．精神科デイケアは、精神保健における2次予防を目的としている。

第二回　模擬試験　午後　問56～問63

65 こころのバリアフリー宣言の目的で正しいのはどれか。 制限時間 **70**秒

1．精神疾患に対する正しい理解の促進
2．身体障害者の人格の尊重
3．引きこもりから社会参加への障壁を軽減する支援
4．高齢者の社会的な孤立の予防

66 日常生活自立支援事業について正しいのはどれか。 制限時間 **80**秒

1．高齢者や障害者等の権利擁護を行う。
2．要介護認定を行う。
3．労働災害による介護補償給付を行う。
4．労働者の健康診断を行う。

67 看護小規模多機能型居宅介護の説明に**当てはまらない**のはどれか。 制限時間 **70**秒

1．できるだけ住み慣れた地域で生活が継続できるように提供するサービス。
2．事業所が所在する都道府県に居住する者が利用できるサービス。
3．24時間365日利用できるサービス。
4．施設への「通い」を中心に、短期間の「宿泊」、自宅へ訪問しての「介護」「看護」を組み合わせることができるサービス。

68 Aさん（85歳、男性）は、在宅で療養中である。神経因性膀胱による尿閉のため膀胱留置カテーテルを留置している。訪問看護時に本人から「朝から尿量が少ない。」と報告があった。 制限時間 **80**秒
　1週間前に閉塞のため膀胱留置カテーテルを交換しているが、カテーテル内には混濁した尿の流出がみられる。訪問看護師の対応で適切なのはどれか。

1．飲水量を減らすように説明する。
2．下腹部を触診する。
3．経過観察する。
4．膀胱留置カテーテルを交換する。

④-17

©成美堂出版

69 インシデントレポートについて適切なのはどれか。

制限時間 **80**秒

1．責任追及のためには使用されない。

2．医療事故が発生した場合のみ提出される。

3．法令で統一された書式を用いる。

4．インシデントの再発防止策について記述し発生状況は記載しない。

---

70 災害静穏期の活動で正しいのはどれか。

制限時間 **70**秒

1．避難生活上の支援

2．被災者のこころのケア

3．被災者の健康生活の立て直し支援

4．設備・資機材の点検整備

---

71 在日外国人が入院した場合の看護について正しいのはどれか。

制限時間 **70**秒

1．理解できない行動があったとしても、文化が異なるからと解釈し気にかけない。

2．宗教による食事制限があったとしても、治療が優先されることを伝える。

3．医療通訳を利用できる場合、コミュニケーションは通訳に任せる。

4．在日外国人に対してであっても、看護の本質に違いはない。

---

72 唾液に含まれる消化酵素はどれか。

制限時間 **70**秒

1．マルターゼ

2．トリプシン

3．ペプシン

4．α-アミラーゼ

5．ジペプチダーゼ

73 喫煙との関連性が**低い**疾患はどれか。

制限時間 **70**秒

1．特発性肺線維症
　　idiopathic pulmonary fibrosis
2．肺気腫
　　pulmonary emphysema
3．肺水腫
　　pulmonary edema
4．肺癌
　　lung cancer
5．慢性気管支炎
　　chronic bronchitis

---

74 電気的除細動の適応となる不整脈はどれか。**2つ選べ**。
　　　　　　　　　　　　arrhythmia

制限時間 **80**秒

1.

2.

3.

4.

5.

---

75 国際生活機能分類＜ICF＞の「生活機能と障害」の構成要素に含まれるのはどれか。

制限時間 **70**秒

1．能力障害
2．社会的不利
3．個　　人
4．環　　境
5．活　　動

---

76 胃切除術を受けた患者への食事指導の内容で適切なのはどれか。

制限時間 **70**秒

1．タンパク質の摂取は1日に30g程度にする。
2．食事中は水分摂取を控える。
3．糖質の多い食事を摂取する。
4．1回の食事量を多くし、食事回数を少なくする。
5．カリウムの摂取を1日1,500mg以下に制限する。

77 Aちゃん（8歳、女児）は、父母と弟（3歳）との4人で暮らしている。2歳時にけいれんが起き、症候性てんかんと診断され、抗てんかん薬を服用している。Aちゃんは歩行はできないが、座位は可能であり、車椅子を使用している。1か月前からけいれんの頻度が増え、食後に全身を緊張させ眼球を上転させる発作があったため、入院となった。Aちゃんに抗てんかん薬の増量と種類の追加が行われた。1日に1〜2回の軽い発作はあるものの、状態は比較的落ち着いてきていた。Aちゃんの入院中、母親は一度も自宅に帰らずに付き添いを続けている。入院3日の朝に看護師が訪室したところ、母親が「夫から電話があって、Aの入院後、弟が泣いたり、かんしゃくをおこしたりすることが増えているようです。どうしたらいいでしょう」と看護師に相談した。

制限時間 70秒

母親への看護師の対応で適切なのはどれか。

1．Aちゃんの病室内に弟を連れてきて面会させる。

2．母親に対し、弟のことは父親に任せるよう伝える。

3．Aちゃんの生活介助に専念するべきであると伝える。

4．母親の不安や気がかりを受け止める。

5．弟のかかりつけ医に相談するよう伝える。

78 A君（生後7か月、男児）は、3日前からくしゃみと鼻汁が出現し、咳嗽と微熱が続いているため救急外来を受診した。受診時、A君は母親に抱かれあやしても笑うことなく、刺激をやめると眠り込むが乳首を欲しがる動作はみられた。口唇色と顔色はやや不良、呼吸は浅くて速く、血圧 90/60mmHg で、経皮的動脈血酸素飽和度（SpO_2 値）90%、体温 38.2℃であった。検査の結果、RS ウイルス抗原陽性で急性細気管支炎と診断され入院した。
acute bronchiolitis

制限時間 60秒

A君の意識レベルについて、ジャパン・コーマ・スケール（JCS）による評価で正しいのはどれか。

1．0

2．Ⅰ－2

3．Ⅱ－10

4．Ⅱ－30

5．Ⅲ－200

79 Aさん（35歳、初産婦）は、妊娠38週0日の午前6時に陣痛が発来したため入院となった。入院時の内診所見は子宮口3cm開大、血性帯下少量であった。分娩監視装置を40分装着したところ、胎児心拍数基線140bpm、一過性頻脈が3回あった。入院時のアセスメントとして正しいのはどれか。

1．胎児心拍数基線に異常がある。
2．一過性頻脈が3回あり、胎児機能不全が疑われる。
　nonreassuring fetal status
3．分娩第Ⅱ期である。
4．高齢初産婦である。
5．血性帯下が少量あるのは異常である。

80 Aさん（29歳、経産婦）は、妊娠37週0日の午後7時25分に2,510gの女児を出生した。出生直後の新生児のバイタルサインは心拍数152回/分、呼吸数47回/分、体温（直腸温）37.3℃、アプガースコアは1分後8点、5分後9点、身長49.0㎝、頭囲33㎝、胸囲32.5㎝、頭部に境界不鮮明なやわらかい腫瘤がある。新生児のアセスメントとして、正しいのはどれか。

1．早産児である。
2．バイタルサインに異常がある。
3．新生児仮死がある。
4．産瘤がある。
5．低出生体重児である。

81 地域包括支援センターの人員配置基準に定められている職員のうち、基本として配置されている職種で正しいのはどれか。

1．助産師
2．保育士
3．介護支援専門員
4．社会福祉士
5．介護福祉士

☐☐

82 球関節はどれか。**2つ選べ。**

制限時間 **70**秒

1．膝関節
2．肘関節
3．肩関節
4．手関節
5．股関節

☐☐

83 房室弁の三尖弁と僧帽弁が開放している心周期の時期はどれか。**2つ選べ。**

制限時間 **70**秒

1．心房収縮期
2．等容性収縮期
3．駆出期
4．等容性弛緩期
5．充満期

☐☐

84 頭蓋内圧亢進について正しいのはどれか。**2つ選べ。**

制限時間 **70**秒

1．脳の血液還流をよくするために、頭側は水平が望ましい。
2．動脈血酸素分圧（Pao_2）が上昇すると、血管が拡張して頭蓋内圧が高まる。
3．クッシング徴候による収縮期血圧の上昇、徐脈、脈圧の拡大、呼吸回数の減少がみられる。
4．脳ヘルニアに進展すると生命は危険な状態となる。
　　cerebral herniation
5．急激な頭蓋内圧亢進の3主徴に、頭痛、嘔吐、うっ血乳頭がある。

☐☐

85 平均余命について正しいのはどれか。**2つ選べ。**

制限時間 **70**秒

1．0歳の平均余命を平均寿命という。
2．近年の平均寿命が延びている要因は、60歳以上の死亡率の改善である。
3．特定死因を除去した場合、「悪性新生物」では男女とも5年平均寿命が延びる。
　　malignant neoplasm
4．特定死因を除去した場合の平均寿命の延びで最も大きいのは、心疾患である。
5．40歳の平均余命は、平均寿命から40を減じた年齢である。

解答・解説 ➡ P. 108〜110

86 術後合併症と関連するものとして正しい組合せはどれか。**2つ選べ。**

1．無気肺　　　　　　————　気道内分泌物
　　atelectasis
2．深部静脈血栓症　　————　Ｄダイマー値
　　deep vein thrombosis
3．麻痺性イレウス　　————　ニッシェ像
　　paralytic ileus
4．縫合不全　　　　　————　低血糖
5．循環血液量減少　　————　安　静

---

87 内診所見が子宮口９cm開大、児頭下降度＋２cm、未破水の産婦が努責感と便意を訴えている。現在の時間は午後５時。最終排便は昨日の午後９時で、最終排尿は本日の午後１時だった。このときの看護援助について正しいのはどれか。**2つ選べ。**

1．努責の誘導
2．トイレ歩行の援助
3．導　尿
4．浣　腸
5．水分摂取量の確認

---

88 38週０日、正常分娩、体重2,950gで出生した女児。日齢１日目、体温37.0℃、呼吸42回／分、心拍数144回／分、体重2,800g、経皮黄疸計での血清ビリルビン値は4mg／dL、顔面と腹部に紅斑を数か所認める。腋窩と鼠径部にクリーム状の固まりが付着している。母乳の吸啜も良好、母親も児に話しかけながら授乳ができている。この早期新生児のアセスメントで正しいのはどれか。**2つ選べ。**

1．紅斑は、生理的な変化なので様子をみる。
2．まだ、ビタミンKの投与は必要がない。
3．腋窩と鼠径部の診察が必要である。
4．生理的体重減少の範囲である。
5．黄疸値が生理的変動を超えるため採血の必要がある。

89 63歳の左上下肢に麻痺のある男性患者が入院した。看護師が患者に呼びかけると、開眼した。質問に対して、患者は見当違いの単語を発し、会話は成立しなかった。命令には従わず、右上肢への痛み刺激には顔をしかめてすばやく引っ込める動作をした。グラスゴー・コーマ・スケール〈GCS〉によるスコアの合計を求めよ。

制限時間 80秒

解答： ① ② 点

①	②
0	0
1	1
2	2
3	3
4	4
5	5
6	6
7	7
8	8
9	9

90 在胎週数39週で出生した男児の出生時から生後2日までの体重の変化は下記のとおりである。

制限時間 80秒

出生時：3,100g　　生後1日目：2,900g　　生後2日目：2,850g

　男児の生後2日目の生理的体重減少は何%か。ただし、小数点以下の数値が得られた場合には、小数点以下第2位を四捨五入すること。

解答： ① . ② %

①	②
0	0
1	1
2	2
3	3
4	4
5	5
6	6
7	7
8	8
9	9

次の文を読み91～93の問いに答えよ。

　Aさん（83歳、女性）は一人暮らしで、一人息子は県内に居住しており、毎週一緒に食品・日用品の買い物に出かけ、洗濯も一緒に行っている。5年前に脳梗塞を発症し右麻痺がある。2か月前にゴミ出しの為にゴミ袋を左手に持ち、庭を歩行中に転倒して右前腕骨折し入院した。入院時の身長は153cm、体重は53.4kg、BMIは22.8だった。入院中には日にちや時間がわからなくなったり、トイレから部屋に戻れなくなったりすることがあった。自宅への退院となり要介護2の判定を受けて、介護サービス（訪問看護1回／週・通所リハビリテーション2回／週・特殊寝台貸与）導入となった。自宅に戻ってからも日時がわからないことはあるが、行きつけの店や友人宅から戻れなくなることはなかった。「人さまに迷惑をかけてはいけない。一人暮らしが気楽でいい。」と話し何でも自分で行おうとするAさんは退院後も家事や身の回りのことを行っている。主治医からの訪問看護師指示書では内服管理と清潔ケアの援助が指示されている。

cerebral infarction

91 Aさんへの訪問看護師の関わりで最も適切なのはどれか。 制限時間 70秒

1．「ゴミ出しは危ないのでやめましょう。」とアドバイスする。
2．「今日は何月何日ですか。ここはどこですか。」と質問する。
3．生活の場にある不要物や段差をAさんと一緒に確認する。
4．症状・生活に変わりはないので、内服管理・清潔ケアの援助だけを行う。

92 Aさんは寒くなってきたので石油ストーブが欲しいと息子に頼み、息子から訪問看護師に相談があった。看護師の行動として最も適切なのはどれか。 制限時間 60秒

1．石油ストーブを準備してもらう。
2．ホットカーペットを準備してもらう。
3．寒い時期は老人保健施設に入所することを提案する。
4．エアコンを準備してもらう。

93 訪問開始後1年が過ぎる頃からAさんは鍋を焦がし凝った料理が作れなくなり、食品を洗濯機に片づけたりするようになった。また、通所リハビリテーションとの連絡ノートから4kgの体重減少があることがわかった。更衣や掃除は今まで通りできている。Aさんへの支援で最も適切なのはどれか。 制限時間 80秒

1．訪問介護の導入を提案する。
2．息子さんとの同居を提案する。
3．配食サービスの導入を提案する。
4．毎日通所介護に通うように提案する。

次の文を読み 94 ～ 96 の問いに答えよ。

　Aさん（73歳、男性）は、5年前に喉頭癌と診断され、喉頭全摘手術を受けている。喉頭全摘手術により、永久気管孔を造設しており、コミュニケーションは筆談が中心である。また、数年前より緑内障を発症し、視力の低下がみられている。Aさんは「できることは、自分で行いたい。」という思いがあり、買い物や受診といった活動は行うことができている。しかし、清潔行動は、不安感もあり自己にて行うことが難しい。

 94 永久気管孔の管理目的で介護保険による訪問看護が開始となった。訪問看護師として適切なのはどれか。 制限時間 80秒

　1．シャワー浴時には、フィルムドレッシング材を貼付するように指導を行う。

　2．永久気管孔は、できるだけ触らないように指導を行う。

　3．永久気管孔に対するAさんの思いを聴取する。

　4．痰の回数が多い場合は、水分を控えるように指導する。

 95 訪問時、体温37.4度、脈拍110回/分、呼吸数12回/分、血圧104/68mmHg。呼吸困難や喀痰の増加はなし。最も観察すべきものは何か。 制限時間 80秒

　1．清潔行動

　2．歩行状態

　3．飲水量

　4．食事量

96 訪問開始後、3か月が経過した。Aさんから「視力が下がってきて、買い物や掃除などを行うことが難しくなった。」と発言がみられた。訪問看護師の行動として適切なのはどれか。 制限時間 80秒

　1．介護支援専門員に相談する。

　2．医療ソーシャルワーカーに相談する。

　3．地域の活動に参加するように促す。

　4．介護施設への入所を促す。

次の文を読み 97 〜 99 の問いに答えよ。

　Aさん（62歳、女性）は、夫と息子2人の4人暮らしである。3か月前より5kg体重が減少し、最近は嚥下時につかえる感じがあった。家族の勧めで受診した。採血検査の結果、白血球 6,500/μL、赤血球 310万/μL、Hb10.0g/dL、Ht30.0%、TP5.5g/dL、アルブミン 3.0g/dL であった。胸腹部の CT と上部消化管内視鏡検査を行うこととなった。

---

97 上部消化管内視鏡検査で適切なものはどれか。**2つ選べ。** 制限時間 **80**秒

1．検査の4時間前から絶食とする。
2．咽頭麻酔は、検査直前に咽頭に麻酔薬を噴霧する。
3．検査時の体位は右側臥位になり、下顎を少し前に突き出す。
4．溜まった唾液は、飲まずに口から出す。
5．曖気はなるべく我慢するよう促す。

---

98 食道癌と診断され、胸腔鏡下食道切除およびリンパ節郭清術、胃を代用し胸骨後 esophageal cancer 経路により再建術が行われた。術後、1日目に人工呼吸器を抜管した。上気道では連続性ラ音が聴取され痰が絡んでいるため、痰を出すよう説明したが、「創が痛い。咳をすると響いてもっと痛い。とても出せない」と訴え、咳や排痰ができない。最も優先する援助はどれか。 制限時間 **70**秒

1．体位ドレナージ
2．ハフィング
3．痰の吸引
4．鎮痛薬の使用

---

99 Aさんの経過は順調で、術後7日経過して食事が開始になった。食事開始時の説明として適切なものはどれか。 制限時間 **70**秒

1．大きめのスプーンを使う。
2．飲み込みにくい時は顎を上げて上を向くように飲み込む。
3．食後は、30分〜1時間、ベッドで安静にする。
4．空腹感がなくても間食を摂ることを勧める。
5．喉に引っかかる感じがある場合は、水分で流す。

次の文を読み 100 ～ 102 の問いに答えよ。

　Ａさん（50 歳、男性）は、公務員でデスクワーク中心の仕事をしている。妻と大学生の子どもが 2 人いる。2 か月前より右下肢の冷感やしびれを感じていた。糖尿病の既往があり、現在、インスリンの自己注射を行っているため、症状は糖尿病の合併症かと思い、定期受診日（定期受診は 1 回 /4 週している）ではなかったがかかりつけ病院を受診した。現在、50 ～ 60 m 程度歩くと足が痛くなって歩けなくなるものの、少し休むと再び歩ける。診断の結果、右下肢の閉塞性動脈硬化症〈ASO〉と診断され、抗凝固薬などによる薬物療法を行うことになった。

diabetes mellitus
arteriosclerosis obliterans

100 来院したＡさんへの受診時の観察内容で最も適切なのはどれか。 制限時間 80秒

1．下肢潰瘍の形成
2．内反尖足歩行
3．足背動脈の拍動の亢進
4．聴　覚

101 症状が軽減したため、運動療法を行うことになった。生活指導としてフットケアの指導を行った。指導内容で適切なのはどれか。 制限時間 80秒

1．爪は指先より短く切る。
2．靴下を履く。
3．少し大きめの靴を履く。
4．足指の間は 43 ～ 45℃の湯で洗う。

102 生活指導で適切なのはどれか。 制限時間 80秒

1．弾性ストッキングを日常的に履く。
2．下肢の冷感があるときは貼るタイプの使い捨て温熱シップを足底に貼る。
3．立位・正座・しゃがみこむ姿勢を長時間することは避ける。
4．運動は避ける。

次の文を読み 103 〜 105 の問いに答えよ。

　A さん（86 歳、男性）は、80 歳の妻と 2 人暮らし。A さんは 2 型糖尿病により右前腕にシャントを併設しており、週 3 回血液透析を行っていた。また、右中趾に潰瘍があり訪問看護を利用し軟膏処置などを行っていた。1 年前にベッドから起き上がった際に転倒し左大腿骨頸部骨折をしており、現在は歩行器を使用しているが、時折ふらつきがみられた。数日前より下痢と嘔吐を繰り返し、救急外来を受診した。受診時、体温 39.0 度、脈拍 110 回 / 分、血圧 110/48㎜ Hg、GCS:E 4 V 5 M 6、血糖値 :110mg/dL であった。

103 受診時の観察項目として優先度が高いのはどれか。 制限時間 **80**秒

　1．歩行状態の観察
　2．創部の観察
　3．ツルゴールの観察
　4．シャント音の観察

104 A さんは蜂窩織炎にて入院となった。A さんは入院日の夜に突然暴れ出し、「窓の外に人がいる。誰かが呼んでいる。」などといった発言がみられた。翌日 A さんはそのことを忘れている様子がみられた。A さんの昨夜の状態として最も適切なのはどれか。  制限時間 **70**秒

　1．見当識障害
　2．せん妄
　3．高血糖
　4．悪性高熱

105 A さんは症状が改善し、数日後自宅に戻ることになった。A さんの妻から退院後の生活について看護師に質問があった。看護師の説明する内容で正しいのはどれか。 制限時間 **70**秒

　1．「毎日、保清をしてください」
　2．「何も注意することはありませんよ」
　3．「水分は好きなだけとらせてください」
　4．「下肢の観察は行ってください」

次の文を読み 106 ～ 108 の問いに答えよ。

　Aちゃん（生後10か月、女児）は、在胎35週0日、体重2,050gで出生した。出生時より喉頭・気管軟化症を認め、NICUで気管切開をして人工呼吸器を使用している。生後8か月の時点で小児病棟へ転棟し、退院に向けた準備を行っている。ベッドからベビーカーへの移乗時、数分間であれば人工呼吸器を外すことができる。現在、経鼻経管栄養を行っており、母乳や人工乳を併用して1回180mLを1日に6回注入している。腹部膨満があり1日に1回の浣腸と、唾液の垂れ込みのため日常的に口腔内吸引が必要である。両親と兄（4歳）との4人暮らし。兄はAちゃんの出生後から保育所に通っている。

---

106 Aちゃんの家族への在宅人工呼吸療法中による管理の指導内容で適切なのはどれか。 制限時間 70秒

1．アラーム音は直ちに消音する。
2．アンビューバッグは人工呼吸器とAちゃんから離れたところにおく。
3．加温加湿器の滅菌蒸留水は毎日交換する。
4．人工呼吸器の回路交換では滅菌再利用する。
5．吸引時には人工呼吸器の設定を変更する。

---

107 Aちゃんに注入を行う際に注意すべき点として最も適切なのはどれか。 制限時間 80秒

1．経鼻胃管の固定テープの位置を注入ごとに貼り替える。
2．消化途中の胃内容物の前吸引はすべて廃棄する。
3．母乳や人工乳を60℃前後に温めて注入する。
4．注入開始前に空気を注入して気泡音を聴取する。
5．啼泣が激しい時は1回の注入をスキップする。

---

108 Aちゃんの兄が通う保育所ではインフルエンザが流行し始めている。兄はインフルエンザのワクチンを接種していた。Aちゃんの母親は「Aにインフルエンザがうつらないか心配です」と訪問看護師に話した。母親への訪問看護師の助言として最も適切なのはどれか。 制限時間 70秒

<small>Influenza</small>

1．「お兄ちゃんは保育所で感染することはありません」
2．「Aちゃんに抗ウイルス剤を処方してもらいましょう」
3．「ワクチン接種について主治医と相談して決めましょう」
4．「Aちゃんを短期に入所できる施設に預けましょう」

解答・解説 ➡ P. 114~115　④-30

次の文を読み 109 ～ 111 の問いに答えよ。

A君（5歳、男児）は、両親と妹（生後6か月）との4人暮らし。一昨夜の豪雨による土砂災害によって被災したため両親と妹とともに小学校の体育館に避難している。避難所生活3日目、両親は妹の夜泣きをあやしたりしてほとんど眠ることができていない。

109 発災直後の避難所で乳幼児を抱えた家族に対応する看護師の行動で最も適切なのはどれか。

1．紙おむつやミルクを届ける。
2．ボランティアを手配する。
3．既往歴の聴取を行う。
4．小学校の保健室や教室の一部屋を授乳室にする。
5．時間をかけて心のケアを行う。

110 避難後、A君は急に落ち着きがなくなり、日中は体育館の中を走り回っている。夜間は睡眠から何度も目を覚まし、おねしょをすることもある。また、指しゃぶりや母親への甘えが強くなってきた。A君の反応で正しいのはどれか。

1．トゥレット障害
2．急性ストレス障害
3．心的外傷後ストレス障害（PTSD）
4．注意欠如多動性障害（ADHD）
5．分離不安障害

111 避難から3週間後、A君の家族は体育館から仮設住宅へ移動することになり、両親は忙しくしている。A君は1人で過ごすことが多く、絵本を持ってぼんやりとしていることが多い。母親からA君の様子がいつもと違うと看護師に相談があった。看護師の対応で最も適切なのはどれか。

1．A君の様子を定期的に観察し、記録する。
2．A君に積極的に話しかけ、遊びに誘うようにする。
3．A君の症状について、専門医に相談する。
4．A君の両親に、A君の状態について説明し、対応方法を一緒に考える。

次の文を読み 112 ～ 114 の問いに答えよ。

　Aさん（36歳、初産婦）は、37週0日、午前10時、陣痛発来で入院になった。午後4時、子宮口6cm開大、破水した。胎児心音132bpm。午後6時30分、遅発一過性徐脈が出現、胎児機能不全のため、緊急帝王切開となった。分娩時出血量320mL。女児娩出、体重3,108g、アプガースコア1分後8点、5分後10点であった。

112 産褥1日目、体温36.9℃、脈拍72回/分、血圧126/72mmHg、子宮底の位置は臍下1横指、硬度硬い、血性悪露中等量、後陣痛軽度あり。深夜1時30分、創部痛のため鎮痛剤を使用したが、今朝までに軽減している。創部発赤なし。児とは術後に接触をしたが、夜間は新生児室であずかっていた。乳房緊満なし、乳汁分泌なし。褥婦のアセスメントで正しいのはどれか。

1．子宮復古はやや不良である。
2．愛着形成に問題がある。
3．乳汁分泌は正常な経過である。
4．創部感染の疑いがある。

113 産褥5日目。体温36.6℃、脈拍68回/分、血圧128/76mmHg。子宮底は臍と恥骨結合のほぼ中央の位置で硬い、悪露は褐色。Hb11.2g/dL、Ht33.2%、乳管の開口数は左右ともに7～8本で、母乳だけで2～3時間おきに8～9回/日の授乳をしている。新生児の体重は2,984gで昨日より15g増加した。「2人目の子どもは2年後くらいと思っています。退院後、月経が来てからコンドームで避妊をすればよいですよね」と話す。退院に向けて、現時点で保健指導が必要な項目はどれか。

1．授乳指導
2．妊娠高血圧症候群の予防
　 hypertensive disorders of pregnancy
3．子宮収縮促進の方法
4．避妊法

114 生後3日目の新生児。体温37.0℃、呼吸数45回/分、心拍数132/分、体重2,956g。顔面に黄染がみられ、皮膚が少し乾燥している。また、中央部に黄色の丘疹があり、周囲に紅斑がある発疹が腹部にみられる。授乳時に頬や唇に指、乳頭が触れるとそれを捉えようと顔を向けるしぐさをする。哺乳力は良好、黄緑色の排便がみられるようになった。新生児のアセスメントで正しいのはどれか。**2つ選べ**。

1．腹部の発疹は中毒性紅斑である。
2．黄染は早発黄疸である。
3．反射はバビンスキー反射である。
4．皮膚に感染徴候がみられる。
5．便は移行便である。

次の文を読み 115 〜 117 の問いに答えよ。

　Aさん(23歳、女性)は、両親がおらず、頼りにできる親族は姉だけである。Aさんは境界性パーソナリティ障害 borderline personality disorder で、気分の波が激しく、特に理由がなくてもイライラしている。安定した人間関係が築けず、辛くなると自傷行為や薬の大量内服をすることがあった。最近、些細な出来事から職場の同僚に裏切られたと感じ、激しく相手を罵倒した。それから周囲に自殺をほのめかすようになり、心配した姉の付き添いのもと精神科外来を受診して入院となった。

---

115 Aさんは入院を拒否しているが、姉は入院した方がよいと思っている。入院形態はどれか。 制限時間 **70**秒

1．任意入院
2．医療保護入院
3．応急入院
4．措置入院

---

116 Aさんの行動で最も注意するのはどれか。 制限時間 **60**秒

1．衝動行為
2．他患者への過干渉
3．強迫行為
4．作為体験

---

117 病棟では安全管理のため、爪切りをナースステーションで管理している。入院3日目、Aさんが爪切りを使用した後に看護師が返却を求めると、「主治医の先生は自分でもっていていいよと言った」と言い、返却を拒んだ。この日、主治医は不在であった。看護師の対応で適切なのはどれか。 制限時間 **70**秒

1．Aさんの訴えを信じて、爪切りの個人保管を許可する。
2．必ず自傷行為をしないことを約束してもらい、爪切りの個人保管を許可する。
3．Aさんが爪切りを自己管理できるよう、看護長やリーダー看護師へ相談する。
4．主治医に確認がとれるまで、病棟で保管しなければいけないと説得する。

次の文を読み118〜120の問いに答えよ。

　Aさん（98歳、女性）は、認知症の診断を受けている。大腿骨頸部骨折による手術をきっかけに寝た
きりとなり、自分で経口摂取する意欲がなくなった。7年前、点滴や経鼻経管栄養に切り替えたが食道狭
窄によりカテーテルの交換ができず、4年前に胃瘻を造設した。上下肢関節の拘縮のため自力での体位変
換ができない。膀胱留置カテーテル、おむつを使用。自らの訴えは呻り声で知らせるが、伝えたいことを
理解することや苦痛の部位を特定したりすることが難しい。終日不穏状態で、胃瘻の瘻孔から胃液が漏れ
たことがある。2日前から発熱、咳、痰が多く、口腔内吸引を頻繁に行っている。胸部X線による陰影有、
経鼻酸素吸入1L/分。

☐☐

118 **Aさんは発熱・咳・痰が多くなっているが、注意する病態はどれか。** 制限時間 **70**秒

　1．心不全
　　heart failure
　2．肺　炎
　　pneumonia
　3．閉塞性換気障害
　　obstructive ventilatory impairment
　4．気管支喘息
　　bronchial asthma

☐☐

119 **Aさんは胃瘻を造設しているが、特に優先して注意することはどれか。** 制限時間 **70**秒

　1．皮膚障害
　2．誤嚥性肺炎
　　aspiration pneumonia
　3．自己抜去
　4．QOLの低下

☐☐

120 **Aさんに対する日常生活援助で正しいのはどれか。** 制限時間 **70**秒

　1．気管の吸引を長くする。
　2．膀胱留置カテーテル交換時の清潔操作は不要である。
　3．熱が下がるまで、寝衣交換は様子をみる。
　4．体位変換時には骨折に注意する。
　　　　　　fracture

第二回 模擬試験 午後 答案用紙

※1問2点で計算

必修（1～25）	一般（26～90）	状況設定（91～120）
／25点	／65点	／60点

解答一覧は解答・解説編 p.91 をご覧ください。
※この用紙はコピーをしてお使いください。

制限時間　2 時間 40 分

番号	解答番号				
1	①	②	③	④	⑤
2	①	②	③	④	⑤
3	①	②	③	④	⑤
4	①	②	③	④	⑤
5	①	②	③	④	⑤
6	①	②	③	④	⑤
7	①	②	③	④	⑤
8	①	②	③	④	⑤
9	①	②	③	④	⑤
10	①	②	③	④	⑤
11	①	②	③	④	⑤
12	①	②	③	④	⑤
13	①	②	③	④	⑤
14	①	②	③	④	⑤
15	①	②	③	④	⑤
16	①	②	③	④	⑤
17	①	②	③	④	⑤
18	①	②	③	④	⑤
19	①	②	③	④	⑤
20	①	②	③	④	⑤
21	①	②	③	④	⑤
22	①	②	③	④	⑤
23	①	②	③	④	⑤
24	①	②	③	④	⑤
25	①	②	③	④	⑤
26	①	②	③	④	⑤
27	①	②	③	④	⑤
28	①	②	③	④	⑤
29	①	②	③	④	⑤
30	①	②	③	④	⑤
31	①	②	③	④	⑤
32	①	②	③	④	⑤
33	①	②	③	④	⑤
34	①	②	③	④	⑤
35	①	②	③	④	⑤
36	①	②	③	④	⑤
37	①	②	③	④	⑤
38	①	②	③	④	⑤
39	①	②	③	④	⑤
40	①	②	③	④	⑤
41	①	②	③	④	⑤
42	①	②	③	④	⑤

番号	解答番号				
43	①	②	③	④	⑤
44	①	②	③	④	⑤
45	①	②	③	④	⑤
46	①	②	③	④	⑤
47	①	②	③	④	⑤
48	①	②	③	④	⑤
49	①	②	③	④	⑤
50	①	②	③	④	⑤
51	①	②	③	④	⑤
52	①	②	③	④	⑤
53	①	②	③	④	⑤
54	①	②	③	④	⑤
55	①	②	③	④	⑤
56	①	②	③	④	⑤
57	①	②	③	④	⑤
58	①	②	③	④	⑤
59	①	②	③	④	⑤
60	①	②	③	④	⑤
61	①	②	③	④	⑤
62	①	②	③	④	⑤
63	①	②	③	④	⑤
64	①	②	③	④	⑤
65	①	②	③	④	⑤
66	①	②	③	④	⑤
67	①	②	③	④	⑤
68	①	②	③	④	⑤
69	①	②	③	④	⑤
70	①	②	③	④	⑤
71	①	②	③	④	⑤
72	①	②	③	④	⑤
73	①	②	③	④	⑤
74	①	②	③	④	⑤
75	①	②	③	④	⑤
76	①	②	③	④	⑤
77	①	②	③	④	⑤
78	①	②	③	④	⑤
79	①	②	③	④	⑤
80	①	②	③	④	⑤
81	①	②	③	④	⑤
82	①	②	③	④	⑤
83	①	②	③	④	⑤
84	①	②	③	④	⑤

番号		解答番号				
85		①	②	③	④	⑤
86		①	②	③	④	⑤
87		①	②	③	④	⑤
88		①	②	③	④	⑤
89	①	⓪	①	②	③	④
		⑤	⑥	⑦	⑧	⑨
	②	⓪	①	②	③	④
		⑤	⑥	⑦	⑧	⑨
90	①	⓪	①	②	③	④
		⑤	⑥	⑦	⑧	⑨
	②	⓪	①	②	③	④
		⑤	⑥	⑦	⑧	⑨
91		①	②	③	④	⑤
92		①	②	③	④	⑤
93		①	②	③	④	⑤
94		①	②	③	④	⑤
95		①	②	③	④	⑤
96		①	②	③	④	⑤
97		①	②	③	④	⑤
98		①	②	③	④	⑤
99		①	②	③	④	⑤
100		①	②	③	④	⑤
101		①	②	③	④	⑤
102		①	②	③	④	⑤
103		①	②	③	④	⑤
104		①	②	③	④	⑤
105		①	②	③	④	⑤
106		①	②	③	④	⑤
107		①	②	③	④	⑤
108		①	②	③	④	⑤
109		①	②	③	④	⑤
110		①	②	③	④	⑤
111		①	②	③	④	⑤
112		①	②	③	④	⑤
113		①	②	③	④	⑤
114		①	②	③	④	⑤
115		①	②	③	④	⑤
116		①	②	③	④	⑤
117		①	②	③	④	⑤
118		①	②	③	④	⑤
119		①	②	③	④	⑤
120		①	②	③	④	⑤

必修午前　点	合計
必修午後　点	／50点

合格ライン　40点

一般午前　点	合計
一般午後　点	／130点

＋

状況設定午前　点	合計
状況設定午後　点	／120点

＝

合計
／250点

※1問2点で計算

合格ライン　160点

➡ 矢印の方向に引くと問題冊子が取り外せます。

解答・解説編

第一回 模擬試験 午前 解答一覧

番号	解答番号	番号	解答番号	番号	解答番号
1	2	41	1	81	2, 5
2	1	42	1	82	2, 4
3	2	43	4	83	3, 4
4	4	44	3	84	2, 3
5	2	45	2	85	2, 3
6	3	46	2	86	3, 4
7	2	47	2	87	3, 4
8	4	48	1	88	2, 4
9	2	49	1	89	1, 5
10	3	50	4	90	1, 5
11	2	51	3	91	1
12	3	52	2	92	2
13	1	53	3	93	4
14	1	54	1	94	4
15	3	55	3	95	5
16	3	56	4	96	1, 3
17	2	57	1	97	4
18	1	58	4	98	3
19	4	59	2	99	1
20	3	60	1	100	3
21	2	61	2	101	5
22	4	62	2	102	5
23	2	63	1	103	3
24	5	64	1	104	3
25	1	65	2	105	2
26	1	66	3	106	3
27	3	67	4	107	5
28	4	68	2	108	4
29	4	69	3	109	3
30	2	70	1	110	2
31	4	71	2	111	1, 4
32	4	72	1	112	3, 4
33	2	73	1	113	1
34	3	74	4	114	4
35	2	75	3	115	4
36	4	76	5	116	1
37	4	77	4	117	2
38	4	78	3	118	3
39	1	79	2	119	4
40	4	80	2, 4	120	2

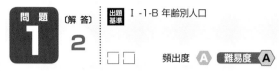 **必修問題**

問題 1 〔解答〕 2

頻出度 Ⓐ 難易度 Ⓐ

頻出

1．✕ 現在の人口ピラミッドは、73 ～ 75 歳と 48 ～ 51 歳を中心とした 2 つの膨らみをもつ、**つぼ型**である。

2．◯ 老年人口割合は**上昇**しているが、生産年齢人口と年少人口は**低下**が続いている。

3．✕ 老年人口とは **65 歳以上**の人口である。

4．✕ 老年人口の構成割合は **29.0%** である。

> 人口静態・人口動態に関する問題は、出やすい問題です。必ず確認しておきましょう。

問題 2 〔解答〕 1

出題基準 I-4-A 患者の権利

頻出度 Ⓐ 難易度 Ⓐ

1．◯ 看護師は患者の生命、人間としての尊厳及び権利を尊重しなければならない。その患者の権利を守ることを**アドボカシー**という。

2．✕ アメリカにおける患者の権利章典は、患者や市民から提言されたものではなく、医療を提供する側が組織的に**患者の権利**を明らかにしたものである。

3．✕ 日本における患者の権利宣言案が示されたのは 1984 年であり、「**個人の尊厳**」「**平等な医療を受ける権利**」「**最善の医療を受ける権利**」「知る権利」「自己決定権」「プライバシーの権利」が提言されている。

4．✕ 意識がない場合や認知症などの場合は近親者に説明し、**同意**を得る。

問題 3 〔解答〕 2

出題基準 I-5-A 養成制度

頻出度 Ⓐ 難易度 Ⓐ

1．✕ 通信制の 2 年課程に進学できるのは**准看護師**の資格をもち、准看護師として **7** 年以上の実務経験をもっ

ている者である。平成 30 年 4 月より、10 年以上から 7 年以上に短縮された。

2．◯ 平成 19 年 4 月以降は保健師・助産師になるためには、**看護師国家試験**に合格していなければ免許を取得することはできない。

3．✕ 保健師助産師看護師の免許を与えるのは厚生労働大臣であるが、受験資格を得るための学校は**文部科学大臣**が指定する学校である。

4．✕ 保健師の修業年限は平成 22 年 4 月 1 日より 6 か月以上から **1 年**以上となった。

問題 4 〔解答〕 4

出題基準 I-5-B 目的、基本方針

頻出度 Ⓑ 難易度 Ⓒ

1．✕ 都道府県ナースセンターは各都道府県に **1** か所あり、**知事**が指定する公益社団法人に設置されるものである。

2．✕ ナースセンターに関する法律は、「**看護師等の人材確保の促進に関する法律**」第 3 章に規定されている。

3．✕ 中央ナースセンターは、全国で **1** か所、**厚生労働大臣**が指定する公益社団法人に設置されるものである。

4．◯ ナースセンターは、看護師等の**離職**防止や**再就職**の促進のための調査、就業希望者に関する調査、看護に関する啓発活動等の業務を、公共職業安定所との密接な連携の下で行う事業所である。

問題 5 〔解答〕 2

出題基準 II-6-A 基本的欲求

頻出度 Ⓑ 難易度 Ⓒ

1．✕ 所属・愛の欲求は、愛されたい、集団に加わり、**精神的な安定**を得たい欲求である。安全の欲求の次の欲求である。

2．◯ 自尊の欲求は、**他者から認められ**たり、頼りにされたり、その人らしさが尊重されることで満たされる。所属・愛の欲求の次の欲求である。

3．✕ 安全の欲求は、安全でありたい、**危機を回避**したいという欲求であり、生理的欲求の次の欲求である。

4．✕ 自己実現の欲求は、人間の欲求の**最上位**の欲求である。自分の能力や可能性を最大限発揮しようとする。それが社会から認められたりすることで欲求が満たされる。

〈マズローの基本的欲求階層〉

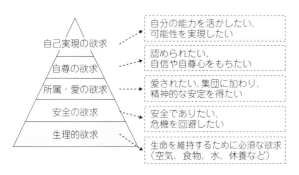

自己実現の欲求 ⋯⋯ 自分の能力を活かしたい、可能性を実現したい

自尊の欲求 ⋯⋯ 認められたい、自信や自尊心をもちたい

所属・愛の欲求 ⋯⋯ 愛されたい、集団に加わり、精神的な安定を得たい

安全の欲求 ⋯⋯ 安全でありたい、危機を回避したい

生理的欲求 ⋯⋯ 生命を維持するために必須な欲求（空気、食物、水、休養など）

問題 6 〔解答〕 3

出題基準 Ⅱ-7-A 形態的発達と異常

頻出度 B 難易度 B

１．○　外性器は女性型であるが、腟は短く盲端に終わり、子宮・卵巣を認めない。核型は46XYでアンドロゲンは分泌されているが、アンドロゲンの受容体の異常により**性腺の性**と**表現型**が一致しない。

２．○　胎児期からの**アンドロゲン**過剰により、外性器が男性化の方向に分化・発育する。

３．×　性分化異常によるものではなく、**遺伝子**による疾患である。血友病は代表的な疾患である。

４．○　一個体の性腺組織に**卵巣組織**と**精巣組織**を認める極めてまれな疾患である。

問題 7 〔解答〕 2

出題基準 Ⅱ-7-C 身体の発育

頻出度 B 難易度 B

１．×　体重が2倍になるのは、<u>生後3～4か月である</u>。1年で約3倍となる。

２．○　前頭骨と頭頂骨に囲まれた菱形の部分を大泉門といい、**1歳6か月ごろ**（遅くとも2歳まで）に**閉鎖**する。閉鎖時期が早すぎると小頭症、遅い場合は水頭症や骨の発育不全などが疑われる。

３．×　乳歯は<u>生後6～7か月</u>（6～8か月）頃に萌出し始め、2歳半から3歳までに計**20**本生えそろう。

４．×　乳幼児の身長と体重のバランスの評価には、カウプ指数を用いる。**カウプ指数**＝体重（g）÷（身長（cm）×身長（cm））×10。

問題 8 〔解答〕 4

出題基準 Ⅱ-9-A チーム医療

頻出度 C 難易度 B

１．×　チーム医療とは、<u>患者</u>を中心に、さまざまな専門性をもつ<u>医療従事者</u>がチームとなって、医療・看護にあたることである。

２．×　<u>患者の生活面</u>や<u>心理的サポート</u>を含めて各職種がどのように協力しあっていくのがよいかを考えることも重要である。

３．×　チーム内でのケースの検討や治療計画の作成に際して、基本的に患者や家族の参加は<u>妨げない</u>。

４．○　救急医療チーム、リハビリテーションチーム、在宅療養支援チーム、ターミナルチームなどがあり、その目的によってさまざまな専門職が<u>連携</u>する。

問題 9 〔解答〕 2

出題基準 Ⅲ-10-A 消化器系

頻出度 A 難易度 A

１．×　口蓋は口を閉じた際に、舌の<u>上部</u>に密着する部位である。

２．○　下図の通り。

３．×　口蓋の前2/3は骨で構成されているため、硬い（**硬口蓋**）。一方、口蓋の後ろ1/3（**軟口蓋**）は筋肉が付着しており柔軟に動く（下図参照）。

４．×　口蓋垂は軟口蓋の中央部から<u>下垂</u>している（下図参照）。

〈口蓋のしくみ〉

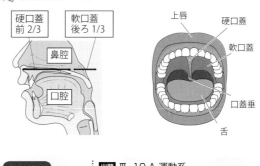

硬口蓋 前2/3　軟口蓋 後ろ1/3　鼻腔　口腔

上唇　硬口蓋　軟口蓋　口蓋垂　舌

問題 10 〔解答〕 3

出題基準 Ⅲ-10-A 運動系

頻出度 A 難易度 A

１．×
２．×
３．○
４．×

脊柱は**頸椎7個**（頸部）、**胸椎12個**（胸部）、**腰椎5個**（腰部）、**仙椎5個**（仙骨部）、**尾椎3〜5個**（仙骨部）の椎骨で構成され、前面から観察すると地面と垂直に1本の線に見える。しかし、下図のように横面から観察すると頸部と腰部は前面に彎曲（前彎）し、胸部は後面に彎曲（後彎）している。この彎曲は**生理的彎曲**であり、体重を支えるのに役立っている。ちなみに、脊柱は頸部までであり、頭頂部まで至らない。

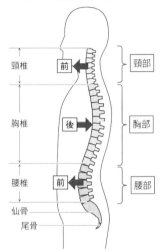

出題基準 Ⅲ-11-A 便秘

問題12 〔解答〕 **3**

□□ 頻出度 **A** 難易度 **A**

1．✕ 弛緩性便秘は、**食物繊維**の不足や**運動**不足によって**腸蠕動**が低下することで生じる。

2．✕ 器質性便秘は、腸管の**狭窄**や**閉塞**が原因である。

3．〇 直腸性便秘は、たびたび**便意**を我慢したり、**緩下剤**の多用で便意を感じなくなり生じる。**習慣性便秘**ともいう。

4．✕ 痙攣性便秘は、**ストレス**や過度に**副交感神経**が緊張することによる直腸の**痙攣性収縮**によって生じる。

出題基準 Ⅲ-11-A 下血

問題13 〔解答〕 **1**

□□ 頻出度 **A** 難易度 **A**

1．〇 問題肢のとおり。なお、消化管で生じた出血が**口**から排出されることは**吐血**という。

2．✕ 上部消化管（食道・胃・十二指腸）や小腸からの出血による下血の場合、**黒色便**や**タール便**がみられる。

3．✕ 大腸や肛門に近い部位からの出血では**鮮血色**の血便がみられる。

4．✕ 下血がある場合は、消化管の保護のため**安静**にする。必要に応じて**絶飲食**とし、全身状態の観察や肛門周囲を清潔に保つことも重要である。

出題基準 Ⅲ-10-B 脳死

問題11 〔解答〕 **2**

□□ 頻出度 **A** 難易度 **B**

1．〇
2．✕
3．〇
4．〇

頻出
平成22年度に厚生労働省から出された「**法的脳死判定マニュアル**」によると、次の6項目が脳死判定時に確認する項目として示されている。呼吸停止については含まれていない。

脳死判定時に確認する項目
①生命徴候の確認
②深昏睡の確認
③瞳孔散大、固定の確認
④脳幹反射消失の確認
⑤脳波活動の消失の確認
⑥自発呼吸消失の確認

＊判定間隔は第1回目の脳死判定が終了した時点から**6**歳以上では**6**時間以上、**6**歳未満では**24**時間以上を経過した時点で第2回目の脳死判定を開始する。

出題基準 Ⅲ-11-B 生活習慣病

問題14 〔解答〕 **1**

□□ 頻出度 **A** 難易度 **C**

1．〇 一次予防は、健康教育、栄養指導、生活指導、健康相談などの**健康増進（ヘルスプロモーション）**と、予防接種、事故予防などの**特異的予防**である。

2．✕ スクリーニング検査は、**早期発見・早期治療**であり、二次予防である。

3．✕ がん検診は、**早期発見・早期治療**であり、二次予防である。

4．✕ 機能回復訓練は、三次予防で、**機能障害防止・リハビリテーション**にあたる。

1．× 破傷風は、**接触**感染である。感染源に直接**接触**することによって感染、または医療機器などを介して感染することもある。

2．× B型肝炎ウイルスは、**媒介物**感染であり病原体に汚染された**媒介物**に接触、または摂取することによって感染する。または垂直感染（**母子**感染）で感染する。

3．○ **空気**感染（飛沫核感染）、飛沫感染、接触感染とさまざまな感染経路を示し、その感染力は極めて強い。

4．× マラリアは**マラリア原虫**に感染することにより発症する病気を指す。「ハマダラカ」という蚊を介してヒトに感染するため**媒介動物**感染である。

1．× 間接ビリルビンは、寿命を終えて分解された赤血球の中のヘモグロビンが変化してできた物質である。**溶血性**貧血や**巨赤芽球性**貧血で高値となる。

2．× Hb（ヘモグロビン）は赤血球中のタンパク質で、ヘム（鉄を含む赤色素）をもつ。異常値は**貧血**や**多血症**の指標となる。

3．○ HbA1cの他、**空腹時血糖値**や**糖負荷試験**（75gOGTT）も糖尿病の診断項目である。

4．× Alb（アルブミン）は血中のタンパク質で総タンパク質の**65**％を占める。低値では**低タンパク血症**となり、肝機能障害・腎機能障害・重症感染症等がその原因となる。ネフローゼ症候群・褥瘡・浮腫で低値を示す。

1．×
2．○
3．×
4．×

　副腎皮質ステロイド薬には、**抗炎症**作用・免疫抑制作用・**抗アレルギー**作用があり、炎症や免疫の異常により引き起こされるさまざまな疾患に対し、強力で確実な治療法として使用されている。しかし、生理的分泌量を大幅に超える量が投与されると、多彩な副作用が発現することがある。高頻度にみられる重篤な副作用として、感染症の**増悪**や**誘発**がある。コルチゾールによる影響で、強いストレスがかかると著しく分泌が増加し、血圧**上昇**や精神的興奮などを引き起こす。また、**骨粗鬆症**は少量投与でも生じるため、長期間服用する場合は注意が必要である。

1．○ **廃用症候群**とは過度の安静による二次的障害をいう。障害は運動器系、循環器系、精神・知能の面など多岐にわたる。それらを予防するためには早期離床が必要であり、自力運動が不可能な臥床患者には**体位変換**や、**関節可動域訓練**などの**他動運動**を行う必要がある。

2．× ベッド柵はベッドからの**転落予防**に使用される物品であり、廃用症候群の予防とは関係がない。

3．× 関節可動域測定は**フィジカルアセスメント**の一つの方法であり、予防策ではない。

4．× **スタンダードプリコーション**はすべての患者に適用される感染予防対策であり、廃用症候群の予防とは関係がない。

1．× 仰臥位では重力のかかる面積が最も広い。また、重心が**低く**、体重を支える支持基底面が最も**広く**安定した安楽な体位である。

2．× 側臥位は仰臥位より重心が**高く**、支持基底面も**小さく不安定**であるが、端座位よりは広い。

3．× 砕石位は仰臥位で膝関節を屈曲して大腿部を開脚挙上し、股関節を外転、外旋した体位であることから、支持基底面が**広い**体位である。

4．○ ベッドの端に座り足を下ろした状態の端座位は、足底、大腿部の裏面から坐骨がつくる面が支持基底面となるため、他の選択肢と比べて**小さい**。

仰臥位

側臥位

砕石位

端座位

るみから胃管が抜けかけていないかを確認することは必要だが、先端が胃内に留置されていることは確認**できない**。

3．✕ 先端が胃内に留置されていることを確認**できない**だけでなく、胃管が気道に誤って挿入されていた場合に危険である。なお、胃内に空気を注入することで聴取される**胃泡**音による確認は誤認が多いため、信頼性が低い。

4．○ 最も確実な方法はエックス線撮影であるが、放射線被曝の問題があるため胃内容物が吸引できない場合などに選択される。エックス線撮影の次に確実な方法は、胃管からシリンジで少量の内容物を引き、**胃内容物（胃液）**であることを確認する方法である。pH試験紙による確認（pH**5.5**以下、ただし制酸剤が投与されていない場合に限る）が推奨されている。

問題 20 〔解答〕 **3**

出題基準 Ⅳ-15-B 転倒・転落の防止

□□ 頻出度 Ⓐ 難易度 Ⓐ

1．○ 障害物は転倒を誘発する環境であるため、除去するのは**適切**である。

2．○ 段差は転倒を誘発する環境であるため、段差の解消は**適切**である。

3．✕ まぶしさは転倒を誘発する環境であるため、直射日光を当てるのは**不適切**である。

4．○ すべりやすい床は転倒を誘発する環境であるため、衝撃吸収材の床を使用するのは**適切**である。

問題 21 〔解答〕 **2**

出題基準 Ⅳ-15-C 滅菌と消毒

□□ 頻出度 Ⓑ 難易度 Ⓐ

1．✕ **高水準**消毒薬に分類される。

2．○ エタノールと同じ、**中水準**消毒薬に分類される。

3．✕ フタラールと同様、**高水準**消毒薬に分類される。

4．✕ **低水準**消毒薬に分類される。

問題 22 〔解答〕 **4**

出題基準 Ⅳ-16-A 経管・経腸栄養法

□□ 頻出度 Ⓐ 難易度 Ⓐ

1．✕ 口腔内で胃管がとぐろを巻いていないかの確認は必要だが、先端が胃内に留置されていることは確認で**きない**。

2．✕ 胃管のマーキングライン位置のずれ、固定のゆ

問題 23 〔解答〕 **2**

出題基準 Ⅳ-16-E 酸素ボンベ

□□ 頻出度 Ⓑ 難易度 Ⓑ

1．○ 酸素ボンベの酸素残量は圧力計の示す値から、以下のように計算する。

酸素ボンベ内の残量＝ボンベ容量（L）×圧力計が示す値（残圧：MPa）÷ボンベ圧力*1

*1 内容量500Lの酸素ボンベのボンベ圧は14.7MPa

また、使用可能時間（分）は ボンベ内残量÷指示流量（L/分）で求める。

2．✕ 酸素ボンベに酸素流量計を取り付けるときは、**ボンベ架台**に乗せて安定した状態で行う。ボンベが転倒して、バルブがゆるんだり接続部が破損したりすると高圧ガスが噴出し、大事故につながる。

3．○ ＭＲ室内では、強力な**磁場**の発生により重量物であるボンベがＭＲ装置に強く引きつけられ、重大な事故発生につながる可能性があるため、酸素ボンベのＭＲ室内へのもち込みは**絶対禁止**である。

4．○ 酸素は**助燃**性・支燃性が強いため、近くに発火源が存在すると爆発するおそれがある。保管場所、使用場所ともに**火気**がないことを確認する。

問題 24 〔解答〕 **5**

出題基準 Ⅰ-1-B 死因の概要

□□ 頻出度 Ⓐ 難易度 Ⓐ

5肢

1．✕

2．✕

3．×

4．×

ひっかけ **5．○**

　「国民衛生の動向 2023/2024」による令和 4 年の死因順位別にみた死亡数・死亡率（人口 10 万対）は、第 1 位は**悪性新生物**で 38 万 5,787 人・316.1、第 2 位は**心疾患** 23 万 2,879 人・190.8、第 3 位は**老衰** 17 万 9,524 人・147.1、第 4 位は**脳血管疾患**で、10 万 7,473 人・88.1、第 5 位は**肺炎**で、7 万 4,002 人・60.6 となっている。

問題 25 〔解答〕 **1**

出題基準 Ⅳ-16-D 採血方法

5肢

頻出度 Ⓐ　難易度 Ⓒ

頻出 **1．○**　採血には、おもに**上肢**の血管が使われ、肘窩部の**肘正中皮**静脈、**橈側皮**静脈、尺側皮静脈のいずれかが選択される。

2．×　成人では **21G** または **22G** の注射針を使用する。

3．×　駆血は強すぎないように注意し、駆血時間は **1** 分を目安とする。駆血時間が長すぎると血液の濃縮などにより検査データに影響が生じる場合がある。

4．×　採血終了後、採血管がホルダーに差し込まれたままの状態で駆血帯を外しては**ならない**。圧力の変動により採血管の内容物などが患者の体内に**逆流**するおそれがある。

5．×　圧迫止血は **5** 分程度行う。**出血**傾向がある患者の場合は、長めに圧迫止血を行い、止血状態に注意する。

一般問題

問題 26 〔解答〕 **1**

出題基準 Ⅰ.Ⅱ.Ⅲ-3-C 自律神経

頻出度 Ⓐ　難易度 Ⓐ

頻出 **1．○**　交感神経が作用すると、肝臓は貯蔵されているグリコーゲンを分解して、血液中のグルコースを増加させる。ほかの交感神経系の作用として、肺：気管支を**拡張**させる、瞳孔：**散大**させる、血管：内臓や皮膚の血管を**収縮**させて、骨格筋や心臓への血流を**増加**させる、膀胱・尿道：括約筋を**緊張**させ、尿失禁を防ぐ、腎臓：尿量を**減少**させるなどがある。

2．×　**副交感神経系**の作用である。

3．×　**副交感神経系**の作用である。

4．×　腎臓には**交感神経**が作用する。

〈交感神経と副交感神経の作用〉

交感神経	器官	副交感神経
散大	瞳孔	縮小
分泌抑制	唾液腺	分泌促進
拡張	気管支	収縮
心拍数増加	心臓	心拍数減少
機能の抑制	消化器	機能の促進
グリコーゲンの分解	肝臓	グリコーゲンの合成
尿量減少	腎臓	―
排尿抑制	膀胱	排尿促進
収縮（上昇）	血管（血圧）	拡張（低下）
緊張	筋肉	弛緩

問題 27 〔解答〕 **3**

出題基準 Ⅰ.Ⅱ.Ⅲ-10-D 換気

頻出度 Ⓑ　難易度 Ⓑ

　ヘモグロビンに酸素が結合している酸素飽和度は pH、血液温、CO_2 分圧によって変化する。pH7.4、血液温 36℃、CO_2 分圧 46mmHg の正常な環境での**末梢静脈血**は O_2 分圧 40mmHg ぐらいとなる。この状態で**酸素解離曲線**から考えると**酸素飽和度**は **75%** ぐらいとなる。

〈酸素解離曲線〉

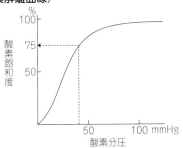

1．✕ O_2 分圧 100mmHg の**動脈血**では、ヘモグロビンの酸素飽和度は**98**％ぐらいである。

2．✕ O_2 分圧 50mmHg の血液では、ヘモグロビンの酸素飽和度は**85**％ぐらいである。

3．○ O_2 分圧 40mmHg の血液では、ヘモグロビンの酸素飽和度は**75**％ぐらいである。

4．✕ O_2 分圧 25mmHg の血液では、ヘモグロビンの酸素飽和度は**50**％ぐらいである。

問題 28 〔解答〕**4**

出題基準 Ⅰ.Ⅱ.Ⅲ-11-A 食道の構造と機能、B 胃の構造と機能

□□　頻出度 **B**　難易度 **B**

1．✕ 食道には**起始**部（第１狭窄部）、**気管分岐**部（第２狭窄部）、**横隔膜貫通**部（第３狭窄部）の３か所に生理的狭窄部がある。

2．✕ 食道壁は内側から**粘膜・筋層・外膜**の３層からなる。漿膜は**もたない**。

3．✕ 噴門周囲には噴門腺が存在し、**粘液**を分泌している。胃底部と胃体部に、胃液の大部分を分泌する胃腺（胃底腺）が存在している。

4．○ 胃は**斜走**筋層、**輪状**筋層、**縦走**筋層の３層の平滑筋から構成されている。

〈胃と食道の構造〉

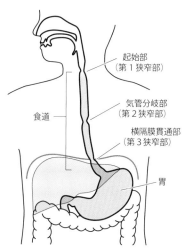

起始部（第１狭窄部）

食道

気管分岐部（第２狭窄部）

横隔膜貫通部（第３狭窄部）

胃

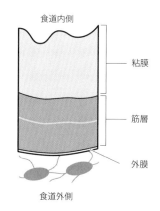

食道内側

粘膜

筋層

外膜

食道外側

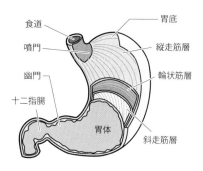

食道　　胃底

噴門　　縦走筋層

幽門　　輪状筋層

十二指腸

胃体　斜走筋層

問題 29 〔解答〕**4**

出題基準 Ⅰ.Ⅱ.Ⅲ-14-B 体温調節中枢

□□　頻出度 **B**　難易度 **B**

1．✕ 体温は早朝に**最低**となり、朝食後に急激に上昇し、その後ゆるやかに上昇、夕方に**最高**となる。

2．✕ 性周期においては、**黄体期**にプロゲステロンの作用で体温が上昇する。

3．✕ 寒さを感じたら上着を着たり、暑いときには窓を開けたりというように、体温を維持しようとする行動を、**行動性体温調節**という。フィードフォワード機構とは、暑いところでは汗が出たり、寒いところでは身ぶるいするなど、体温調節中枢による体温の変動を防ぐ**体温調節反応**をいう。

4．○ **視床下部**にある体温調節中枢には、皮膚などから温度に関する情報が集められて体温調節が行われている。

問題 30 〔解答〕**2**

出題基準 Ⅳ-5-A 炎症性疾患（気管支炎、肺炎、間質性肺炎、胸膜炎）

□□　頻出度 **B**　難易度 **C**

1．✕ 口すぼめ呼吸は、**慢性閉塞性肺疾患**〈COPD〉にみられる症状であり、気管支の閉塞によって呼気が延

長してみられる症状である。

2.○ 間質性肺炎では、肺胞の壁に炎症などが起こり、酸素を取り込みにくくなる。捻髪音は、両側肺下葉の背中側の吸気の終わりに聞かれる。

3.× 濁音は無気肺の胸部打診で聞かれる。

4.× 樽状胸郭は、肺の過膨張によってみられる慢性閉塞性肺疾患〈COPD〉の身体症状である。

問題31 〔解答〕**4**　出題基準 Ⅳ-6-A 不整脈（上室性頻脈性不整脈、心室性頻脈性不整脈、徐脈性不整脈）

□□　頻出度 **A**　難易度 **B**

1.× 連続して起こっている場合を除き心室性期外収縮は、心保護薬が治療の中心となる。

2.× 心房細動は、心房全体が細かく動き脈拍は不規則になるが、緊急処置を要する不整脈ではない。治療には抗不整脈薬が選択されるが、発作時に電気的除細動で正常の洞調律に戻すことがある。

3.× Ⅱ度房室ブロックの分類には2種類あり、①Wenckebach型（MobitzⅠ型）は無症状であり治療の必要性はない。しかし、②MobitzⅡ型の場合は致死的な不整脈を起こし得る危険性があるため、場合によっては治療をする必要（心臓ペースメーカー植え込み治療の適応）がある。

4.○ 心室頻拍は、心室性期外収縮が連続して起こっている状態である。心臓のポンプ作用低下、心拍出量の減少によって心室細動に移行する不整脈であり、最も緊急処置を要するものである。

問題32 〔解答〕**4**　出題基準 Ⅳ-6-A 心タンポナーデ

□□　頻出度 **B**　難易度 **C**

　心膜腔内には、通常20〜40mL程度の心膜液が存在する。心タンポナーデは、大量の心膜液の貯留により、心膜内圧が上昇し、心拡張障害が起こり心拍出量が低下する状態である。特徴的な症状として、Beck三徴（低血圧、微弱心音、頸静脈怒張）や奇脈が出現する。

1.× 心室の拡張障害により、右室拡張期圧が上昇し、中心静脈圧が上昇する。

2.× 心室の拡張障害により、左室拡張期圧が上昇し、血圧が低下する。

3.× 心室の拡張障害により、心拍出量が低下する。そのため、脈拍数の増加や血圧の低下が起こるため脈圧は低下する。

4.○ 心タンポナーデによる心拡張障害により、吸気時に右室への血液還流量が増加する。それにより、右室が拡張し左室の拡張が制限されること、吸気時に肺から左室への循環血液量が減少することで、吸息時に収縮期血圧が通常よりも約10mmHg低下する現象（奇脈）がみられる。

問題33 〔解答〕**2**　出題基準 Ⅲ-8-C 水・電解質の異常（脱水、浮腫、低ナトリウム血症、高カリウム血症）

□□　頻出度 **B**　難易度 **B**

　血漿タンパク質の中でアルブミン（血漿100mℓ中に約4.5g）が一番多く含まれ、血漿膠質浸透圧の維持に役立っている。血漿中のアルブミンが低下すると血漿膠質浸透圧が低下し、組織液（間質液）に水が貯留し、浮腫を生じる。

〈血漿膠質浸透圧〉

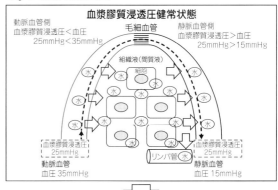

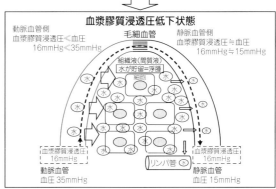

1.× 血漿アルブミンの増加は血漿膠質浸透圧が上昇し、浮腫を生じない。

2.○ ネフローゼ症候群では、尿中アルブミンが増加しタンパク尿となるため、血漿アルブミンが低下する（低タンパク血症）。血漿アルブミンの低下は血漿膠質浸透圧が低下し、浮腫を生じる。

3.× Ⅰ型アレルギーでは血漿中γグロブリンのIgEが増加し、アレルギー症状を生じるが、浮腫の症状は生

じない。

4.× 血漿中γグロブリンのIgG増加では、<u>膠原病</u>、<u>自己免疫疾患</u>、慢性肝炎、多発性骨髄腫等が考えられるが、浮腫の症状は<u>生じない</u>。

問題 34 〔解答〕**3**

出題基準 Ⅳ-9-A 出血性疾患（血栓性血小板減少性紫斑病〈TTP〉、免疫性血小板減少性紫斑病〈ITP〉、播種性血管内凝固〈DIC〉）

□□ 頻出度 **B** 難易度 **C**

播種性血管内凝固〈DIC〉は、様々な基礎疾患に合併し、全身の微小血管に血栓が多発する。その結果、止血に必要な血小板と凝固因子が消費されて出血傾向を呈する。

1.× 微小血栓の多発により血小板が消費されると、血中の血小板数は<u>低下</u>する。

2.× 血小板や凝固因子が消費されているため、プロトロンビン時間〈PT〉は<u>延長</u>する。

3.○ 全身の血液凝固因子が消費されているため、プロトロンビン時間と同様に、活性化部分トロンボプラスチン時間〈APTT〉は<u>延長</u>する。

4.× 微小血栓が多発すると血液凝固に関わるフィブリンが<u>増加</u>する。その結果、線溶現象も亢進し、フィブリン分解産物〈FDP〉は<u>増加</u>する。

問題 35 〔解答〕**2**

出題基準 Ⅱ-5-E 障害者基本法、身体障害者福祉法、精神保健及び精神障害者福祉に関する法律〈精神保健福祉法〉

□□ 頻出度 **B** 難易度 **B**

1.× <u>母子保健法</u>第16条による。妊娠の届出をした者に対し、<u>市町村</u>が交付する。

2.○ <u>身体障害者福祉法</u>第15条による。

3.× <u>健康増進法</u>第9条による。自らの健康増進のため健康診査結果等を記載し、健康管理をするための手帳である。

4.× <u>精神保健及び精神障害者福祉に関する法律〈精神保健福祉法〉</u>第45条による。

問題 36 〔解答〕**4**

出題基準 Ⅲ-7-A 感染症の予防及び感染症の患者に対する医療に関する法律〈感染症法〉

□□ 頻出度 **B** 難易度 **B**

1.× コレラは、**3**類感染症に指定されている。**1**類感染症は、危険性が極めて高い感染症で、エボラ出血熱の他にクリミア・コンゴ出血熱、ペスト、マールブルグ病、ラッサ熱、痘そう、南米出血熱が定められている。

2.× 結核は**2**類感染症であるが、破傷風は全数把握

対象の**5**類感染症に定められている。

3.× 細菌性赤痢は**3**類感染症に、後天性免疫不全症候群は、全数把握対象の**5**類感染症に定められている。

ひっかけ

4.○ B型肝炎、麻疹は、全数把握対象の**5**類感染症である。

〈届出が必要な感染症〉

届出時期	感染症の分類	疾病名
診断したとき直ちに（全医療機関が全数届出）	1類感染症	エボラ出血熱、クリミア・コンゴ出血熱、痘そう、南米出血熱、ペスト、マールブルグ病、ラッサ熱
	2類感染症	急性灰白髄炎、結核、ジフテリア、重症急性呼吸器症候群（病原体がコロナウイルス属SARSコロナウイルスであるものに限る）、中東呼吸器症候群（病原体がベータコロナウイルス属MERSコロナウイルスであるものに限る）、鳥インフルエンザ（H5N1、H7N9）
	3類感染症	コレラ、細菌性赤痢、腸管出血性大腸菌感染症、腸チフス、パラチフス
	4類感染症	E型肝炎、ウエストナイル熱、A型肝炎、エキノコックス症、エムポックス、黄熱、オウム病、オムスク出血熱、回帰熱、キャサヌル森林病、Q熱、狂犬病、コクシジオイデス症、ジカウイルス感染症、重症熱性血小板減少症候群（病原体がフレボウイルス属SFTSウイルスであるものに限る）、腎症候性出血熱、西部ウマ脳炎、ダニ媒介脳炎、炭疽、チクングニア熱、つつが虫病、デング熱、東部ウマ脳炎、鳥インフルエンザ（鳥インフルエンザ（H5N1及びH7N9）を除く）、ニパウイルス感染症、日本紅斑熱、日本脳炎、ハンタウイルス肺症候群、Bウイルス病、鼻疽、ブルセラ症、ベネズエラウマ脳炎、ヘンドラウイルス感染症、発しんチフス、ボツリヌス症、マラリア、野兎病、ライム病、リッサウイルス感染症、リフトバレー熱、類鼻疽、レジオネラ症、レプトスピラ症、ロッキー山紅斑熱
	5類感染症の一部	侵襲性髄膜炎菌感染症、風しん、麻しん
7日以内（全医療機関が全数届出）	5類感染症の一部	アメーバ赤痢、ウイルス性肝炎（E型肝炎及びA型肝炎を除く）、カルバペネム耐性腸内細菌目細菌感染症、急性弛緩性麻痺（急性灰白髄炎を除く）、急性脳炎（ウエストナイル脳炎、西部ウマ脳炎、ダニ媒介脳炎、東部ウマ脳炎、日本脳炎、ベネズエラウマ脳炎及びリフトバレー熱を除く）、クリプトスポリジウム症、クロイツフェルト・ヤコブ病、劇症型溶血性レンサ球菌感染症、後天性免疫不全症候群、ジアルジア症、侵襲性インフルエンザ菌感染症、侵襲性肺炎球菌感染症、水痘（入院例に限る）、先天性風しん症候群、梅毒、播種性クリプトコックス症、破傷風、バンコマイシン耐性黄色ブドウ球菌感染症、バンコマイシン耐性腸球菌感染症、百日咳、薬剤耐性アシネトバクター感染症

| 週単位で
（定点医療機関が届出） | 5類感染症の一部 | RSウイルス感染症、咽頭結膜熱、A群溶血性レンサ球菌咽頭炎、感染性胃腸炎、水痘、手足口病、伝染性紅斑、突発性発しん、ヘルパンギーナ、流行性耳下腺炎、インフルエンザ（鳥インフルエンザ及び新型インフルエンザ等感染症を除く）、新型コロナウイルス感染症（病原体がベータコロナウイルス属のコロナウイルス（令和2年1月中に中華人民共和国から世界保健機関に対して、人に伝染する能力を有することが新たに報告されたものに限る）であるものに限る）、急性出血性結膜炎、流行性角結膜炎、感染性胃腸炎（病原体がロタウイルスであるものに限る）、クラミジア肺炎（オウム病を除く）、細菌性髄膜炎（髄膜炎菌、肺炎球菌、インフルエンザ菌を原因として同定された場合を除く）、マイコプラズマ肺炎、無菌性髄膜炎 |
| 月単位で
（定点医療機関が届出） | 5類感染症の一部 | 性器クラミジア感染症、性器ヘルペスウイルス感染症、尖圭コンジローマ、淋菌感染症、ペニシリン耐性肺炎球菌感染症、メチシリン耐性黄色ブドウ球菌感染症、薬剤耐性緑膿菌感染症 |

厚生労働省HP「届出の対象となる感染症の種類」より作成

問題 37 〔解答〕 4

出題基準 Ⅲ-9-A 地域保健法

頻出度 B　難易度 B

1．○　下記の⑫に示す。

2．○　下記の④に示す。

3．○　下記の②に示す。

4．×　要介護認定は介護保険制度により、市町村が設置する**介護認定審査会**で審査・判定が行われる。委員は、保健・医療・福祉に関する学識経験者で、市町村長が任命する。

　保健所は地域における**公衆衛生活動の中心的存在**で、主な業務は次のとおり。

〈保健所の役割（地域保健法に規定）〉

①地域保健に関する思想の普及と向上
②人口動態統計その他、地域保健に係る統計
③栄養の改善と食品衛生
④住宅・水道・下水道・廃棄物処理・清掃その他環境衛生
⑤医事・薬事
⑥保健師に関する事項
⑦公共医療事業の向上と増進
⑧母性・乳幼児・老人の保健
⑨歯科保健
⑩精神保健
⑪治療法が確立していない疾病その他の特殊疾病による長期療養者の保健
⑫エイズ・結核・性病・伝染病その他の疾患の予防
⑬衛生上の試験と検査

⑭その他、地域住民の健康保持と増進

問題 38 〔解答〕 4

出題基準 Ⅰ-1 看護の基本となる概念

頻出度 B　難易度 B

1．×　ヘンダーソンは『**看護の基本となるもの**』を著し、看護を定義している。この定義をもとに、看護師が援助すべき人間の基本的ニーズに基づく**14の看護の構成要素**を挙げている。21の看護の問題点を挙げたのは**アブデラ**である。

2．×　オレムは**セルフケア**を中心とする理論を示した。適応モデルを提唱したのは**ロイ**である。

3．×　**2**で説明したとおり**誤り**である。

4．○　レイニンガーは異文化看護学の基礎を築いた。**文化ケア理論**の中でサンライズモデルを提唱した。

〈主な看護理論〉

ヘンダーソン	看護の基本的原理を定義。14項目の基本的看護の構成要素を挙げる。『看護の基本となるもの』
オレム	「セルフケア理論」を示した。『オレム看護論』
ペプロー	看護は対人的相互作用の発展。『人間関係の看護論』
アブデラ	21の看護問題を提示。『患者中心の看護』
オーランド	患者のその時、その場のニードを充足する。『看護の探求』
トラベルビー	人間対人間の関係の確立。『人間対人間の看護』
ロイ	4つの適応モデル。『ロイ看護論』
レイニンガー	文化ケア理論。『レイニンガー看護論』
ウィーデンバック	看護実践の4つの構成要素を提示。『臨床看護の本質』
ジョンソン	『看護モデル（看護のための行動システムモデル）』

問題 39 〔解答〕 1

出題基準 Ⅰ-2-C 看護職間の連携と協働 ほか

頻出度 B　難易度 B

1．○　専門看護師は看護系大学院**修士**課程修了者で日本看護系大学協議会が定める専門看護師教育課程基準の所定の単位を取得していること。

2．×　実務研修が通算**5年**以上であり、うち3年間以上は**専門看護分野**の実務研修であること。

3．×　専門看護師は、専門看護分野において、①**実践**、②**相談**、③**調整**、④**倫理調整**、⑤**教育**、⑥**研究**の6つの役割を果たす。

4．×　資格取得後の更新は**5**年ごとに必要であり、規

定された看護実績、研究業績及び研修業績等を有していることが必要となる。

問題40 〔解答〕 **4**

出題基準 Ⅱ-3-E 系統別のフィジカルアセスメント

□□ 頻出度 Ⓑ 難易度 Ⓑ

１．× 高調性連続性副雑音は高めの連続音である。肺胞に近いところの**細い気管支**が狭窄した場合に、「ヒュー、ヒュー」や「クー、クー」というような高い音が聴取され**笛音**といわれる。

２．× 低調性連続性副雑音は比較的低めの連続音である。太い**気管**や**主気管支**が狭窄した場合に、「グー、グー」というような低いいびき様の音が聴取され**いびき音**といわれる。

３．× 細かい断続性副雑音は吸気終後半に聴取される細かくて高い音である。呼気時に閉塞した**末梢気道**が**吸気時**に急激に再度**開放される**ために生じる音である。「パリパリ」という細かい破裂音で**捻髪音**ともいわれる。

４．○ 粗い断続性副雑音は**吸気時初期**から聴取される粗く低い音である。分泌物の増加など水分量が多い気道内を呼吸によって空気が通過するときに気泡がはじけることにより生じる「ブクブク」や「ブツブツ」という音で**水泡音**といわれる。

問題41 〔解答〕 **1**

出題基準 Ⅱ-3-G チューブ・ライントラブルの予防と対策

□□ 頻出度 Ⓑ 難易度 Ⓑ

１．○ チューブ類の挿入後にチューブと皮膚に**マーキング**し、抜けかけていないか定期的に観察する。また、**挿入した長さ**は記録しておく。

２．× 予定外抜去による患者への影響は、チューブ・ラインの種類によって異なる。気管内チューブの予定外抜去は、患者の**生命維持**に直結する。直ちに**医師**に報告し再挿管を実施してもらう。

３．× 膀胱内留置カテーテルは膀胱内に貯留した尿を排出させるものである。尿の排出を**スムーズ**に行い、感染予防のため尿を逆流させないよう、導尿チューブは蓄尿バッグより**上**に配置する。

４．× 複数のチューブ・ラインを一つに束ねてしまうと、どれが本来の目的のものか瞬時に把握**できない**。また、絡まないように、それぞれを整理することが必要である。

問題42 〔解答〕 **1**

出題基準 Ⅱ-4-E 休息と睡眠に影響する要因

□□ 頻出度 Ⓐ 難易度 Ⓒ

１．○ レム睡眠は、**急速眼球運動**〈rapid eye movement〉を伴う睡眠である。レム睡眠は主に身体の休息ともいわれ、**筋緊張の低下**や**反射活動の低下**を伴う。

２．× **ノンレム睡眠**のことである。ノンレム睡眠は脳波により浅いまどろみ状態から熟睡状態まで**4段階**に分かれる。レム睡眠の深度については、現在定まっていない。

３．× **ノンレム睡眠**のことである。レム睡眠では脳は**覚醒**に近い状態で、夢をみていることが多い。

４．× **ノンレム睡眠**のことである。レム睡眠は成人の全睡眠時間の**20%**程度を占める。

〈**加齢による各睡眠段階の割合の変化**〉

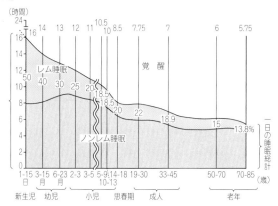

出典：公益財団法人 健康・体力づくり事業財団ホームページ
https://www.health-net.or.jp/

問題43 〔解答〕 **4**

出題基準 Ⅱ-5-B 褥瘡の予防と治癒の促進

□□ 頻出度 Ⓐ 難易度 Ⓑ

１．× **褥瘡発生**の予測スケールである。褥瘡発生要因の中で看護師が観察、評価できる**6項目**（**知覚**の認知、**湿潤**、**活動性**、**可動性**、**栄養**状態、**摩擦とずれ**）を抽出し点数化したもので、点数が低いほど褥瘡発生リスクが**高い**。

２．× **褥瘡発生**の予測スケールである。褥瘡の**前段階要因**と**引き金要因**を2段階方式で評価する。点数が高いほど褥瘡発生の危険が**高い**。

３．× **褥瘡発生**の予測スケールである。寝たきりの高齢者、虚弱高齢者を対象として得た褥瘡発生危険要因を点数化したもので、合計点により**軽度**、**中等度**、**高度**レ

ベルに分類する。

４．〇　日本褥瘡学会（2020）による分類で、評価項目は**深さ（D）**、**滲出液（E）**、**大きさ（S）**、**炎症／感染（I）**、**肉芽組織（G）**、**壊死組織（N）**、**ポケット（P）** の７項目で構成される。点数が高いほど褥瘡状態が**悪い**ことを示す。

問題 44 〔解答〕 **3**

出題基準 Ⅱ-5-B 洗浄、保護、包帯法

頻出度 **C**　難易度 **A**

１．×　テープをはがそうと加えた力が、**はがしたい方向**に働いているのはいいが、なるべく皮膚に沿わせ、もう片方の手で**皮膚を押さえながら**はがすと皮膚に与える痛みを少なくできる。

２．×　テープをはがそうと加えた力が、**垂直方向**に働いている。垂直方向にはがそうとすると皮膚が**引っ張られ**、痛みを増すことになる。

３．〇　テープをはがそうと加えた力が、**はがしたい方**向に働いている。**1**よりも皮膚に沿うように、かつ、もう片方の手で**皮膚を押さえながら**はがしており、皮膚に与える痛みが最も**少ない**。

４．×　テープをはがそうと加えた力が、**はがしたい方**向とは**逆**に働いている。はがしにくいだけでなく、**反対**方向へ**皮膚**が引っ張られ痛みを増すことになる。

問題 45 〔解答〕 **2**

出題基準 Ⅰ-1-A 身体的・心理的・社会的な特徴

頻出度 **A**　難易度 **C**

１．×　壮年期では、周波数の**高い音**の弁別力が低下する。

２．〇　壮年期で水晶体の弾力性低下や毛様体の筋力低下により、眼の**調節力の低下**が起こる。そのため、40〜45歳から読書や細かい作業が裸眼では困難になることが多い。

３．×　**青年期**に瞬発力、柔軟性等のほとんどの身体能力が最も高い時期となる。壮年期では握力はピークとなるが、瞬発力、柔軟性は**低下**する。

４．×　流動性知能とは、過去の経験によらずに**新しい事に柔軟に対応する能力**であり、壮年期で**低下**する。結晶性知能は、獲得した**経験や知識**に基づいて**物事を処理する能力**であり、壮年期でも**上昇**する。

問題 46 〔解答〕 **2**

出題基準 Ⅰ-1-A 発達課題の特徴

頻出度 **A**　難易度 **B**

１．×　「一定の経済的生活水準を築き、それを維持すること」は、**成人中期**の発達課題である。

２．〇　「社会的に責任のある行動への努力」は、**青年期**の発達課題である。

３．×　「配偶者との幸福な生活」は、**成人初期**の発達課題である。

４．×　「仲間と交わることの学習」は、**学童期**の発達課題である。

問題 47 〔解答〕 **2**

出題基準 Ⅰ-2-B 就労条件・環境と疾病との関係

頻出度 **B**　難易度 **B**

１．×　頸肩腕障害は、情報機器の**長時間使用**や仕分け作業などにより首・肩・腕に負担がかかることで生じる。

２．〇　**高周波の騒音**にさらされることにより、感音性難聴を生じることがある。

３．×　じん肺とは、石綿や土ぼこりなどの粉じんが発生する環境で仕事を行うことにより、**粉じんを吸入**し肺に繊維増殖性変化を生じる疾病である。

４．×　**削岩機**や**チェーンソー**の使用は激しい振動を伴うため、長時間にわたって作業をすることにより**振動障害**を生じることがある。手指の末梢血管運動神経への影響により、振動障害の症状として**知覚鈍麻**、**しびれ感**、**血行障害**などが生じる。

〈職業性疾病の原因と防護対策〉

要因	原因	職業性疾病	防護対策
物理的	長時間の騒音	職業性難聴	耳栓の使用、音量調節、健康診断
	振動器具からの長時間の振動	振動障害	振動工具の改良、作業時間の短縮、健康診断
	医療、原子力関係の職場での被曝	電離放射線被曝	放射源の隔離、遮蔽、線量測定と管理、健康診断
化学的	粉じん（石綿や土ぼこり）の吸入	じん肺、中皮腫	防護マスクの使用、職場環境の整備、健康診断
	有機溶剤（塗料、塗装、印刷など）の吸入	有機溶剤中毒	常に換気、防護マスクの使用、健康診断
作業条件	パソコンやタブレット端末などの情報機器を用いた事務作業	情報機器作業による健康障害、頸肩腕障害	作業環境・作業時間の管理、健康診断
	過重な負荷による腰背部の損傷	職業性腰痛	作業環境の改善、作業時間の調整、作業姿勢の改善、腰痛体操、健康診断

コーピングとは、ストレスに対して行われる対処行動である。コーピングは、**問題解決中心型**コーピングと**情動中心型**コーピングがある。**情動中心型**コーピングは、情緒的苦痛を緩和する対処プロセスであり、**問題解決中心型**コーピングは、問題を解決しようとする対処プロセスである。

1．〇　問題に対処するのではなく、情緒的苦痛を和らげる行動であるため、**情動中心型**コーピングである。

2．✕　問題を解決するために行動しているため、**問題解決中心型**コーピングである。

3．✕　問題を明確にすることで、問題に直接働きかけているため、**問題解決中心型**コーピングである。

4．✕　自分自身が変わることで、状況に適応させようとしているため、**問題解決中心型**コーピングである。

1．〇　心疾患など活動耐性が低下している患者も、リハビリテーションの対象と**なる**。

2．✕　急性期リハビリテーションの目的は、**合併症や廃用症候群**の予防である。

3．✕　機能障害が重度であっても、リハビリテーションの対象と**なる**。

4．✕　**患者の全人的苦痛を軽減**する目的で実施される（終末期リハビリテーション）。

1．✕　鼻・口から細気管支（小気管支、細気管支、終末細気管支に細分化）までが気道で、気管支壁には**肺胞**が存在しない。その奥にある呼吸細気管支は、気管支壁に**肺胞**が存在しガス交換が行われている。

2．✕　予備呼気量は約**1,000**mL である。予備吸気量は最大吸気量（約**2,000**mL）と1回換気量（約**500**mL）との差であり、予備吸気量のほうが**大きい**。なお、肺活量は**安静時**の呼吸状態でさらに最大限に息を吸い込み（最大吸気量）、力いっぱい努力して吐ききる空気量（予

備呼気量）のことであり、予備吸気量と予備呼気量と1回換気量の**総和**である。

3．✕　胸腔内圧は、常に**陰圧**になっている。横隔膜と外肋間筋の収縮によって胸部が拡大すると呼気となり、胸腔内圧の陰圧はさらに**高まる**。

4．〇　交感神経が優位になると気管支平滑筋が**弛緩**（気管が広がる）し、副交感神経が優位になると気管支平滑筋が**収縮**する。

1．✕　左橈骨動脈からの穿刺の場合、**治療日**から歩行は可能である。

2．✕　術後の絶食は必要**ない**。

3．〇　穿刺部からの出血がなく、バイタルが安定していれば翌日のシャワーは**可能**である。

4．✕　圧迫固定は、通常約3時間の圧迫固定で止血確認できれば、**当日**解除する。長時間圧迫固定することで神経麻痺につながる可能性もある。

　経皮的冠動脈形成術（PCI）とは、狭くなった、あるいは詰まった冠状動脈（冠動脈：心臓の筋肉を栄養する血管）を治療するために行われる非外科的処置の総称。PCI の適応となる疾患は、**労作性**狭心症、**不安定**狭心症、急性心筋梗塞、無症候性心筋虚血がある。治療に用いる血管は、**大腿**動脈や橈骨動脈、あるいは上腕動脈から選択される。通常、治療は覚醒下（全身麻酔なし）、局所麻酔薬を使用してカテーテル挿入部の疼痛をコントロールして進められる。狭心症の多くは術後1、2日後に退院可能となり、心筋梗塞の場合はリハビリ期間を要することから数日～数週間の入院期間を要する。

1．✕　抗凝固薬は、血液が固まりやすくなっている状態を**改善**し、血栓ができる状態を**予防**できる。

2．〇　心房細動とは、心臓を動かす電気信号のリズムが乱れている状態をいう。心房細動があると、心房収縮が失われ、特に左心耳内で血流が停滞し、血栓が形成されやすくなる。この血栓の塊が脳へと続く血管で詰まり、その先の組織への血液供給を阻害してしまうと脳梗塞が**起こる**。血圧が高いと、血液による**血管**への圧が高くな

り負担がかかる。血管壁が厚くなって弾力性を失い、硬くもろくなる。さらに、血管の内腔は狭くなり、傷つきやすい状態になる。その血管にコレステロールなどの脂肪が溜まると**動脈硬化**が起こる。また、高血圧は、慢性的な**左心室**への圧負荷があり、**左室充満圧**の増大から、心房の拡大・圧負荷を生じる。その結果、心房筋への負担が生じ心房細動の発生原因にもなる。

３．✕　壮年期ではなく、高齢期の**75**歳以上の年齢がリスクになる。その他、**高血圧・心不全**・糖尿病・脳血管障害や心筋梗塞の既往や肥満もリスクに**なる**。

４．✕　甲状腺ホルモンは、直接、心筋細胞膜に作用し、交感神経の活動性を高める。そのため甲状腺機能が**亢進**すると、心房細動が起こりやすくなり、脳梗塞の危険が大きくなる。しかし、**低下**すると徐脈になる傾向になったり、動脈硬化が**生じやすい**が心房細動に至ることは減多に**ない**。よって、脳梗塞を発症するリスクは**低い**。

問題 53 〔解答〕 **3**
出題基準 Ⅶ-14-C 血液透析
□ □　頻出度 Ⓑ　難易度 Ⓐ

１．✕　安易に**自己判断**で市販薬を服用することは**避け**、主治医や薬剤師の専門家に相談をする必要がある。成分によっては、禁忌とされる内容が含まれる場合もあり、また、服用量の調整も重要である。

２．✕　透析患者には**カリウム制限**があり、カリウムを多く含む芋類・豆類・くだものや野菜の摂取を勧める指導は**不適切**である。しかし、カリウム制限により、食物繊維などが不足傾向になったり、体内の水分が取り除かれたりすることで、便が硬くなり便秘を引き起こす要因にもなる。そのため、便秘予防として、毎日決まった時間に排便する習慣をつけることが推奨されている。

３．○　透析を受けた日は、**シャント部**の針跡からの細菌感染の危険性があるため、できれば**シャワー浴**に留めるとよいが、入浴する場合、特に温泉など不特定多数の人が利用する施設では感染の可能性が高まるため、感染対策について指導することは**必要**である。

４．✕　透析に身体が慣れてきたら、疲労感がない程度に体を動かすことは**大切になる**ため、運動は控える必要は**ない**。運動は血圧の安定や便通の改善やストレス解消に効果がある。

問題 54 〔解答〕 **1**
出題基準 Ⅶ-18-D Ménière ＜メニエール＞病
□ □　頻出度 Ⓐ　難易度 Ⓐ

１．○　中耳炎の症状は、**耳痛**、**耳だれ**、耳閉感、聴力低下などである。中耳は、**伝音機能**をつかさどる部位であり、耳小骨（**ツチ骨**、キヌタ骨、**アブミ骨**の３つの骨がある）で音の振動を内耳に伝えている。めまいの症状などを起こす平衡感覚をつかさどる三半規管は、**内耳**に位置する。

２．✕　メニエール病は、**回転性のめまい**が突然起こるのが代表的な症状である。

３．✕　一過性脳虚血発作は脳血管疾患の１つで、脳の**循環障害**により一過性に起こる神経症状である。**椎骨脳底動脈系**（内頚動脈領域なのか、椎骨脳底動脈系の循環障害なのかによって症状が異なる）で起こると、**めまい**や**同名**半盲・感覚障害・運動失調などの症状が起こる。

４．✕　空腹時血糖は 80 〜 100mg /dL 程度であるが、50mg /dL 程度まで低下すると、**めまい**や頭痛など脳の機能が**糖分**不足で起こる症状が出現する。

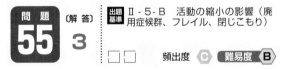

問題 55 〔解答〕 **3**
出題基準 Ⅱ-5-B 活動の縮小の影響（廃用症候群、フレイル、閉じこもり）
□ □　頻出度 Ⓒ　難易度 Ⓑ

１．✕　フレイルとは、老化に伴うさまざまな機能低下により、**疾病発症**や**身体機能障害**に対する**脆弱性**が増す状態をいう。**身体的側面**、**精神的側面**、**社会的側面**といった**多面性**をもつ概念である。

２．✕　ブレーデンスケールは、褥瘡リスク評価に用いられる。フレイルの評価基準で多く用いられている日本版 CHS 基準では、①体重減少、②筋力低下、③疲労感、④歩行速度、⑤身体活動の５項目がある。

３．○　フレイルは、適切な介入を行えば回復することが可能という可逆性を**もつ**。

４．✕　フレイルの筋力低下には**運動療法**や栄養療法が**有効**である。持病の管理との兼ね合いを考慮して実施する。

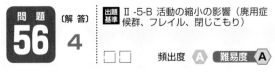

問題 56 〔解答〕 **4**
出題基準 Ⅱ-5-B 活動の縮小の影響（廃用症候群、フレイル、閉じこもり）
□ □　頻出度 Ⓐ　難易度 Ⓐ

１．✕　ポータブルトイレの設置など、体をなるべく動かし**活動範囲を減少させない**ようにする必要がある。

２．✕　自宅への引きこもりにもつながり、廃用症候群をさらに進行させるため**不適切**である。作業、レクリエーション療法、社会的孤立の予防が必要である。

３．✕　褥瘡の改善予防には**体位変換**、皮膚の清潔維持、栄養状態の改善が必要である。過度な安静はさらなる悪化を招く恐れがある。

４．○　関節可動域訓練は，廃用症候群の症状の一つである関節拘縮の予防に有効である。

出題基準　Ⅱ-6-H　高齢者の薬物動態の特徴

問題 **57**　〔解答〕 **1**　頻出度 Ⓑ　難易度 Ⓒ

１．○　加齢により、組織透過性と末梢血流の**低下**が起こり、吸収率が**低下**する。

２．✕　高齢者は体温が低く、直腸の血流**減少**により、坐薬の溶解・吸収は**遅れる**。

３．✕　腎機能の低下に伴い、薬剤の代謝や排泄の**低下**がみられる。よって、半減期は**延長**する。

４．✕　高齢者は水との親和性に乏しい脂肪の割合が**増加**し、脂溶性薬物の血漿濃度は上昇し体内に蓄積**しやすくなる**。

出題基準　Ⅱ-7-D　骨粗鬆症

問題 **58**　〔解答〕 **4**　頻出度 Ⓑ　難易度 Ⓒ

１．✕　運動は骨密度の低下を**予防**するため**必要**である。

２．✕　嗜好品は骨粗鬆症の危険因子の一つである。カフェインなどはカルシウムの吸収を**阻害**する成分であり摂取を**控える**必要がある。

３．✕　ビタミンＤを多く含んだ食品は、**魚類やきのこ**類などであり、果物や野菜ではビタミン**C**を摂取することができる。

４．○　軟らかい素材のベッドマットを使用すると、腰部が沈み腰部の**S字カーブ**が崩れてしまう。そのため**硬め**の素材を選択するように説明する。

出題基準　Ⅱ-7-E　認知症の種類

問題 **59**　〔解答〕 **2**　頻出度 Ⓐ　難易度 Ⓐ

頻出

１．○　発症年齢が若いほど病気の進行が**急速**で、知的機能低下も**著しい**。

２．✕　初期には**記銘力**障害、見当識障害、不安、抑うつなどの症状が**特徴的**である。発病初期は**短期記憶障害**が中心だが、進行にしたがって**長期記憶**も障害される。

３．○　アミロイドβタンパクが**脳内に蓄積**して、老人斑（アミロイド斑）を形成する。その後、**神経細胞が死滅**することから、このタンパクを原因とするアミロイド仮説が有力視されている。

４．○　頭部 CT や MRI 所見で、大脳の頭頂葉・側頭葉や**海馬**の萎縮が特徴的に**認められる**。

出題基準　Ⅱ-7-E　認知症看護の基本的視点

問題 **60**　〔解答〕 **1**　頻出度 Ⓑ　難易度 Ⓒ

１．○　水分の摂取状態を把握することは、**失禁**の原因を考える上で**大切**なことである。

２．✕　ベッドを柵で囲むことは身体の**拘束**にもなるため、適切では**ない**。ベッドから降りないようにするのではなく、ベッドから降りることで生じる**危険**（転倒・転落）を予防する方法として、ベッドの**高さ**や床の**素材**などを検討する必要がある。

３．✕　トイレまで向かうのが難しい場合は、ポータブルトイレを利用するのもよいが、認知症の方は**環境の変化**が苦手であり、今の時点では適切では**ない**。ただ、日中もトイレ誘導をしていることから、尿意の感覚が**認識**できていないことが考えられるため、今後検討する必要はある。

４．✕　定期的なトイレ誘導は必要であるが、高齢の夫と二人暮らしであり夫の介護負担を考慮することと、以前は失禁がみられていないことから、まずは失禁の**原因**を検討する必要がある。

出題基準　Ⅰ-2-B　形態的成長と機能的発達の評価

問題 **61**　〔解答〕 **2**　頻出度 Ⓑ　難易度 Ⓑ

１．✕　乳歯は生後**6〜8か月**ごろに萌出し始める。

２．○　**下顎の乳中切歯**から生え始めることが多い。

３．✕　乳歯は**2歳半〜3歳**までに計**20**本生えそろう。**永久歯**は、第三大臼歯を除いて**12〜13歳**ごろに

計28本が生えそろう。したがって、乳歯の数は**永久歯**の数より**少ない**。

4．✕　乳歯は**5〜6歳**ごろから抜け始め、同時に**永久歯**が生え始める。**第一大臼歯**が初めに生え始める。

問題 62　〔解答〕**2**

出題基準 Ⅰ-3-A 離乳

頻出度 **A**　難易度 **B**

1．✕　離乳の開始は、**おかゆ（米）**から始める。子どもの様子をみながら量を増やしていく。慣れてきたらじゃがいもや人参等の野菜、果物、さらに慣れたら豆腐や白身魚、固ゆでした卵黄などのたんぱく質性食品の種類を増やしていく。

2．〇　母乳育児の場合、生後6か月の時点で、**ヘモグロビン濃度**が低く、**鉄欠乏**を生じやすいとの報告がある。

3．✕　エネルギーの摂取量および消費量のバランスの維持を示す指標として、乳児では**推定エネルギー必要量**を用いることがある。これは、エネルギー出納が0となる確率が最も高くなると推定される習慣的な1日当たりのエネルギー摂取量である。生後6〜8か月の男児**650**kcal／日、女児**600**kcal／日である。

4．✕　はちみつは、乳児**ボツリヌス症**を引き起こすリスクがあるため、**1**歳を過ぎるまでは与えない。

問題 63　〔解答〕**1**

出題基準 Ⅰ-3-B 睡眠

頻出度 **B**　難易度 **B**

1．〇　新生児は、昼夜を問わず睡眠と覚醒を繰り返す**多相性**睡眠型である。なお、成長に伴い昼夜1回の**単相性**睡眠型に移行する。

2．✕　睡眠には**レム**睡眠と**ノンレム**睡眠の2つのタイプの睡眠がある。**レム**睡眠は、浅い眠りで覚醒時に似た脳波を示し、身体や眼球の動きがみられる。**ノンレム**睡眠は身体や眼球などの動きがない。新生児の**レム**睡眠は睡眠の約**50**％を占め、幼児期には**20〜25**％まで減じ、代わりに**ノンレム**睡眠の割合が増加する。

3．✕　幼児期から学童期では特に**深いノンレム**睡眠（熟睡）の割合が高くなる。

4．✕　3〜4歳ごろで昼寝をしなくなり、成人とほぼ同じ**睡眠パターン**となるのは**5**歳ごろである。

問題 64　〔解答〕**1**

出題基準 Ⅱ-4-D きょうだい・家族のストレスへの支援

頻出度 **B**　難易度 **A**

1．〇　B君が感じている寂しさに**直接寄り添う提案**として最も**適切な対応**である。この対応により、B君は姉のAちゃんと再会でき、感じている寂しさを軽減する機会を得ることができる。

2．✕　B君の主な懸念はAちゃんの健康状態よりも、Aちゃんとの**分離による寂しさ**に関連していると考えられる。そのため、B君の感情への直接的な対応としては**ふさわしくない**。

3．✕　B君の**不安を和らげる**可能性はあるが、B君が表現している主な問題は「寂しさ」であり、単にAちゃんが元気であると伝えるだけでは、B君の感じている寂しさを直接的に解消することは**できない**。

4．✕　B君が直面している姉のAちゃんと**会えない**ことによる寂しさに対して、カウンセリングは直接的な解決策とは**なり得ない**。

問題 65　〔解答〕**2**

出題基準 Ⅲ-4-A 妊娠の経過と胎児の発育

頻出度 **B**　難易度 **B**

1．✕　受精後**3**週（妊娠**5**週）で**GS（胎嚢）**が確認できる。

2．〇　受精後**8**週では超音波断層法により**胎児心拍動**が確認できる。

3．✕　**BPD〈児頭大横径〉**は妊娠**12**週頃より胎児発育状況の指標として測定される。この期間では主に**CRL〈頭殿長〉**にて判断する。

ひっかけ

4．✕　受精後**2**週間までは**致死的作用**を受け、異常が発生すると死亡する。受精後3〜8週までは外因に対する感受性が高く、著明な形態異常が発生しやすい。

問題 66　〔解答〕**3**

出題基準 Ⅱ-6-C 人工的水分・栄養補給法〈AHN〉

頻出度 **B**　難易度 **A**

1．〇　注入速度が**速い**場合、下痢を起こしやすい。

2．〇　注入量が**多すぎる**場合、下痢を起こしやすい。

3．✕　浸透圧が**高い**場合、下痢を起こしやすい。

4．〇　食物繊維**不足**の場合、下痢を起こしやすい。

問題 67 〔解答〕 4

頻出度 B　難易度 C

1．✕　カロリーは、成熟乳の方が14kcal/dL **高い**。

2．✕　水分量は、**変わらない**。

3．✕　糖質は、成熟乳の方が1.37g/dL **多い**。

4．○　蛋白質は、初乳の方が0.58g/dL **多い**。初乳には**特に IgA が豊富である**。

問題 68 〔解答〕 2
出題基準 Ⅰ -1-B 防衛機制

頻出度 B　難易度 B

　防衛機制とは、緊張や不安などがある場合に、自分の心を傷つけないようにするための、無意識による自我の働きを指す。

1．✕　「抑圧」は、不快な気持ちや考えを意識から排除し、**無意識の中に押し込む**ことである。過去の精神の発達状態に戻ることは「**退行**」である。

ひっかけ

2．○　「投影」の説明として**正しい**。

3．✕　「転移」は、過去に存在した重要な人物への感情を、**別の人物へ向ける**ことである。本能的欲動が社会的に有用で価値のある仕事に向けられることは「**昇華**」である。

4．✕　「置き換え」は、欲求の対象を別のものに置き換えたり、欲求の内容を変えることで、**実現可能な欲求へと転換させる**ことである。都合のいい理由をつけて自己を正当化することは「**合理化**」である。

問題 69 〔解答〕 3
出題基準 Ⅲ -3-C リカバリ〈回復〉

頻出度 A　難易度 B

1．✕　リカバリとは、病気の治癒ではなく、「症状とうまく**付き合い**ながら、人生の新しい意味や**目的**を見出し、充実した人生を生きていく過程」を指す概念である。

2．✕　上記のとおりであり、病識を獲得するまでの過程では**ない**。

3．○　当事者が自分の求める生き方を**主体**的に追求することが重要である。

4．✕　リカバリの過程は**非直線**的であり、失敗や成功をくり返しながら体現するものである。

問題 70 〔解答〕 1

頻出度 A　難易度 A

ひっかけ

1．○　特定福祉用具販売の対象種目は、直接**肌に触れる**ことが予測されるものである。そのため、移動用リフトのつり具の部品は、特定福祉用具販売の対象で**ある**。

2．✕　自動排泄処理装置の本体は、介護保険サービスによる**福祉用具貸与**の対象であり、特定福祉用具販売の対象では**ない**。

3．✕　床ずれ防止用具は、介護保険サービスによる**福祉用具貸与**の対象であり、特定福祉用具販売の対象ではない。

4．✕　吸引器は特定福祉用具販売・福祉用具貸与のどちらも対象では**ない**。

〈介護保険法による福祉用具貸与・特定福祉用具販売の対象用具〉

福祉用具貸与	対象となる福祉用具（13種類） ①車いす（普通型電動車いすも含む） ②車いす付属品　③特殊寝台 ④特殊寝台付属用品　⑤床ずれ防止用具 ⑥体位変換器　⑦手すり　⑧スロープ ⑨歩行器　⑩歩行補助つえ ⑪認知症老人徘徊感知機器　⑫移動用リフト ⑬自動排泄処理装置（本体部分） ※①②③④⑤⑥⑪⑫は、要支援1・2、要介護1の場合、原則的に借りることができない。⑬は原則として要介護4・5の場合のみ借りることができる
特定福祉用具販売	購入対象となる福祉用具（5種類） ①腰掛便座　②入浴補助用具　③簡易浴槽 ④移動用リフトの入浴介助用つり具の部分 ⑤自動排泄処理装置（交換可能部分） ⑥排泄予測支援機器

問題 71 〔解答〕 2

頻出度 A　難易度 A

1．✕　入浴時に瘻孔部をフィルムなどで覆う必要は**ない**。入浴などはそのまま行い、清潔に保つことが重要である。

2．○　栄養剤注入時は、誤嚥を予防するために**座位**あるいは**30**度から**60**度の**半座位**に体位を整える。

3．✕　胃瘻の瘻孔は数時間で閉鎖してしまうため、閉鎖する前に適切な対処が必要である。**バルーン**型の場合は、抜けたカテーテルを挿入するように指導を行う。しかし、**バンパー**型の場合は、抜けたカテーテルを挿入するのでなく、**細い**チューブなどを挿入するように指導を行う必要がある。

４．✕　注入速度は、医師の指示通りに行う必要がある。

問題72　〔解答〕**1**　出題基準 Ⅲ-9-B 訪問看護の役割
頻出度 **B**　難易度 **A**

１．○　看護師は、対象となる人や家族の代弁者としての役割が**ある**。対象となる人が疾患や障害をもちながらも、その人の意向に沿った生活を送ることができるように支援する。

２．✕　多職種連携において、他の職種が**理解**しやすいように伝えることが重要である。難しい専門用語ではなくわかりやすい言葉で伝える。

３．✕　看護師は、医療の知識だけではなく**生活の知識**ももった専門職種である。

４．✕　各専門職から得た情報やアドバイスは、対象となる人へのケアの方針や内容に**役立てる**。

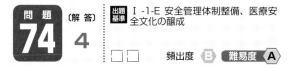

問題73　〔解答〕**1**　出題基準 Ⅰ-1-D 医療・看護業務に関する情報の活用と保管
頻出度 **B**　難易度 **A**

１．○　診療情報の提供は、患者だけでなく**家族**など患者以外の者も求めることができる。

２．✕　患者が診療情報を知りたくない場合は、**患者の意思を尊重**する必要がある。

３．✕　目的は医療従事者と患者とのよりよい**信頼関係の構築**である。

４．✕　診療情報の提供は**口頭による説明**も可能である。診療情報の提供は①口頭による説明、②説明文書の交付、③診療記録の開示などで行われる。

問題74　〔解答〕**4**　出題基準 Ⅰ-1-E 安全管理体制整備、医療安全文化の醸成
頻出度 **B**　難易度 **A**

１．✕　インシデントレポートの目的は、**異なる職種間**で共有・分析し、その要因を明らかにして、**再発防止**のための対策を講じることである。

２．✕　法令で書式は統一されておらず、**医療施設**等ごとに書式がある。

３．✕　インシデントレポートの目的は**再発防止**であり、責任追及や懲罰のためには使用しない。

４．○　インシデントレポートの主な記述内容は、インシデントの**状況**とその**対応**である。

問題75　〔解答〕**3**　出題基準 Ⅲ-3-A グローバル化に伴う世界の健康目標と課題
頻出度 **B**　難易度 **B**

１．✕　政府開発援助〈ODA〉は日本政府が行う国際協力をいう。国内の活動を意味しない。

２．✕　国内の活動を意味しないため、誤りである。

３．○　無償資金協力、技術協力、有償資金協力がある。

４．✕　外国からの援助ではなく、日本政府が行う国際協力のことである。

問題76　〔解答〕**5**　出題基準 Ⅳ-12-A 認知症（Alzheimer〈アルツハイマー〉病、血管性認知症、Lewy〈レビー〉小体型認知症、前頭側頭型認知症）
5肢
頻出度 **A**　難易度 **B**

１．✕　歩行障害（パーキンソニズム）は**脳血管性**認知症、レビー小体型認知症でみられる。

２．✕　幻視は**レビー小体型**認知症でみられる。

３．✕　情動失禁は**脳血管性**認知症でみられる。

４．✕　人格変化は**前頭側頭型**認知症でみられる。

５．○　アルツハイマー病は著明な**記憶障害**、**見当識障害**、周囲への無関心を特徴とする。

高度のアルツハイマー病になると歩行障害、尿失禁、人格変化がみられますが初期ではみられません。

問題77　〔解答〕**4**　出題基準 Ⅳ-11-C 医療法
5肢
頻出度 **B**　難易度 **C**

１．○
２．○
３．○
４．✕
５．○

医療を行う施設に関する基本法が医療法であり、医療施設の定義や人員について規定されている。

〈医療法に規定されている施設〉

病院	20人以上の患者を入院させるための施設 （例）一般病院（介護療養型医療施設などの療養病床を有する病院を含む）、特定機能病院、精神科病院など

診療所	患者を入院させる施設を有しないもの、または19人以下の患者を入院させるための施設 （例）一般診療所（介護医療院などの療養病床を有する診療所を含む）、歯科診療所
助産所	助産師がその業務をなす場所

　なお、**訪問看護ステーション**は、**高齢者医療確保法**、**健康保険法**、介護保険法によって規定されている。

問題 78 〔解答〕 **3**
出題基準 Ⅲ-9-A 健康増進法
5肢
□□　頻出度 **B**　難易度 **B**

1．✕　患者調査は医療施設を利用する患者について、その疾病の状況等の実態を明らかにすることを目的とし、**統計法**に規定されている。健康増進法に基づいて実施されるのは、**国民健康・栄養調査**である。

2．✕　トータル・ヘルスプロモーション・プランは、**労働安全衛生法**に規定されている。

3．〇　受動喫煙の防止は、**健康増進法第25条**に規定されており、多数の者が利用する施設を管理する者は、受動喫煙を防止するために必要な措置を講ずるよう努めなければならないとされている。

4．✕　予防接種の実施を規定しているのは**予防接種法**である。

5．✕　40～74歳までの者の特定健康診査及び特定保健指導の実施は、**高齢者医療確保法**に基づき、医療保険者にその実施を義務づけている。

がん検診、歯周疾患検診、骨粗鬆症検診等は、平成20年度から健康増進法に基づく事業として実施されています。

問題 79 〔解答〕 **2**
出題基準 Ⅱ-3-A コミュニケーションの基本的な技法
5肢
□□　頻出度 **B**　難易度 **A**

1．✕　患者が自らの思いを**自由に表出できる**ことは必要であるが、沈黙させないよう無理に会話させることはしない。

2．〇　価値判断を**下す**ことで患者は**否定**された、**拒否**されたと受け止めてしまう。相手を否定せず、あるがままに**受け入れる**ことや相手の感情の動きに**寄り添う**ことで患者に安心感を与える。

3．✕　自分の思いや考えを言語化して表現できない場

合もある。そのため、患者の表情や行動といった**非言語的**な表現にも目をむけ注意深く観察することが必要である。

4．✕　医療や看護を受ける主体は**患者自身**である。まずは**患者**との信頼関係を構築することが重要である。そのうえでキーパーソンとなる人とも信頼関係を成立させることが必要である。

5．✕　提供されるケアについて、その**目的や方法**をわかりやすく説明することで、患者の不安を取り除くことができ、患者は安心して援助を受けることができる。

問題 80 〔解答〕 **2・4**
出題基準 Ⅰ.Ⅱ.Ⅲ-13-A 尿細管における再吸収と分泌
5肢
□□　頻出度 **B**　難易度 **C**

1．✕　尿酸は毛細血管から**近位尿細管**へ分泌される。

2．〇　アミノ酸は糸球体から濾過され、**近位尿細管**から**100％再吸収**される。なお、ある一定以上の高濃度の場合には100％再吸収できずに尿中へ排泄される。

3．✕　パラアミノ馬尿酸は毛細血管から**近位尿細管**へ分泌される。

4．〇　グルコースは糸球体から濾過され、**近位尿細管**から**100％再吸収**される。なお、ある一定以上の高濃度の場合には100％再吸収できずに尿中へ排泄される。

5．✕　アンモニアは毛細血管から**近位尿細管**へ分泌される。

問題 81 〔解答〕 **2・5**
出題基準 Ⅱ-3-B 内分泌・代謝異常
5肢
□□　頻出度 **B**　難易度 **B**

1．✕　甲状腺機能亢進症は、活動性の増加、代謝の亢進により、体重**減少**をみる。

2．〇　心不全は、うっ血により体重**増加**をみる。

3．✕　糖尿病は、コルチゾールの作用が低下し、体重**減少**をみる。

4．✕　副腎皮質機能低下症は、コルチゾールの作用が低下し、体重**減少**をみる。

5．〇　ネフローゼ症候群は、浮腫により体重**増加**をみる。

問題 82 〔解答〕 **2・4**
出題基準 Ⅱ-5-D 輸液・輸血の種類と取り扱い方法
5肢
□□　頻出度 **B**　難易度 **B**

1．✕　血小板製剤は**振盪**しながらの保管が必要である

が、赤血球製剤は**2〜6℃**の**冷所**保存でよく、振盪の必要は**ない**。

2．○ 血液製剤中に**凝集塊**が生じることがあるので、**凝集塊**を濾過する濾過網がある赤血球製剤用の輸血セットを用いる。

3．× 2〜6℃で保存されているが、通常の速度の輸血では加温は必要**ない**。大量急速輸血などの場合は、**体温低下**、**血圧低下**、**不整脈**があらわれることがあるため加温して用いる。

4．○ 輸血開始から**5**分間は、特に重篤な副作用が起こりやすい。そのため輸血の速度を**1**mL/分に調節し、**15**分経過した時点で副作用がないことを確認したら**5**mL/分に早める。

5．× 有効期限は採血後**21**日間である。

1．○ **反回神経**麻痺、**咽頭神経**の損傷により嚥下障害や嗄声が出現する可能性がある。

2．○ 副甲状腺の摘出や血流障害によって**副甲状腺機能が低下**する場合がある。これにより、血清カルシウム値が低下し、手指や口唇にしびれを生じることがある。

3．× バセドウ病の術後は、甲状腺クリーゼを起こすことがある。甲状腺機能が急激に悪化した状態であり、代表的な症状の一つに**高熱**がある。そのほか頻脈、多量の発汗、下痢、精神混乱状態などの症状が出ることがある。

4．× 上記**3**より、手術後に**頻脈**を呈することがある。

5．○ 頸部の出血による気管の圧迫から**呼吸困難**や窒息の恐れがある。

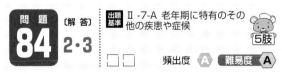

1．× 姿勢反射障害に対しては、介助者による**声かけ**や**転倒防止**に努めることが必要である。

2．○ 足が出にくいので縞模様などで**目標**を定めると足を踏み出しやすい。パーキンソン病の運動障害のうち、視覚的な手がかりによって**すくみ足**は改善する。

3．○ 小刻み歩行に対しては、視覚刺激として、縞模様などで大きく踏み出せるようにすることで運動機能が改善する。なお、手を意識して**大振り**に歩くようにするとよい。

4．× 突進歩行に対しては、向かい合って**手をつないで**歩行するとよい。

5．× 安静時振戦は、筋肉が**安静**な状態にある時に起こるものであり、運動障害の改善を問う本肢には該当し**ない**。

1．× **2．○** 頸髄損傷直後は、神経原性ショック（脊髄ショック）となり、**交感神経遠心路**の破綻が起きる。

3．○ **4．×** 損傷部位以下の末梢血管抵抗が**減弱**して、副交感神経緊張状態になり、**徐脈**、血圧**低下**が起きるのが特徴である。

5．× 出血による血管の破綻は、**出血性**ショックである。

1．× バセドウ病は**代謝の亢進**により食欲があるにもかかわらず体重が**減少**する疾患である。そのため、必要なエネルギーを摂取できるように援助する必要がある。

2．× バセドウ病患者はエネルギーの消費が大きく、疲れやすいため、騒音の少ない静かで**リラックス**できる環境を整えることが望ましい。

3．○ 患者は甲状腺腫を気にする場合があり、看護師が頸部を覆うための工夫を提案するなど、**ボディイメージ**の変化に対する援助を行うことは適切である。

4．○ バセドウ病患者は**発汗**が多いため、入浴や清拭により清潔保持に努めることは適切である。

5．× 代謝の亢進により、患者は**暑がり**でエネルギー消費が大きいため、涼しい室内になるように温度設定することが望ましい。

〈バセドウ病の主な症状〉

・暑がり
・汗をかきやすい
・イライラする
・手のふるえ

・疲れやすい
・甲状腺腫大
・体重減少
・動悸

問題 87 〔解答〕 **3・4**

出題基準 Ⅱ-7-D 白内障

5肢

頻出度 **B** 難易度 **C**

１．**✕** 術前に散瞳薬を使用するため、術後も**眩しく**感じる。車やバイクの運転は**しない**ように説明する。

２．**✕** 術後の眼痛は**感染性眼病異物感**であることが多い。術後は防御用に**眼帯**や**保護メガネ**を装着する。

３．**○** 麻酔覚醒後から歩行は**可能**である。ふらつきがある場合は付き添う。

４．**○** 頭部を振動させる行為は眼圧が上昇するため、振動を**避ける**ことは適切である。

５．**✕** 洗髪は術後**1**週間から可能である。

 問題 88 〔解答〕 **2・4**

出題基準 Ⅱ-7-D 老人性皮膚掻痒症

5肢

頻出度 **B** 難易度 **C**

１．**✕** 老人の皮膚は角質内の水分、皮脂の分泌が**低下**することなどにより掻痒感が生じるものである。薬用石鹸を用いることでさらに皮脂を取り除き、**乾燥**させてしまうため適切では**ない**。

２．**○** 入浴後、できるだけ早く保湿剤を使うと乾燥が軽減され、**乾燥**掻痒感も改善される。

３．**✕** 硫黄成分は皮脂の分泌を**抑制**し、皮膚を**乾燥**させるため使用しない。

４．**○** 直接肌に触れる衣類は、通気性や吸湿性に優れた**木綿**や**絹**素材がよい。

５．**✕** ヒスチジンはアレルギーのもととなる物質であるヒスタミンを**増加**させるので、**摂らない**ようにする。

 問題 89 〔解答〕 **1・5**

出題基準 Ⅲ-4-A 妊娠高血圧症候群

5肢

頻出度 **B** 難易度 **B**

１．**○** 血圧の安定を図るため、塩分制限（**6.5g**／日未満程度）を行う。

２．**✕** 安静により母体の腎血流が**増加**し、腎機能が改善する。

> また、子宮胎盤循環の血流量が増加するため、子宮内環境の改善が期待できます。

３．**✕** 妊娠高血圧症候群では血液が濃縮しているため、水分制限は**しない**。

４．**✕** 光は**子癇**の**発症誘因**となるため、室内は直射日光を避け、暗くする。

５．**○** 頭痛は**子癇**の**前駆症状**の一つである。

 問題 90 〔解答〕 **1・5**

出題基準 Ⅲ-3-C レジリエンス

5肢

頻出度 **B** 難易度 **A**

１．**○** レジリエンスとは、困難な状況でもしなやかに**適応する力**のことである。あるいは困難から**立ち直る力**、**耐久力**等と考えられている。リカバリの実現には、レジリエンスによる危機回避や、ストレングス〈強み〉を活かした成長が**必要である**。

２．**✕** 設問の「差別や偏見による無力な状態から力を取り戻すためのソーシャルワーク」は**エンパワメント**について述べている。

３．**✕** 楽観性はレジリエンスの構成要素であり、レジリエンスを**高める**。困難な状況において、悲観性は自己を萎縮させてしまうため、楽観性が必要である。

４．**✕** 自己肯定感はレジリエンスの構成要素であり、レジリエンスを**高める**。

５．**○** ソーシャルサポート（周囲の人々から与えられる物質的・心理的支援）は、レジリエンスの構成要素であり、レジリエンスを**高める**。

> 次からは状況設定問題の解答・解説です。しっかり読んでください。

状況設定問題 状況設定

問題 91 〔解答〕 1

出題基準 Ⅱ-6-C 酸素療法

頻出度 A　難易度 A

1．○　ハッフィングは、呼吸リハビリテーションの一つであり、自分で痰を排出する方法である。慢性呼吸不全のある療養者に呼吸リハビリテーションを指導することは、療養者の QOL の維持・向上につながる。

2．×　安静に過ごすことによって、呼吸筋などの筋力が低下する恐れがある。無理のない範囲内で療養者に活動を促すことが、療養者の QOL を維持・向上させるために必要である。

3．×　酸素の増量は、医師の指示範囲内で調整する。自由に増量することはできないため、適切ではない。

4．×　水分を控えることは、脱水のリスクが増加するので適切ではない。また、水分を控えることにより痰の粘稠度も増加する恐れがあり、療養者の QOL の低下に繋がる恐れがある。

問題 92 〔解答〕 2

出題基準 Ⅱ-7-E 移動能力のアセスメント

頻出度 B　難易度 B

1．×　浴室や脱衣室の環境を観察することは重要であるが、まずはAさんの状態を観察することが優先度として高い。

2．○　歩行状態や呼吸状態を観察することは、Aさんが入浴できるのかを判断することにつながる。

3．×　久しぶりの入浴であることから、まずはAさんの歩行状態や呼吸状態など、全身状態を観察すべきである。なお、排泄状況は、入浴を行う前に観察する。

4．×　妻の介護疲労度の観察を行うことは重要であるが、今回の場合は、Aさんから入浴の訴えがあったため、Aさんの希望をできる限り尊重することが大切である。

問題 93 〔解答〕 4

出題基準 Ⅰ-3-B 在宅療養者・家族が行う災害時の備え

頻出度 B　難易度 B

1．×　災害発生時の対応などを説明し、不安を軽減する必要がある。「心配することはない」というのは、適切ではない。

2．×　避難場所や避難経路の確認は必要だが、最優先

は緊急用酸素ボンベなどを準備することである。

3．×　自分で痰を喀出することができているため、現段階では不要である。

4．○　人工呼吸器管理や在宅酸素療法を行っている療養者は、災害による停電時のバッテリー確保や緊急時の酸素ボンベなどが必要である。そのため今回は、持ち出し物品の準備をするよう伝えることが適切である。

問題 94 〔解答〕 4

出題基準 Ⅱ-6-E 精神的苦痛や混乱に対する援助

頻出度 B　難易度 A

1．×　患者の容態の変化を見落とすことにつながるため適切ではない。

2．×　死前のせん妄の状態と推測される。生活リズムに併せて、日中はカーテンを開け部屋を明るくするなど、日内リズムが感じられるようにする。

3．×　家族の面会を制限することは不適切である。

4．○　心理的安定をはかるために、患者が思いを表出しやすいように関わる。患者の訴えをよく聴くことで、不安の除去を行うことが大切である。

問題 95 〔解答〕 5

出題基準 Ⅱ-6-E アドバンス・ケア・プランニング〈ACP〉 5肢

頻出度 A　難易度 A

1．×　長男の意見も尊重することは大切であるが、「最後は何も処置をしないでほしい」という事前指示書に書かれている患者本人の意思が優先される。

2．×　事前指示書が優先される。主治医の判断は、苦痛の緩和など治療に対して行われる。

3．×　もし、Aさん本人の意思が不明な場合は、公正な立場の第三者の判断が必要となる場合がある。しかし、今回は事前指示書が提出されているため、第三者の判断は用いない。

4．×　夫の意見も尊重することが大切だが、事前指示書が提出されていることから、Aさん本人の意見が最も優先される。

5．○　Aさん本人の事前指示書が優先される。

問題 96 〔解答〕 1・3

出題基準 Ⅱ-6-E 苦痛の緩和と安楽への援助 5肢

頻出度 B　難易度 A

1．×　臨死期では腎機能の低下による尿量の減少がみ

られる。

2．○ 死の直前には脈拍は微弱な**頻脈**になり、血圧が**低下**して不整脈が出現する。やがて**徐脈**となり脈の触知が不能となっていく。

3．✕ 食事摂取はできておらず下痢便の出現は考えにくく、臨死期に下痢便の出現があるわけでは**ない**。

4．○ 死亡する数日前には**下顎呼吸**のような努力呼吸がみられ、意識レベルが低下する。

5．○ 臨死期の兆候として、**死前喘鳴**の出現がみられる。気管の分泌物や**筋弛緩**が起こり、吸気時と呼気時に咽頭や喉頭の分泌物が振動して、ゴロゴロした音が**聞こえる**。

Ⅰ-1-A 在留外国人の母子支援

1．✕ 胎児の推定体重は、妊娠 34 週の**平均的体重**を示している。

2．✕ Hb の値は**正常範囲**内であるため貧血では**ない**。

3．✕ 妊娠 34 週の時点で **15kg** の体重増加がある。A さんの非妊時 BMI は 22.3 と普通の体格であることから、妊娠期の最適体重増加である **7 ～ 11kg** と比較すると**過剰**な増加である。

4．○ 収縮期血圧が 140mmHg 以上、拡張期血圧が 90mmHg 以上であるため、**高血圧**である。また尿蛋白（+3）が認められ、血中クレアチニン 2mg/dL、尿酸窒素（BUN）30mg/dL で腎機能の異常がみられるため、妊娠高血圧症候群で**ある**。

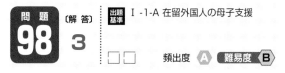

Ⅰ-1-A 在留外国人の母子支援

1．✕ 夫は A さんの母国語を日常会話程度しか話せないので、夫から妻に対する説明を期待**できない**。

2．✕ 日本語が十分に理解できない A さんに、検査の必要性を説明しても理解**できない**。

3．○ A さんにとって最も正確に理解できる言語でのインフォームドコンセントが望ましいため、**母国語**の医療通訳者を探すことが適切である。

4．✕ 在留資格確認などの業務は看護師の役割では**ない**。また、日本語が十分に理解できない外国人というだけで、A さんを在留資格のない人と決めつけてはならない。

Ⅰ-1-A 在留外国人の母子支援

1．○
2．✕
3．✕
4．✕

A さんの母国における分娩後の**安静**や他者から大事にされる習慣と、日本における**早期離床**のずれは大きいものがある。看護師・助産師は血栓症予防のために離床訓練を勧めたが、A さんは体がつらいのに動けという指導に対して、母国と**比較**し泣いている状況である。よって、看護上の問題があるのは、選択肢**1**である。

Ⅶ-10-B 呼吸機能検査

スパイロメーターという機械を使い、肺の容積や気道が狭くなっていないかなど**呼吸**の能力を調べる。**拘束性**肺機能障害、**閉塞性**肺機能障害（**COPD**）など、計測値によって換気障害のタイプがわかる。指標は、% VC（%肺活量）と FEV_1%（1 秒率）であり、%VC は努力性肺活量（FVC）÷予測肺活量× 100、1 秒率（FEV_1%）＝ 1 秒量（FEV_1）÷努力性肺活量× 100 で算出される。

1．✕ % VC ≧ 80％かつ FEV_1% ≧ 70％であり、**正常**である。肺・胸郭は正常に広がるため、吸気と呼気の量は正常であり、気道閉塞はないため、呼気の吐き出しはスムーズに行える。呼吸困難は**ない**。

2．✕ % VC ＜ 80％であり、**拘束性**換気障害がみられ、間質性肺炎、肺結核後遺症などがある。肺・胸郭が広がりにくいため息を**吸い**にくいが、気道閉塞はないため呼気の吐き出しはスムーズに行える。

3．○ FEV_1% ＜ 70％であり、**閉塞性**換気障害（**COPD**）がみられ、気管支喘息などがある。% VC ≧ 80％で肺・胸郭は正常に広がるため、吸気と呼気の量は正常であるが、気道閉塞があるため、息が**吐き出しにくい**。

4．✕ %VC ＜ 80％かつ FEV_1% ＜ 70％であり、**混合性**換気障害がみられる。肺・胸郭が広がりにくいため息を**吸い**にくく、気道閉塞もあり息も吐き出しにくい。閉塞性換気障害と拘束性換気障害を同時に来す疾患の場合（肺結核後遺症、じん肺）、閉塞性換気障害と拘束性換気障害を来す疾患の合併（COPD と間質性肺炎）などが考えられるが、A さんの場合、肺野の透過性**亢進**が認

められるため、間質性肺炎とは**考えにくい**。

問題101 〔解答〕**5**

出題基準 Ⅶ-10-C 酸素療法

5肢　頻出度 **B** 難易度 **B**

　二酸化炭素が体内に蓄積して中毒症状を引き起こす**CO₂ナルコーシス**を発症したと考えられる。通常、CO_2の軽度**上昇**が刺激となり延髄の呼吸中枢が興奮し、換気を促しCO_2を**排出**させる。慢性Ⅱ型呼吸不全の患者では、CO_2蓄積による慢性的な高CO_2血症によって、延髄の化学受容体でのCO_2感受性が鈍くなっているためCO_2には反応しなくなり、**低酸素**刺激によって呼吸が維持されるようになる。高濃度酸素を投与すると急激にO_2が上昇し、O_2の刺激がなくなって換気が**抑制**され、換気されずにCO_2が蓄積して、CO_2ナルコーシスを引き起こす。

1.✕　高CO_2血症では、皮膚の血管を**拡張**させるため、顔面蒼白でなく**紅潮**することが多い。

2.✕　COPDなどの慢性呼吸不全状態の患者に高濃度の酸素を投与すると、傾眠のあと昏睡に至るが、呼吸が安楽になって傾眠しているのでは**ない**。やがて呼吸**停止**に至る。

3.✕　昏睡に至るまでに、四肢の不随意運動、発汗、頭痛、顔面紅潮、血圧**上昇**などの症状がでるが、CO_2ナルコーシスが原因で四肢の麻痺の出現は**みられない**。

4.✕　高CO_2血症では、皮膚と脳の血管以外は血管が収縮する。よって、血圧は**上昇**することが多い。

5.◯　CO_2ナルコーシスでは、CO_2蓄積により動脈血炭酸ガス分圧が**上昇**し、高CO_2血症を起こしている。酸素吸入をしているため低酸素血症は比較的軽度で、さらに高濃度の酸素投与により、低酸素血症は改善するが、高CO_2血症を増悪させ**呼吸**停止に至る。よって、酸素投入後は酸素分圧と炭酸ガス分圧の観察が必要である。

問題102 〔解答〕**5**

出題基準 Ⅶ-10-D 慢性閉塞性肺疾患〈COPD〉、肺気腫

5肢　頻出度 **B** 難易度 **B**

1.◯　痰は咳で出すが、咳による排痰は気道内圧を上げ、呼吸筋を**疲労**させる。深く息を吸って2秒程保持し、口と声門を軽く開いて「ハッ、ハッ、ハッ」と音を区切って強く**呼出**するハフィングによって排痰するとよい。また、気道の虚脱（押しつぶされ、狭くなる）を防ぎ、空気を通りやすくする**口すぼめ**呼吸を指導する。

2.◯　COPD患者は、呼吸困難が生じてくると身体

活動が低下していくため、**骨格**筋や**心肺**機能が低下しやすい。下肢筋力のトレーニングは、運動耐容能改善や動作時の息切れの軽減にも効果的である。

3.◯　COPD患者は、肺炎・上気道炎になると**重篤**となりやすいため、増悪予防にワクチンは**必須**である。インフルエンザの他、**肺炎球菌**ワクチンも推奨される。

4.◯　COPD患者は、**呼吸筋力**の低下、換気量の減少、気道抵抗の上昇により呼吸筋の酸素消費量が**増え**、エネルギー消費量も大きい。息苦しさや食事による疲労などから食事摂取量が**減少**し、**低栄養**を起こすこともある。低栄養によりさらに筋肉量は減少するため呼吸筋力も低下し、呼吸機能が悪化する悪循環に陥る場合もあるので注意が必要である。

5.✕　1回に多く食べると胃が張って呼吸に影響を来し、また、消化にエネルギーを使うため消耗する。1回の摂取量を少なめにして回数を増やす、ゆっくり食べる、間食に高エネルギー食品を食べる等の指導を行う。

問題103 〔解答〕**3**

出題基準 Ⅱ-7-A 脱水症、老年期に特有のその他の疾患や症候

頻出度 **B** 難易度 **B**

a.　朝から排尿がなく尿量は少ないが、血圧135/80mmHgであり血圧低下や**四肢の浮腫**がみられていない。また、**息切れ**、呼吸困難などの症状が出現していないことから、心不全は該当**しない**。

b.　朝から排尿がなく、皮膚の乾燥がみられているため**脱水**の可能性が高い。また、発熱、血圧上昇、神経症状の出現がみられ、高張性脱水の基準値である血清ナトリウム濃度150mEq/L、血清塩素濃度110mEq/L以上であることから、**高張性脱水**の可能性があると考えられる。

c.　精神の障害（興奮、会話の速度が遅いなど）、感情の障害（不安感、無表情など）がみられ、脱水症状もあることから、**せん妄状態**が引き起こされたと考えられる。

d.　後期高齢者ではあるが、日頃服薬管理を行えており、また、はしごから転落した後から興奮や無表情などの症状があらわれていることから、認知症では**ない**と考えられる。

　よって、**b**と**c**の組合せが正しく、正解は**3**である。

問題104 〔解答〕**3**

出題基準 Ⅱ-7-A 脱水症、老年期に特有のその他の疾患や症候

頻出度 **B** 難易度 **B**

1.✕　SpO_2 97%であり酸素投与の必要は**ない**。

2．✕ 看護師の声かけで興奮したり無表情になったりすることから、経口摂取が**困難**であると考えられるため、経口補水液の投与は妥当では**ない**。

3．○ ２のように経口摂取が**困難**であると考えられることから、**点滴**で水分や電解質を補給するために静脈路確保は必要である。

4．✕ 脱水を起こしている状態であるため、優先すべきは**水分出納**チェックである。膀胱留置カテーテルの挿入は必要であるが、導尿の必要性は**低い**。

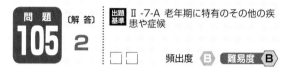

1．✕ 術後せん妄の対策として日中は**覚醒**を促し、夜間に**良眠**が得られるような工夫をすることが必要である。日中は部屋を明るくすることで**覚醒**を促し、夜間は**良眠**が得られるように看護師が観察できる**最低限度**の明るさとする。

2．○ 覚醒を促し**不安**や**緊張**の軽減に努める必要がある。その際、静かな落ち着いたトーンで話しかけ、患者の言動を初めから**否定**せず、**自尊心**を傷つけないように聞く姿勢でコミュニケーションをとる。

3．✕ チューブ類を整理し、患者が動きやすい状態を作り出して、**事故防止**に努めることが大切である。しかし、高齢者の皮膚の特徴から衝撃や圧迫により**皮下出血**が起こるため、強固なテープではなく**フィルム保護**を行い、本人や家族に十分な説明をすることが大切である。

4．✕ 管理が困難となるほどの興奮や徘徊がみられる場合は、一時的に離床センサーの使用や**抑制帯**、**安全**ベルトなどを用いて必要最小限の身体拘束を検討する必要がある。しかし、現時点では管理が困難となるほどの状況ではないため必要では**ない**。

1．✕ アナフィラキシーショックは、**循環血液量減少**による生命の危機にさらされた状況を意味し、全身臓器への不可逆的変化が生じる前に迅速な処置を行う必要があるため、心電図モニターだけでなく、**SpO₂ モニター**も装着する。

2．✕ 掻痒感に対し患部を冷却することはあるが、アナフィラキシーショックにより循環動態が不安定なた

め、**安静**と**保温**が必要である。

3．○ アナフィラキシーの治療には、**アドレナリン**をすみやかに**筋肉注射**する。反応が悪ければ 10 ～ 15 分後に反復投与が行われる。特にアナフィラキシーショックの場合は、アドレナリン筋注と静脈内注射による急速輸液を行い、安静を促し、モニターを装着し、バイタルサインを測定しながら、必要に応じて酸素投与、ステロイド剤全身投与、気管支拡張薬投与などが行われる。

4．✕ アナフィラキシーショックの場合には、**仰臥位**にして**下肢**を挙上する。

5．✕ 歩行により循環動態が不安定になる可能性があるためトイレまで**歩かせない**。

1．✕ 普段一緒に生活していない祖母などへは、事前によく説明することで予防し、食事量を減らすのではなく、経口負荷試験で原因食品を同定し、必要最小限の**除去食**で成長に見合った栄養所要量を満たすようにする。

2．✕ 帰宅後に**遅発型・遅延型反応**がみられることがあるため、アレルギー症状が出現した場合の受診のタイミングや、外来におけるフォローアップについて説明し、次回の外来受診日を患児と保護者に伝える必要がある。

3．✕ 患児が安心して学校生活を送るために、家庭や学校における**誤食予防**の方法や、原因食物摂取から**2 ～ 4** 時間は**運動**を控えるなどの情報を提供し、家族と**学校との連携**を促進できるよう支援していく必要がある。学校給食について学校の栄養士に相談するよう促す必要はない。

4．✕ 症状の誘発に備えて、**抗ヒスタミン薬**や**β₂刺激薬**の頓用が処方されることもあるが、抗菌薬は投与しない。

5．○ 携帯用アドレナリン自己注射器のエピペン（商品名）は、アナフィラキシーに対し、異常症状を感じたら**早期（30 分以内）**に筋注する。アナフィラキシーを繰り返す危険性のある患者に予め処方され、必要に応じ患者自身あるいは保護者や救急救命士などが注射する。

1．✕

2．×

3．×

4．○

　Ａさんは、胎児の体重が 4,000g を超えていること、分娩所要時間が初産時の平均時間より長かったことから、子宮筋の疲労、過伸展が予測され、子宮収縮が妨げられる可能性があるため分娩後、最も注意が必要である。

　子宮弛緩症の原因として、①多胎、巨大児、羊水過多などによる子宮筋の過伸展、②遷延分娩による子宮筋の疲労、③墜落産など短時間での強い子宮収縮、④子宮奇形や子宮筋腫の合併、⑤胎盤遺残、⑥子宮狭部内壁の裂傷、⑦ DIC 型後産期出血などがある。

問題109〔解答〕**3**

出題基準 Ⅱ -3-B 月経異常、月経随伴症状

頻出度 Ⓒ　難易度 Ⓐ

1．○　月経が遅れているので、最終月経は大切な情報である。

2．○　妊娠の可能性をアセスメントするために必要である。

3．×　早急に輸血などを行うとは予測されないため、優先順位は低い。

4．○　急激な体重減少や立ちくらみがあることから貧血が疑われるので、既往歴の情報は重要である。

問題110〔解答〕**2**

出題基準 Ⅱ -3-B 月経異常、月経随伴症状

頻出度 Ⓑ　難易度 Ⓑ

1．×　原発性無月経とは、18 歳になっても初経がないものをいう。

2．○　続発性無月経とは、月経不順で 3 か月以上月経がないものをいう。

3．×　早発月経とは、10 歳未満の初経発来をいう。

4．×　遅発月経とは、15 歳以降の初経発来をいう。

問題111〔解答〕**1・4**

出題基準 Ⅱ -3-B 月経異常、月経随伴症状 5肢

頻出度 Ⓑ　難易度 Ⓑ

1．○　過度なダイエットによる体重減少がみられるので、食生活の改善は必要である。

2．×　性交渉を禁止する必要はない。

3．×　規則的な生活を送ることが大切であり、学校を

休む必要はない。

4．○　基礎体温を測定すると、月経周期を把握でき、排卵の有無も予測可能となるので、保健指導として正しい。

5．×　立ちくらみがあり栄養不足が予測されるが、運動を避ける必要はない。過度な運動ではなく、体に負担がかからない程度の運動を勧める。

問題112〔解答〕**3・4**

出題基準 Ⅲ -5-A 分娩経過と進行 5肢

頻出度 Ⓐ　難易度 Ⓐ

1．×　過期産とは妊娠 42 週以降の分娩をいう。正期産とは妊娠 37 週から妊娠 42 週未満の分娩をいう。Ａさんは妊娠 40 週 1 日の分娩であり、正期産である。

2．×　アプガースコアでは出生後 1 分と 5 分に新生児の心拍数、呼吸、筋緊張、刺激に対する反応、皮膚色の 5 項目について、それぞれ 0 点、1 点、2 点の点数をつける。5 項目の合計が 10 〜 8 点の場合を正常とし、7 〜 4 点を軽症仮死、3 〜 0 点を重症仮死と定義している。

3．○　初産婦の平均分娩所要時間は、12 〜 15.5 時間である。

〈平均分娩所要時間〉

	分娩第Ⅰ期	分娩第Ⅱ期	分娩第Ⅲ期	合計
初産婦	10〜12 時間	1〜2 時間	15〜30 分	12〜15.5 時間
経産婦	4〜6 時間	1〜1.5 時間	10〜20 分	5〜8 時間

4．○　分娩第Ⅲ期または分娩第Ⅳ期に、子宮筋の収縮不全に起因して起こる 500mL 以上の異常出血を弛緩出血という。子宮筋の収縮及び退縮により胎盤剝離部分での生理学的結紮による止血機序が障害されて起こる。

5．×　成人の腋窩温は 37.0℃ 以下であるが、分娩時の筋肉労作や興奮などのため、分娩直後に一過性に 0.5℃ 程度上昇することがある。

感染は 38.0℃ 以上の場合に疑います。

問題 113 〔解答〕 1

出題基準 Ⅲ-7-B バイタルサイン、神経学的状態、生理的体重減少、排尿、排便

頻出度 Ⓐ　難易度 Ⓐ

1．○　新生児は、尿や便、不感蒸泄による体重減少により、生後3～5日間に出生時体重の5～10%の範囲で生理的体重減少がみられる。Aさんの新生児の生後3日目の体重減少は5.3%であり、範囲内である。

2．×　胎便は暗緑色であり、生後1～3日頃までみられる。生後3～4日頃より黄緑色の移行便となる。

3．×　新生児の体温の正常値は36.5～37.5℃、心拍数の正常値は120～140回/分、呼吸数の正常値は40～50回/分である。

4．×　把握反射とは足底、手掌を圧迫すると指が屈曲する反射のことで、問題文の動作はモロー反射である。

問題 114 〔解答〕 4

出題基準 Ⅲ-6-C 母乳育児への支援

頻出度 Ⓐ　難易度 Ⓐ

1．×　搾乳は褥婦の負担となるため、母乳量の確認のために毎日行う必要はない。

2．×　毎日体重測定をする必要はない。体重増加の確認は、1週間に1回程度でよい。

3．×　3～4時間間隔の授乳であれば、1日6～8回の授乳をしていることになり、授乳回数として問題はないので、すぐにミルクを足す必要はない。

4．○　母乳量が不足する場合、排尿回数・量は減少するため目安となる。

問題 115 〔解答〕 4

出題基準 Ⅱ-2-B 症状と看護

頻出度 Ⓐ　難易度 Ⓒ

1．×　ジストニアは抗精神病薬の有害反応である錐体外路症状（extra pyramidal symptom：EPS）のうちの一つである。抗精神病薬の投与開始後や増量後に突然おきるため、急性ジストニアともいう。口・舌・顎・顔面・頸部・体幹・四肢の筋肉がかたくなったり収縮したりして、不随意にねじれるのが特徴である。また、抗精神病薬の長期使用で出現するものは遅発性ジストニア（tardive dystonia）といわれる。

2．×　パーキンソン症候群（パーキンソニズム）はジストニアと同様、抗精神病薬の有害反応である錐体外路症状（extra pyramidal symptom：EPS）のうちの一つ

である。筋強剛、手指振戦、小刻み歩行等の症状がみられる

3．×　悪性症候群は抗精神病薬の最も重篤な有害反応であり生命にかかわる。強い筋強剛、発熱、意識障害、発汗や頻脈などの自律神経症状が急激に出現する。検査所見として白血球増加とCPK増加がみられる。

4．○　振戦せん妄は、アルコールを中断したり急激に減少したりした場合に生じるアルコール離脱症状のひとつである。アルコール離脱後、48時間以降に生じる場合が多い。手指の粗大な振戦や発熱、悪心などの自律神経症状があげられる。意識の混濁や不安、興奮、幻覚、妄想などの精神症状を伴う場合もある。

問題 116 〔解答〕 1

出題基準 Ⅳ-4-E 患者-家族関係の調整

頻出度 Ⓑ　難易度 Ⓑ

1．○　共依存とは、依存症者（この場合は夫）から依存されることに無意識のうちに自己の存在価値を見いだし、依存症者がとるべき責任を自分（この場合は妻）がとり、依存症者をコントロールして自身の心の平安を保とうとする関係性をいう。事例では妻は夫が依存し続けられる環境をせっせと作り出している。

2．×　ネグレクト（neglect）は子どもや高齢者、障害者に対する虐待の一つであり、必要な世話や介護等を怠ることである。

3．×　逆転移（counter-transference）とは、治療関係に現れるもので、治療者が患者に嫌悪感を抱いたり、反対に好感をもったりすることをいう。治療者自身の人格や過去の体験、対人関係が患者との関係に反映されることが要因として挙げられる。

4．×　昇華は防衛機制の一つである。そのまま表現すると社会的に不都合な感情や欲求を、社会的に受け入れられる健全な形に置き換えて発揮することをいう。

問題 117 〔解答〕 2

出題基準 Ⅱ-2-B 症状と看護

頻出度 Ⓑ　難易度 Ⓒ

1．×　アルコール依存症から回復するためには、「断酒」が原則である。休肝日ではなく断酒をするように声掛けを行う。

2．○　断酒会は自助グループ（セルフヘルプグループ）の一つであり、参加者同士がアルコールに関する自分自身の体験を語り合う。仲間同士が支え合い、励まし合っ

てアルコール依存症からの<u>回復</u>を目指そうとする取り組みである。

3．✕　患者の家族には、本人とは異なる悩みや苦悩がある。家族会は、<u>患者の家族</u>のための会であり、相互に助け合ったり、疾患に関する知識や社会資源、福祉制度などを学び合ったりすることを目的としてる。

4．✕　退院が近づけば誰でも不安になるものである。安易に退院を延期するような提案はせず、患者の不安に<u>寄り添う</u>必要がある。さらに、飲酒欲求への対処方法を患者と共に考えるなど、回復に向けた具体的な<u>支援</u>を行うことが大切である。

問題118　〔解答〕**3**

出題基準 Ⅱ-2-D 薬物療法と看護

□□　頻出度 **A**　難易度 **B**

1．✕　患者が薬を中断したことに対して一方的に反省を促すことは、患者の考えや気持ちを理解せずに<u>批判することになりかねない。患者との<u>信頼関係</u>を損なう恐れもあるため、望ましい対応では<u>ない</u>。患者が自己判断で薬を中断する理由には様々な背景があり、その背景を理解することが重要である。

2．✕　薬を飲むことをただ約束してもらうだけでは、根本的な解決にならない。患者が<u>納得して薬を飲むこと</u>が大切であり、その納得がない限り薬の中断リスクは高い。

3．〇　薬を飲みたくない理由には、服薬に対する不信感、副作用・効果への不安、精神疾患に対する偏見、自然治癒への希望など、様々な葛藤がひそんでいる。患者が<u>なぜ薬を飲みたくないのか理解</u>し、その上でどうするべきかを<u>一緒に考える</u>ことが必要である。

4．✕　薬の管理を他者に任せることは、<u>患者の主体性</u>を損なう恐れがある。また、患者が薬を中断していた理由が<u>管理能力</u>の問題ではないため、この対応方法は適切では<u>ない</u>。

問題119　〔解答〕**4**

出題基準 Ⅴ-7-A 連携する他職種の役割

□□　頻出度 **B**　難易度 **B**

1．✕　医師は、主に患者の<u>診断と治療を担当</u>する専門職である。患者の治療方針や病状に関する説明を行うことはできるが、社会福祉制度や経済的支援に関する対応は専門外である。

2．✕　公認心理師は、<u>心理的なサポート</u>を提供する専門職であり、相談支援や心理教育により患者の不安やストレスを軽減する役割を担う。また、心理検査を通じて患者の心理状態を客観的に評価し、治療方針の決定に貢献している。

3．✕　作業療法士は、患者の生活の質を向上させるために、日常生活活動や作業活動を通じて<u>リハビリテーション</u>を行う専門職である。

4．〇　精神保健福祉士は、精神障害者の<u>地域生活支援に関する制度・サービスの紹介と利用調整</u>を行う専門職である。そのため、入院費用や生活費に関する具体的な相談は、精神保健福祉士が適任である。

問題120　〔解答〕**2**

出題基準 Ⅳ-4-H 社会資源の活用とソーシャルサポート

□□　頻出度 **A**　難易度 **A**

1．✕　就労継続支援は、障害者総合支援法に基づくサービスで、<u>一般企業での就労</u>が難しい人に働く機会を提供し、知識や能力の向上を目指して<u>訓練</u>を行う支援制度である。Aさんはすでに一般企業に就労しており、復職予定であるためこの制度の対象ではない。

2．〇　リワークとは「return to work」の略で、うつ病などのメンタルヘルスの問題で休職している人が<u>職場復帰を目指すための</u>支援プログラムである。このプログラムでは、疾患教育、心理療法、作業療法、集団活動など、利用者の特性や体調に合わせたサポートが行われる。Aさんは復職の意思があるが自信がないため、リワーク支援を受けることが最も適切である。

3．✕　職場適応援助者（ジョブコーチ）支援事業は、障害者の職場適応に課題がある場合に、ジョブコーチが職場に出向いて、<u>障害特性を踏まえた専門的な支援</u>を行い、障害者の職場適応を図ることを目的とする。この設問では、障害特性による課題が示されておらず、復職に向けた準備と自信回復が課題であるため、リワーク支援のほうが適している。

4．✕　精神障害者社会適応訓練事業は、精神障害により<u>一般企業での就労が難しい人</u>が、理解のある企業や事業所で一定期間働き、実際の仕事に準じた作業を行うことで勤労意欲や作業能力を高め、社会適応力を養うためのプログラムである。Aさんはすでに一般企業に就労しており、復職予定であるためこの事業の<u>対象ではない</u>。

弱点チェックメモ

◆ 必修問題 ◆

◆ 一般問題 ◆

◆ 状況設定問題 ◆

１回目に間違えた問題を、
メモしておいてね。
２回目は正解できるように
がんばってください。

第一回 模擬試験 午後 解答一覧

番号	解答	番号	解答	番号	解答
1	3	43	4	85	4, 5
2	4	44	2	86	3, 5
3	1	45	2	87	3, 5
4	4	46	1	88	2, 4
5	1	47	1	89 ①	1
6	4	48	4	89 ②	5
7	1	49	1	90 ①	8
8	1	50	3	90 ②	0
9	2	51	3	91	1
10	2	52	1	92	1
11	3	53	4	93	3, 5
12	4	54	3	94	1
13	3	55	4	95	3
14	2	56	3	96	4
15	3	57	3	97	1
16	2	58	3	98	4
17	1	59	4	99	3
18	3	60	2	100	2
19	3	61	2	101	1
20	1	62	2	102	3
21	2	63	4	103	4
22	4	64	2	104	4
23	2	65	2	105	4
24	1	66	3	106	2
25	2	67	1	107	3
26	1	68	1	108	4
27	3	69	4	109	3
28	2	70	1	110	4
29	1	71	3	111	2
30	1	72	2	112	2
31	3	73	3	113	4
32	4	74	5	114	2
33	1	75	2	115	2
34	2	76	4	116	3
35	2	77	3	117	1, 4
36	3	78	3, 4	118	4
37	2	79	3, 4	119	1
38	2	80	1, 5	120	4
39	2	81	2, 3		
40	3	82	1, 5		
41	3	83	3, 5		
42	4	84	3, 5		

４．✕ アドボカシーとは、権利や利益を<u>支持・代弁</u>し<u>擁護する</u>ことである。

１．✕ 医行為の禁止や制限は<u>保助看法第37条</u>に「保健師、助産師、看護師又は准看護師は、主治の医師又は歯科医師の指示があつた場合を除くほか、診療機械を使用し、医薬品を授与し、医薬品について指示をしその他医師又は歯科医師が行うのでなければ衛生上危害を生ずるおそれのある行為をしてはならない。ただし、臨時応急の手当をし、又は助産師がへその緒を切り、<ruby>浣腸<rt>かんちょう</rt></ruby>を施しその他助産師の業務に当然に付随する行為をする場合は、この限りでない」と規定されている。

２．✕ 看護師・准看護師・助産師は<u>業務独占・名称独占</u>、保健師は名称独占のみ認められている。

３．✕ 損害賠償責任は<u>民法</u>に規定されている。

４．○ 欠格事由とは、①<u>罰金</u>以上の刑に処せられた者、②業務に関し、犯罪または不正行為があった者、③<u>心身の障害</u>により保健師、助産師、看護師または准看護師の業務を適正に行うことができない者、④麻薬、大麻、あへん中毒者である。

〈保健師助産師看護師法（保助看法）〉

名　称	保健師	助産師	看護師	准看護師
免許付与者	厚生労働大臣	厚生労働大臣	厚生労働大臣	都道府県知事
仕事内容	保健指導を行う	助産または妊婦、褥婦、新生児の保健指導を行う（女子のみ）	傷病者や褥婦に対する療養上の世話、または診療の補助を行う	医師・歯科医師・看護師の指示を受けて看護業務を行う
資格の種類　名称独占	◯	◯	◯	◯
資格の種類　業務独占	✕	◯	◯	◯

１．○

２．✕

３．✕

４．✕

第二次性徴は、<u>乳房の発育→陰毛の発生→初経</u>の順に出現することが多い。アンドロゲンが<u>陰毛・腋毛</u>の発生

必修問題

問題1 〔解答〕**3**　出題基準 Ⅰ-3-A 医療保険の種類　頻出度 Ⓐ　難易度 Ⓐ

１．✕ 後期高齢者医療制度の対象は、<u>75歳以上</u>の高齢者である。

２．✕ 雇用保険は、労働者が失業した場合に給付される<u>失業保険</u>である。

３．○ <u>被用者保険</u>（職域保険）、<u>地域保健</u>（国民健康保険）、<u>後期高齢者医療制度</u>の３つの制度に大別されている。

４．✕ 正常分娩は医療給付の適用ではなく、<u>異常分娩</u>の場合は適用となる。

問題2 〔解答〕**4**　出題基準 Ⅰ-3-A 国民医療費　頻出度 Ⓐ　難易度 Ⓐ

１．✕　２．✕　３．✕ 健康増進や維持を目的にした健康診断や予防接種などに要する費用、正常な妊娠や分娩などに要する費用は<u>含まれない</u>。

４．○ 国民医療費とは、医療機関などにおける傷病の治療に要する費用を推計したものである。<u>訪問看護療養費</u>のほか、診療費・調剤費・<u>入院時食事療養費</u>などがある。

問題3 〔解答〕**1**　出題基準 Ⅰ-4-A 患者の権利　頻出度 Ⓑ　難易度 Ⓐ

１．○ リスボン宣言とは、第34回世界医師会総会（1981年ポルトガル・リスボン）にて採択された<u>患者の権利</u>に関する<u>世界宣言</u>である。序文と11の原則から成り立ち、医師や医療従事者、医療組織が保障すべき<u>患者の主要な権利</u>について述べている。

２．✕ ヘルシンキ宣言とは、第18回世界医師会総会（1964年）において採択された、<u>医師の責務</u>をふまえた医学研究を行う際の<u>倫理綱領</u>である。これによりインフォームド・コンセントの概念が普及した。

３．✕ 医療現場におけるコンプライアンスとは、患者の健康回復や健康促進のために必要であると考え出した<u>医療者の指示</u>に患者が応じ、<u>遵守</u>するという意味で使われている

頻出

ひっかけ

問題4 〔解答〕**4**　出題基準 Ⅰ-5-A 保健師・助産師・看護師の業務　頻出度 Ⓐ　難易度 Ⓑ

問題5 〔解答〕**1**　出題基準 Ⅱ-7-E 第二次性徴　頻出度 Ⓑ　難易度 Ⓒ

を促進し、エストロゲンが**乳房の発育**、脂肪の沈着、**子宮や腟の発育**を促進する。

問題6 〔解答〕**4**　出題基準 Ⅱ-7-G 心理社会的変化

□□　頻出度 **B**　難易度 **C**

1．×　学童期の発達課題は、**勤勉性**である。

2．×　青年期の発達課題は、**同一性（アイデンティティの確立）**である。

3．×　壮年期（成人期）の発達課題は、**生殖性**である。

4．○　老年期の発達課題は、**統合**である。

　E.H. エリクソンは8つの発達段階に分け、発達課題・危機を提唱した。

〈エリクソンの発達段階〉

老年期 Ⅷ							統合 対 絶望・嫌悪 **英知**
成人期 Ⅶ						生殖性 対 停滞 **世話**	
前成人期Ⅵ					親密 対 孤立 **愛**		
青年期 Ⅴ				同一性 対 同一性混乱 **忠誠**			
学童期 Ⅳ			勤勉性 対 劣等感 **適格**				
遊戯期 Ⅲ		自主性 対 罪悪感 **目的**					
幼児期初期Ⅱ		自律性 対 恥・疑惑 **意志**					
乳児期 Ⅰ	基本的信頼 対 基本的不信 **希望**						

出典：『系統看護学講座　臨床看護総論』医学書院

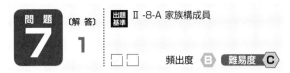

問題7 〔解答〕**1**　出題基準 Ⅱ-8-A 家族構成員

□□　頻出度 **B**　難易度 **C**

1．○　「単独世帯」は1,529万2千世帯で最も**多い**（全世帯の29.5％）。平成30（2018）年までは、「夫婦と未婚の子のみの世帯」が最も**多かった**。

2．×　「夫婦と未婚の子のみの世帯」は1,427万2千世帯で単独世帯に次いで**多い**（全世帯の27.5％）。

3．×　「夫婦のみの世帯」は1,271万4千世帯であった（全世帯の24.5％）。

4．×　「三世代世帯」は256万3千世帯であった。

問題8 〔解答〕**1**　出題基準 Ⅱ-9-A 地域包括支援センター

□□　頻出度 **C**　難易度 **B**

1．○　設置主体は、**市町村**または**市町村**から委託を受けた法人（在宅介護支援センターの設置者、**社会福祉法人**、**医療法人**、公益法人、NPO法人、その他市町村が適当と認める法人）となっている。

2．×　事業内容は、1.**包括的支援**事業：①介護予防ケアマネジメント業務　②総合相談・支援業務　③権利擁護業務　④包括的・継続的ケアマネジメント支援業務、2.**介護予防**支援事業などがある。

3．×　地域包括支援センターは、包括的支援事業等を地域において一体的に実施する役割を担う**中核的**機関として設置される（介護保険法）。

4．×　センターには、包括的支援事業を適切に実施するため、原則として、**保健師**、**社会福祉士**、**主任介護支援専門員**〈主任ケアマネジャー〉を置く。

問題9 〔解答〕**2**　出題基準 Ⅱ-9-A 訪問看護ステーション

□□　頻出度 **B**　難易度 **B**

1．×　管理責任者は**看護師**または**保健師**である。

2．○　利用するにあたり、**利用者の意思**と主治医（かかりつけ医）の訪問看護指示書が必要である。

3．×　利用できるのは、小児から高齢者まで**年齢に関わりなく**利用できる。

4．×　訪問看護は、病状の観察、食事・清潔・排泄・移動の介助、褥瘡の処置とケア、**ターミナルケア**、在宅でのリハビリテーション、医師の指示による医療的処置などを行っている。

解答 2

出題基準 Ⅲ-10-A 神経系

頻出度 Ⅰ 難易度 Ⅰ

1．×
2．○
3．×
4．×

　脳幹とは中脳、橋、延髄をさす（間脳を含めて説明される場合があるが今回は含めない）。脳幹には**内臓機能**、**運動調節**、**瞳孔反射**、**覚醒・睡眠**に関する中枢が存在する。内臓機能に関しては、循環、呼吸、消化、排尿など単独で機能する器官系の中枢として存在する。よって**2**が正しい。

　一方、**視床下部**は生命維持に必要な**本能行動**や**情動行動**に関する中枢が存在する。複数の器官系を連携させて行う体温調節中枢、性中枢、摂食・満腹中枢などがある。

〈脳幹の位置イメージ〉

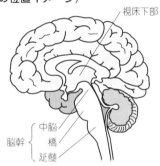

問題 11 解答 3

出題基準 Ⅲ-10-A 感覚器系

頻出度 Ⅰ 難易度 Ⅰ

1．4．×　表皮は5層構造からなり、一番外側に**角質層**が存在する。この**表皮には血管がない**。角質層は基底層が徐々に移行したものであり、最終的には**垢**となって剥がれ落ちる。一方、真皮は表皮の下にあり、血管に富む。なお、淡明層（透明層）は手のひらと足の裏のみに存在する。
2．×　皮膚に開口している脂腺や汗腺は**外分泌腺**であり、皮膚の表面に分泌物を排出する。ほぼ全身に存在する**エクリン汗腺**とは異なり、**アポクリン汗腺**は腋窩、陰部など特定の部位に存在し、皮膚表面の細菌類が繁殖することで**臭い**を放つ。
3．○　脂腺からの分泌物を**皮脂**という。皮脂は皮膚の表面や体毛表面を潤し、柔軟に保つ役割をもつ。皮脂には**殺菌作用**があり、皮膚から細菌類が侵入するのを防ぐ役割をもつ。

〈皮膚の断面〉

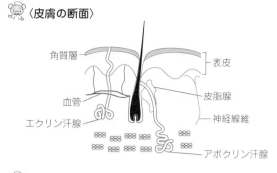

〈表皮〉

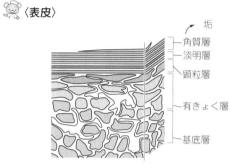

問題 12 解答 4

出題基準 Ⅰ-3-B 循環器系

頻出度 Ⅰ 難易度 Ⅰ

1．×　心筋細胞は**減少**し、間質の線維化が進む。
2．×　血管は加齢により動脈硬化が進展し、収縮期血圧は**上昇**、拡張期血圧は**低下**する。
3．×　運動負荷時の心拍出量は**減少**する。
4．○　心室収縮に対する抵抗は**増大**する。

問題 13 解答 3

出題基準 Ⅲ-10-A 性と生殖器系

頻出度 Ⅰ 難易度 Ⅰ

1．×　腟は尿道より**後方**にある。
2．×　陰核は腟前庭の**前方**にある。
3．○

〈女性の骨盤内臓〉

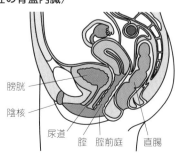

4．✕　卵巣と卵管は直接はつながって**いない**。卵子が卵巣から排卵されると卵管采の運動によって卵管内に取りこまれる。

問題 14　〔解答〕**2**

出題基準 Ⅲ-10-A 妊娠・分娩・産褥の経過

頻出度 **B**　難易度 **B**

1．✕　**妊娠15週頃**に胎盤は完成し、母児間の物質交換やホルモンなどを産生するようになる。

2．〇　着床部位の血液供給が増加するために生じる徴候である。妊娠**2〜3**か月後に最も明瞭となる。

3．✕　子宮底の高さは、妊娠**9**か月に最高となり、妊娠10か月になると分娩に向けて児頭が下降するため低くなる。

4．✕　新妊娠線は、初産婦だけでなく**経産婦**にも生じる。旧妊娠線は、前回の妊娠によって生じたものであり、初産婦にはみられない。

問題 15　〔解答〕**3**

出題基準 Ⅲ-11-A ショック

頻出度 **B**　難易度 **A**

1．✕　循環血液量が減少すると、副腎髄質から血中に放出されるカテコールアミンが**交感神経**を刺激し、脈拍数が**増加**する。

2．✕　循環血液量が減少すると、組織への酸素供給が**不足**する。そのため、できるかぎり多くの酸素を取り入れようと呼吸数は**増加**する。

3．〇　循環血液量の減少は、**腎血流量**を低下させるため、尿量は**減少**する。

4．✕　皮膚は**汗腺**が開き、分泌が亢進するため**湿潤**する。

問題 16　〔解答〕**2**

出題基準 Ⅲ-11-A 脱水

頻出度 **B**　難易度 **C**

1．✕　ナトリウム欠乏性脱水では、細胞外液の浸透圧が**低く**なるため、浸透圧を維持するために細胞**外**から細胞**内**への水移動が生じる。よって，尿量の著しい低下は**起こらない**。

2．〇　細胞**外**から細胞**内**への水移動により、循環血漿量は**低下**する。

3．✕　細胞外液の水分が**減少**し血液が**濃縮**されること

により、ヘマトクリット値は**高く**なる。

4．✕　循環血漿量が**減少**して血圧低下を起こし、**頻脈**になる。

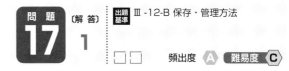

問題 17　〔解答〕**1**

出題基準 Ⅲ-12-B 保存・管理方法

頻出度 **A**　難易度 **C**

1．〇

2．✕

3．✕

4．✕

　薬機法には、「業務上毒薬又は劇薬を取り扱う者は、これを他の物と区別して、貯蔵し、又は陳列しなければならない」「毒薬を貯蔵し、又は陳列する場所には、**かぎを施さなければならない**」「黒地に白枠、白字をもって、その品名及び『**毒**』の文字が記載されていなければならない」と記載されている。劇薬は白地に赤枠で「**劇**」と赤字で記載されていなければならないが、鍵をかける場所に保管する必要はない。また、麻薬の保存方法は、麻薬以外の医薬品（覚せい剤を除く）と区別し、鍵をかけた堅固な設備内に貯蔵して行わなければならない（麻薬及び向精神薬取締法）。

〈毒薬及び劇薬の表示方法〉

毒・品名	劇・品名
黒地に白枠、白字で品名及び「毒」の文字を記載	白地に赤枠、赤字で品名及び「劇」の文字を記載

問題 18　〔解答〕**3**

出題基準 Ⅳ-13-B 情報収集、アセスメント

頻出度 **B**　難易度 **A**

1．✕　情報は**主観的**情報と**客観的**情報に分かれる。患者からの情報は患者の**主観**を表す情報であり、**主観的**情報である。

2．✕　患者本人からだけでなく、**患者の家族や友人**からの情報も**主観的**情報である。

3．〇　看護師が観察した内容や、**検査データ**、体重のように**計測したデータ**は客観的情報である。

4．✕　入院前のことは本人や家族にきかないとわからないことであり、**主観的**情報といえる。

第一回 模擬試験 午後

問題19　〔解答〕**3**

出題基準 Ⅳ-13-C 意識レベルの評価

□□　頻出度 **B**　難易度 **A**

1．✕　意識障害を生じている場合には、血圧を含む<u>バイタルサイン</u>にも変化を生じている場合が多い。それゆえに、血圧測定をすることは重要ではあるが、意識障害を評価するために、最初に行うことでは<u>ない</u>。まずは、<u>覚醒（開眼）</u>しているかどうかをみる必要がある。

2．✕　覚醒（開眼）していない場合に、<u>呼びかけ</u>による反応を確かめる。そして、反応がない場合に、<u>痛み刺激</u>に対する反応をみる。

3．◯　ジャパン・コーマ・スケール〈JCS〉は、意識レベルを大きく3段階に分け、それぞれを3段階に細かく分類することから、<u>3-3-9度方式</u>とも呼ばれる。

4．✕　グラスゴー・コーマ・スケール〈GCS〉は、3つの機能について15点満点で評価する。点数が大きいほど意識レベルは<u>高い</u>。

問題20　〔解答〕**1**

出題基準 Ⅳ-14-A 食事の環境整備、食事介助

□□　頻出度 **B**　難易度 **B**

1．◯　食事をおいしくかつ安全にとれるように、患者の心身の状態を<u>考慮する</u>ことが大切である。したがって、<u>疲労が回復</u>するのを待ってから食事を開始するとよい。

2．✕　食事の環境は、異臭がなく、明るく静かな環境でリラックスできるような雰囲気を備えた場所が望ましい。そのような環境にするためには、必ずしもカーテンを閉めておく必要はなく、患者個人の特性や状況によって<u>調整する</u>必要がある。

3．✕　看護師が立って介助すると、患者は上を向きやすく、頸部が<u>伸展</u>して誤嚥しやすくなるため、看護師と患者の<u>目</u>の高さが同じになるように座る。

4．✕　できるだけ<u>自力摂取</u>できるように援助することが大切である。患者がうまく口まで運べない場合には、スプーンを持った患者の手を支え、本人の<u>筋力</u>や<u>運動機能</u>を補うように介助する。

問題21　〔解答〕**2**

出題基準 Ⅳ-14-A 誤嚥の予防

□□　頻出度 **B**　難易度 **B**

1．✕　きざみ食は食塊が形成されにくいため、嚥下困難患者には適さ<u>ない</u>。

2．◯　スプーンで舌を軽く刺激することで、<u>咀嚼運動</u>が誘発される。

3．✕　頸部が後屈位となると咽頭と気管が直線上の位置関係になり、誤嚥<u>しやすい</u>。頸部を前屈することで咽頭と気管が直線上の位置関係にはならず、食塊が気道に<u>入りにくくなる</u>。

4．✕　口腔内が乾燥していると唾液や分泌物が喉頭周辺に付着し、<u>嚥下運動</u>を妨げる。そのため、口腔内の湿潤を促すために水分は必要ではあるが、水分をそのまま摂取するとむせやすいため、水分には<u>とろみ</u>をつける。

問題22　〔解答〕**4**

出題基準 Ⅳ-14-C 廃用症候群の予防

□□　頻出度 **B**　難易度 **B**

1．✕

2．✕

3．✕

4．◯

廃用症候群には、長時間<u>同一姿勢</u>を続けることによる<u>筋萎縮</u>、<u>関節</u>拘縮、筋力低下などの運動器系の機能低下や、局所部位への継続的圧迫による<u>褥瘡</u>などがある。全身的には<u>起立性</u>低血圧、沈下性肺炎、心肺機能の低下など、精神的には<u>知的</u>活動の低下、意欲・感情の鈍麻、うつ状態、仮性認知症などの症状がある。予防するためには、患者の状態に応じて<u>体位変換</u>や良肢位の保持、<u>関節可動域訓練</u>・筋力強化訓練などの他動運動を行う。

問題23　〔解答〕**2**

出題基準 Ⅳ-14-D 陰部洗浄

□□　頻出度 **A**　難易度 **A**

1．✕　逆性石鹸は消毒や殺菌を目的に使用される<u>陽イオン</u>界面活性剤である。洗浄効果はなく、粘膜の洗浄には使用しない。入浴などで使用される石鹸は<u>陰イオン</u>界面活性剤であり、逆性石鹸とは性質が異なる。

2．◯　体温よりやや<u>高め（38〜40℃）</u>の温度が望ましい。外陰部は粘膜が占める割合が多い。粘膜は熱傷に対し脆弱である。熱傷に繋がらないよう洗浄で使用する湯の温度管理は特に注意が必要。

3．✕　外陰部の洗浄では膝関節と股関節を<u>屈曲</u>させ外陰部を露出させる体位とする。洗浄のしやすさ、観察しやすさが期待できる反面、羞恥心を発生させやすい。不要な露出をなくし、最短時間で実施することが望ましい。

4．✕　尿道口への感染予防のために、肛門は<u>最後</u>に洗

浄することが望ましい。

問題 24 〔解答〕 **1**

出題基準 Ⅳ-16-B 与薬方法

□ □ 頻出度 **B** 難易度 **B**

1．○
2．×
3．×
4．×

与薬の 6R とは、①正しい**患者**（Right patient）、②正しい**薬剤**（Right drug）、③正しい**目的**（Right purpose）、④正しい**用量**（Right dose）、⑤正しい**用法**（Right route）、⑥正しい**時間**（Right time）である。看護師は**医師**に指示された薬剤を正しく投与する責務がある。

正しい与薬のためには 6R の確認、処方箋と薬剤と患者のダブルチェックが必要です。

問題 25 〔解答〕 **2**

出題基準 Ⅳ-16-E 口腔内・鼻腔内吸引

□ □ 頻出度 **B** 難易度 **B**

1．×　口腔は無菌状態の環境でないため、無菌操作の必要は**ない**。
2．○　口腔内吸引時の吸引カテーテル挿入の長さの目安は**7 〜 10**cm である。ただし、経口的に下気道に挿入されると、**感染リスク**が高まる可能性がある。
3．×　患者の苦痛を最小限にし、**低酸素症**を防ぐため**10** 秒以内とする。
4．×　口腔内吸引の場合は**20 〜 52**kPa（150 〜 400 mmHg）の範囲で吸引することが可能である。

問題 26 〔解答〕 **1**

出題基準 Ⅰ.Ⅱ.Ⅲ-4-C 筋収縮の機構

□ □ 頻出度 **A** 難易度 **B**

1．○　放出されたカルシウムイオンは、**トロポニン**と結合する。カルシウムイオンは、神経からの刺激により起こる**筋細胞膜**の興奮が**筋小胞体**に伝えられることで放出される。
2．×　カルシウムイオンがトロポニンに結合した結果、**立体構造が変化**し、トロポニンに結合しているトロポミオシンの位置が変化する。
3．×　トロポミオシンの位置が変化するとアクチン上のミオシン結合部位が露出し、ミオシン頭部が**アクチンに結合**する。
4．×　アクチンと結合したミオシン頭部は**ATP を分解**し、そのエネルギーにより、首振り運動を行い、アクチンをたぐり寄せる結果、筋節が縮む。

問題 27 〔解答〕 **3**

出題基準 Ⅰ.Ⅱ.Ⅲ-5-C 聴力

□ □ 頻出度 **A** 難易度 **C**

1．×　人は 20,000Hz 以上の超音波は感知できない。したがって、**可聴周波数**の範囲は **20 〜 20,000**Hz である。また、**老化**とともに**高域の感度**が低下する。
2．×　会話は **200 〜 6,000**Hz の範囲にあり、特によく聞こえる周波数帯は 1,000 〜 3,000Hz である。
3．○　内耳の蝸牛神経に障害がある**感音（性）難聴**の疾患では、**気導閾値**と**骨導閾値**の両方が**上昇**する。気導閾値とは大気の伝導音を聞いて測定するもので、骨導閾値とは頭蓋骨の振動音を聞いて測定する。
4．×　**伝音（性）難聴**の外耳や中耳に障害がある疾患では、**気導閾値**は上昇**する**が、**骨導閾値**は上昇**しない**で正常値を示す。

問題 28 〔解答〕 **2**

出題基準 Ⅰ.Ⅱ.Ⅲ-15-C 副甲状腺〈上皮小体〉、副腎皮質、腎臓

□ □ 頻出度 **A** 難易度 **B**

ひっかけ

1．×　パラソルモンは血中カルシウム濃度が低下すると副甲状腺から分泌され、骨の破骨細胞へ働き、**血中カルシウム濃度**を上昇させる。
また、腎臓の遠位尿細管からカルシウムの再吸収を促

進する働きがある。

2．○ 酸素の供給が不足すると腎臓の尿細管周囲からエリスロポエチンが分泌され、骨髄に作用して**赤血球**を増加させる。

3．× アルドステロンは、遠位尿細管、集合管から**ナトリウム**の再吸収を**促進**させる働きがある。

4．× 腎臓の輸入細動脈の血圧が低下するとレニンが分泌され、アンジオテンシノゲンを分解し、アンジオテンシンⅠとなる。

その後、アンジオテンシン変換酵素の働きで、アンジオテンシンⅠはアンジオテンシンⅡに変わる。アンジオテンシンⅡは副腎皮質に作用して、アルドステロンを分泌促進させ、遠位尿細管、集合管からナトリウムの再吸収を促進させる。これにより、水の再吸収が促進され、**循環血液量**が増加する。

問題 29　〔解 答〕**1**

出題基準 Ⅲ-4-A 画像検査

頻出度 **B**　難易度 **B**

1．○ 図では、R−R間隔が13mmと記載されている。心電図記録の1mmは0.04secであり、R−R間隔は0.52secの時間となる。

したがって、1分間では60÷0.52となり、**心拍数**は約115拍として求めることができる。

あるいは、心電図記録は1,500mm/min（記録速度25mm/secより）であるため、1,500÷13となり、心拍数は約115拍として求める。どちらの方法でも、**1**の115拍／分の**頻脈**が正しい。

なお、心拍数の目安としてR−R間隔を5mm間隔で覚えておくと便利である。

5mm：300拍、10mm：150拍、15mm：100拍、
20mm：75拍、25mm：60拍、30mm：50拍、
35mm：43拍、40mm：38拍、45mm：33拍、
50mm：30拍

さらに、**15mm以下**は100拍以上の**頻脈**、**25mm以上**は60拍以下の**徐脈**と覚えておくこと。

2．× 心拍数90拍／分では、R−R間隔は約**16.7**mmとなる。

3．× 心拍数60拍／分では、R−R間隔は**25**mmとなる。

4．× 心拍数25拍／分では、R−R間隔は約**60**mmとなる。

問題 30　〔解 答〕**1**

出題基準 Ⅳ-8-A 副腎皮質・髄質疾患

頻出度 **C**　難易度 **B**

1．×
2．○
3．○
4．○

クッシング症候群は、下垂体前葉の**副腎皮質刺激ホルモン〈ACTH〉**が過剰に分泌される疾患である。**副腎皮質ホルモン**の中でも、コルチゾールが過剰に分泌されることで、満月様顔貌・中心性肥満・水牛様脂肪沈着・赤紫色皮膚線条・**耐糖能障害（糖尿病）**・高血圧・骨粗鬆症・月経異常・色素沈着・精神障害（抑うつ状態）・易感染性などの様々な身体症状を呈する。

問題 31　〔解 答〕**3**

出題基準 Ⅳ-8-B ビタミン欠乏症

頻出度 **B**　難易度 **C**

1．× ビタミンDは、CaとPの吸収増加と副甲状腺ホルモン〈PTH〉分泌抑制の働きがある。ビタミンDが欠乏すると、**くる病**や骨軟化症の症状がみられる。

2．× ビタミンKは、血液凝固因子の生合成と骨形成を促進する働きがある。ビタミンKが欠乏すると、**出血傾向**がみられる。

3．○ ビタミンB₁は、神経細胞の正常な働きと糖質の代謝に関する働きがある。ビタミンB₁が欠乏すると、**脚気**や**ウェルニッケ脳症・代謝性アシドーシス**の症状がみられる。

4．× ビタミンCは、コラーゲンの生合成と抗酸化作用の働きがある。ビタミンCが欠乏すると、**壊血病**や**皮膚出血・創傷治癒**の遅れの症状がみられる。

問題 32　〔解 答〕**4**

出題基準 Ⅳ-15-A 炎症性疾患（腎盂腎炎、膀胱炎）

頻出度 **C**　難易度 **B**

1．× **女性**に多い。

2．× 感染経路は、尿路からの**上行**感染が多い。

3．× 症状として、急性期では高熱（39〜40℃）や悪寒、肋骨脊柱角の**叩打痛**が出現する。

4．○ 感染を起こす起因菌は、**グラム陰性桿菌**が多い。

問題33 〔解答〕 **1**

出題基準 Ⅲ-6-D 受療状況、有病率、罹患率

頻出度 **A** 難易度 **C**

1．○ 国民生活基礎調査は、国民の保健、医療、福祉、年金、所得等国民生活の基礎的な事項を世帯面から総合的に把握する調査である。3年ごとに大規模調査、中間2年は簡易調査である。健康については大規模調査年のみに把握されている。令和4年国民生活基礎調査の男性の有訴者率で最も高いのは「腰痛」で、91.6（人口千対）である。

2．× 「手足の関節が痛む」の有訴者率は40.7（人口千対）である。

3．× 「肩こり」の有訴者率は53.3（人口千対）である。

4．× 「鼻がつまる・鼻汁が出る」の有訴者率は37.8（人口千対）である。

問題34 〔解答〕 **2**

出題基準 Ⅲ-10-B 業務上疾病の予防

頻出度 **A** 難易度 **B**

1．× 厚生労働省「過労死等の労災補償状況」によると、令和5年では「精神障害」の認定数は883人であり、近年増加傾向にあり、「脳・心臓疾患」を上回っている。

2．○ 令和5年の労働災害による死亡者数は755人で前年より19人減少しており、昭和36年をピークとして減少傾向を示している。

3．× 労働者の定期健康診断は労働安全衛生規則に定められている。令和4年の定期健康診断の有所見率は58.3％であり、調査開始以降、増加傾向である。

4．× 令和4年度雇用均等基本調査の事業所調査では、男性の育児休業取得率は17.13％で前年の13.97％から3.16％上昇した。平成8年の0.12％から上昇傾向にあり、厚生労働省は2025年度までに30％の目標を立てているが、低めの推移である。

問題35 〔解答〕 **2**

出題基準 Ⅳ-11-D 診療記録と情報公開

頻出度 **C** 難易度 **B**

1．× 助産録は、保健師助産師看護師法第42条により保管期間が5年間と義務づけられている。

2．○ 看護記録は、医療法施行規則により「診療に関する諸記録」に含まれ、保管期間は2年間と規定されている。

3．× 診療録の保管期間は、医師法第24条により5年間の保存が義務づけられている。

4．× 手術記録の保管については、医療法施行規則により「診療に関する諸記録」に含まれ、保管期間は2年間である。

「診療に関する諸記録」は、病院日誌・各科診療日誌・処方せん・手術記録・看護記録・検査所見記録・エックス線写真・紹介状・退院した患者に係る入院期間中の診療経過の要約及び入院診療計画が規定されています。

問題36 〔解答〕 **3**

出題基準 Ⅰ-1-C 健康のとらえ方

頻出度 **B** 難易度 **B**

1．× 健康指標として注目されているのは、生活の質（QOL）である。患者の身体機能だけでなく精神的な面も含めるとされている。

2．× 点数や数値であらわす量的な能力や医学的な診断やデータだけでなく、より質的で、個別性を考慮した健康指標が不可欠である。

3．○ 患者自身の主観的な健康度の評価を健康度自己評価という。医学的な診断や臨床的なデータよりも、将来の健康度やその後の寿命を高い確率で予測するといわれている。

4．× 健康度の評価は、患者の疾病、症状、障害、身体的不調など負の面だけに注目するネガティブヘルスから、疾病や障害があっても、健康な部分、機能がある部分、生きがいややりがい、快適な気持ちで生活するといったポジティブヘルスに移行している。

問題37 〔解答〕 **2**

出題基準 Ⅰ-1-D 倫理原則、職業倫理

頻出度 **A** 難易度 **B**

1．× 「医療法」ではなく保健師助産師看護師法第42条の2で「保健師、看護師又は准看護師は、正当な理由がなく、その業務上知り得た人の秘密を漏らしてはならない」と定めている。

2．○ インフォームド・コンセントに必要不可欠な要素として「医療者が十分に情報開示をすること」「患者の決定が自発的であること」「患者に意思能力があること」が挙げられる。

3．× サラ・フライ〈S.T.Fry〉は看護における重要な倫理原則として「善行と無害の原則」「公正（正義）

第一回 模擬試験 午後

の原則」「自律の原則」「忠誠の原則」「誠実の原則」の5つを示した。

4．✕ 医療倫理やインフォームド・コンセントが提唱されたのは**ヘルシンキ**宣言である。「リスボン宣言」は通常の医療の場における患者の権利を明文化したものである。患者の権利として「良質の医療を受ける権利」「選択の自由の権利」「自己決定の権利」「情報を得る権利」など**11**項目を挙げている。

問題 38 〔解答〕 **2**

出題基準 Ⅰ-2-B クリティカル・シンキング

□ □　頻出度 **C**　難易度 **A**

E.B. ゼックミスタと J.E. ジョンソンは、クリティカルに考える人の特性（態度や行動の傾向）として、次の①〜⑩を挙げている。①知的好奇心、②客観性、③開かれた心、④思考の柔軟性、⑤知的懐疑心、⑥知的な面で誠実である、⑦筋道だった考え方をすること、⑧問題解決に関する追求心、⑨決断力、⑩他人の立場の尊重、がある。

1．✕ なにかを決めるとき、感情や主観によらず、**客観的**に決めようする（**②客観性**）。

2．○ **④思考の柔軟性**である。

3．✕ **十分な根拠**が出されるまでは結論を保留する（**⑤知的懐疑心**）。あくまで**確たる証拠**にこだわり、根拠が弱いと思える主張に対しては、ほかの可能性を追求し続ける。

4．✕ いろいろな問題に興味をもち、**自分**で答えを探そうとする（**①知的好奇心**）。

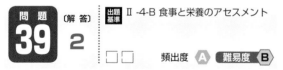

問題 39 〔解答〕 **2**

出題基準 Ⅱ-4-B 食事と栄養のアセスメント

□ □　頻出度 **A**　難易度 **B**

摂食・嚥下の段階には、先行期、準備期、口腔期、咽頭期、食道期の5つの段階がある。摂食・嚥下の正常のメカニズムを理解して必要な観察を行い、どの段階が障害されているかをアセスメントする必要がある。

1．✕ いつまでも食物をかんでいて流涎が多い場合は、**口腔期**の障害である。

2．○ 嚥下時に咳き込む場合は、**咽頭期**の障害である。

3．✕ 口を閉じることが十分でなく、食べ物をこぼしたりする場合は、**準備期**の障害である。

4．✕ 食物を認知できず、開口できない場合は、**先行期**の障害である。

〈摂食・嚥下障害のアセスメントシート〉

嚥下段階	観察項目
先行期：食べる構えができる。	・刺激で覚醒する。 ・下唇に触れると受け口になる。 ・食物を認知でき、開口する。 ・食べ方がわかる。 ・舌が前に出てホールをつくる。 ・指示が理解できる。
準備期：捕食し、かんでまとめる（食塊形成）。	・舌と口唇で捕食できる。 ・口を閉じることができる。 ・咀嚼運動がおこる。 ・口腔内で広がらない（食塊形成）。 ・食べ物をこぼさない。 ・会話は明瞭である。
口腔期：食塊を咽頭（嚥下反射誘発部位）へ移送する。	・舌に口内炎や舌苔などがない。 ・口角を引くことができる。 ・構音障害がない。 ・いつまでもかんでいて流涎が多い。 ・前傾姿勢で水が飲める。 ・摂食時間。
咽頭期：口腔内圧が高まり、嚥下反射が惹起し、食塊は食道へ送り込まれる。	・鼻声・鼻水はない。 ・喘鳴がなく、呼吸状態がよい。 ・頬を15秒以上ふくらませることができる。 ・嚥下時、咳き込みがない。 ・喉頭挙上が確認できる。 ・嚥下後、食塊の残留がない。
食道期：食道蠕動運動によって食塊が胃へ送り込まれる。	・苦いげっぷ、しゃっくりはない。 ・つかえ感がない。 ・逆流することがない。 ・筋肉のこわばりがない（リラックス）。 ・睡眠中は喘鳴が少ない。

出典：『系統看護学講座 専門分野Ⅰ 基礎看護技術Ⅱ第17版』2020 P.47 医学書院

問題 40 〔解答〕 **3**

出題基準 Ⅱ-4-D 活動と運動を促す援助

□ □　頻出度 **A**　難易度 **B**

1．✕ 急な下り坂は、そのまま前向きに進むと加速しやすく、患者が前方に転倒する危険がある。患者の背中が坂の下方向に向くように**後ろ向き**にゆっくり進む。前向きに下りる場合はゆっくり**蛇行**しながら下りる。

2．✕ エレベーターを使用する場合は、原則として降りるときに前向きで直進できるように、**後ろ向き**に乗る。

3．○ フットレストから足が落ちてしまうと、床とフットレストの間に足が挟まる危険性があるため、移送時には**足の位置**を確認する必要がある。他にも、患者の**気分不快**の有無、**腕の位置**（アームレストの外側に手や肘が出ていないか）や**姿勢**（浅く座っていたり上体が傾いていないか）、**衣類**や**掛け物**の状態（車輪にかかっていたり床を引きずったりしていないか）などを観察する。

4．✕ 段差を越える場合と同様に、**ティッピングレバー**を踏んで前輪を浮かせ、前輪が穴や溝にはまらないようにする。

問題 41 〔解答〕 **3**

出題基準 Ⅱ-4-D 活動と運動を促す援助

頻出度 **B** 難易度 **B**

　患者の状態に合わせた歩行介助は、入院中のみならず、退院後の日常生活の中でも必要となる機会がある。歩行介助の基本を理解し、患者の状態や障害（パーキンソン病、片麻痺、関節疾患）に合わせて介助をすることが大切である。患者の残存能力を活かして生活を送ることができるように支援する。

1．×　患者の歩行を妨げないように、<u>患者の歩行ペース</u>に合わせて介助する。

2．×　患者は杖を健側でもつため、看護者は患者の<u>患側に立つ</u>。患側上肢の腋窩と肩に手を当て、前かがみにならないように注意する（下図①）。

〈歩行時の介助のポイント〉

①

健足 ── ── 患足

3．○　杖を使って階段を上る場合は、まず杖を一段上について<u>健側</u>で上り（下図②）、最後に<u>患側</u>をそろえる（下図③）。階段を下りるときは、杖→<u>患側</u>→<u>健側</u>の順で降りる。足を下ろす際の軸足の力と膝の屈伸が必要であるため、<u>患側</u>の足を先に降ろす（下図④⑤）。

〈階段昇降時の介助のポイント〉

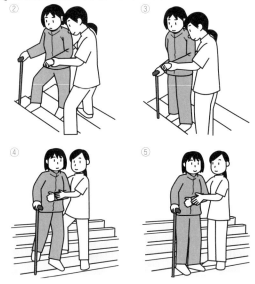

②　　　　　③

④　　　　　⑤

4．×　機能低下によって一人で歩行することが危険な場合、転倒に備えて患者の<u>腋窩</u>から介助する。患者が転倒しそうになった場合、患者の<u>腋窩</u>を支えて姿勢を立て直す。姿勢を立て直すことが困難な場合は、無理に体勢を整えようとはせず、ゆっくりと床に座らせ、状態を観察する。

問題 42 〔解答〕 **4**

出題基準 Ⅱ-4-F 清潔と衣生活のアセスメント

頻出度 **B** 難易度 **C**

ひっかけ

1．×　腋窩・陰部には<u>アポクリン汗腺</u>があり、清潔が保たれないと独特の異臭を放つ。

2．×　口腔は<u>唾液</u>による自浄作用、腟は<u>酸性</u>の分泌物による殺菌作用がある。しかし、粘膜の表面は分泌物によりつねに湿潤環境にあるため、細菌の繁殖を<u>まねきやすい</u>。

3．×　頭皮には毛髪に付属する<u>脂腺</u>が多く存在する。脂腺からの分泌物により汚れやほこりが<u>つきやすい</u>。

4．○　入浴ができない、関節の拘縮や麻痺がある、治療上の体位制限により手を洗うための体位が自力でとれないなどの場合に<u>手浴</u>の援助を行う。

問題 43 〔解答〕 **4**

出題基準 Ⅱ-5-B 創傷の治癒過程

頻出度 **B** 難易度 **A**

1．×　<u>炎症</u>期にみられる。これは<u>好中球やマクロファージ</u>が遊走し貪食することで、創傷内の細菌や壊死組織を排除する。

2．×　<u>炎症</u>期にみられる。内皮細胞の間に隙間ができ、<u>リンパ球</u>、<u>多核白血球</u>などが滲出液として出現し、創に浮腫をもたらす。

3．×　<u>増殖</u>期にみられる。線維芽細胞によるコラーゲン生成、血管内皮細胞による毛細血管新生が起こり、<u>肉芽組織</u>が形成される。基底細胞（上皮細胞）の増殖、遊走により<u>上皮形成</u>が起こる。

4．○　<u>成熟</u>期にみられる。<u>コラーゲン線維</u>が成熟し、安定した<u>瘢痕組織</u>へ変化する。

問題 44 〔解答〕 **2**

出題基準 Ⅱ-5-F 検体検査（血液、尿、便、喀痰、胸水、腹水、骨髄液）

頻出度 **C** 難易度 **B**

ひっかけ

1．×　採取時間は<u>早朝起床時</u>がよいとされる。これは就寝中に気管支に貯留した喀痰（かくたん）を一度に効率よく採取で

きるためである。

喫煙後や食後に痰を喀出しやすい場合は、必ず含嗽後に採取する。

２．○　口腔内は**常在菌**が多く、また唾液・鼻汁・食物残渣などが痰に混入しやすい。そのため、採取前には含嗽をさせ、口腔内を洗浄してから、唾液や鼻汁が混入しないよう注意して採取する。

３．✕　喀痰の量が少ない場合や喀出が困難な場合には**高張食塩水**を吸入させて咳嗽を誘発し、気道分泌物を喀出させる方法が有用とされる。

４．✕　検体採取後は速やかに検査室に提出する。すぐに提出できず保存する場合は、乾燥を避け、雑菌の繁殖を防ぐために４℃で**冷蔵保存**する。

問題	〔解答〕	出題基準	Ⅱ-5-F 検体検査（血液、尿、便、喀痰、胸水、腹水、骨髄液）
45	**2**		

□□　　頻出度 **B**　難易度 **B**

１．✕　膀胱の病変の推定には**分杯尿**が用いられる。**分杯尿**では排尿の前半2/3と後半1/3を別々の容器に採尿する。前半2/3の尿を用いて**尿道**の病変、後半1/3の尿を用いて**後部尿道・前立腺・膀胱**の病変を推定する。

２．○　糖尿病のスクリーニングには**食後**尿や随時尿が用いられる。食後に尿糖が陽性になる場合、**高血糖**が疑われ、糖尿病の早期発見に役立つ。

３．✕　腎機能の評価には**24時間**尿が用いられる。1日に排泄される尿量やタンパク質、電解質、ホルモンなどから腎臓の機能を評価する。

４．✕　細菌の特定には**中間**尿が用いられる。尿道口周囲を消毒後採尿する。排尿のしはじめの尿（10mL以上）は**廃棄**し、その後の尿を採取する。

問題	〔解答〕	出題基準	Ⅱ-5-C 侵襲に対する生体反応
46	**1**		

□□　　頻出度 **B**　難易度 **B**

　手術侵襲による傷害期には、以下の反応により、臓器への**血流**の維持、**血圧**の維持・上昇、エネルギー確保により生体を守ろうとする。

１．○　手術侵襲により循環血液量が減少すると、交感神経系を経てカテコールアミン（アドレナリン、ノルアドレナリン）の分泌が**促進**され、末梢血管を**収縮**して重

要臓器への血流を維持する。

２．✕　副腎皮質からの糖質コルチコイド、副腎髄質から放出されるアドレナリンなどのカテコールアミン、膵臓から放出されるグルカゴン、これらの分泌促進は、**糖新生**を促進して血糖値を上昇させ、必要なエネルギー源を確保する。

３．４．✕　脳下垂体後葉から放出される抗利尿ホルモン、副腎皮質から放出されるアルドステロン、腎臓から放出されるレニン、これらの分泌促進は、**尿量**を減少させて**体液量**を増加し、血圧を維持・上昇させる。

問題	〔解答〕	出題基準	Ⅲ-6-C 自己管理支援、セルフケア支援
47	**1**		

□□　　頻出度 **B**　難易度 **C**

１．○　エンパワーメントモデルでは、看護師と患者は知識を共有し、**相互関係**の中から生きる糧となる**アイデア**が生まれてくると考えられている。

２．✕　学習ニーズと目標を患者が特定できるように看護師は**支援**していく。

３．✕　エンパワーメントは、その人が本来もっている能力を引き出して発揮できるようにする理論であるため、行動の変容は**内部**から動機づけられる。

４．✕　患者と医療者は、**ともに力をもつ**。

問題	〔解答〕	出題基準	Ⅵ-9-A がん患者
48	**4**		

□□　　頻出度 **A**　難易度 **A**

頻出

１．✕　コデインは**弱オピオイド**鎮痛薬であり、**第2段階**で使用する薬剤である。

２．✕　モルヒネは**強オピオイド**鎮痛薬であり、**第3段階**で使用する。

３．✕　副腎皮質ステロイド薬は**鎮痛補助薬**である。それ自体に鎮痛作用はないが、鎮痛薬と併用することにより鎮痛効果を高める。

４．○　**第1段階**では**非オピオイド**鎮痛薬を使用する。

〈WHO３段階除痛ラダー〉

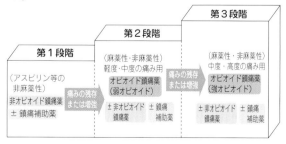

第一回 模擬試験 午後

問題49 〔解答〕 **1**

出題基準 Ⅶ-10-C 吸入による薬物療法

頻出度 Ⓐ 難易度 Ⓐ

1．○ ステロイド吸入薬が口腔粘膜に放置されると、口の中の免疫力が低下し、普段は繁殖しないような<u>真菌（カビ）</u>が口腔内粘膜に繁殖して、口腔内カンジダ症を<u>起こす</u>。

2．× 舌炎は<u>真菌</u>以外のウイルスによって発生する。

3．× ただし、ステロイド剤の与薬による<u>全身性</u>の副作用として、免疫力の低下によりごくまれにう歯が起こることがある。

4．× 「β_2刺激薬」の吸入薬を使った後、口腔内に薬剤が残っていると、口腔内の血管から吸収され全身作用が起こり、動悸や手の震えが起こるが、ステロイド吸入薬では<u>発生しにくい</u>。

問題50 〔解答〕 **3**

出題基準 Ⅶ-14-A 体液量調節機能障害

頻出度 Ⓑ 難易度 Ⓐ

生体における恒常性（ホメオスタシス）とは、体外の環境が変わっても、<u>体液</u>の量、温度、<u>浸透圧</u>、pH、イオン濃度などは<u>一定の範囲</u>のなかで維持される働きをいう。体液の調節では、摂取量と排泄量の調節物質のなかでも<u>ナトリウムイオン</u>による細胞外液量が調節され、<u>酸塩基平衡</u>の調節によって体液のpHが維持され調節される。

1．× 水欠乏性脱水は、細胞外液中の水が減少することで血清ナトリウム値が<u>増加</u>し、浸透圧が<u>上昇</u>する。

2．× 発汗量の増加は、血圧の上昇を招か<u>ない</u>。

3．○ 視床下部の<u>浸透圧受容器</u>は、血漿浸透圧の上昇を感知すると<u>口渇</u>を感じる。

4．× 下垂体後葉からバソプレシンが分泌されると、腎臓での水の再吸収は<u>促進</u>され、体液量とナトリウム値は<u>増加</u>する。

問題51 〔解答〕 **3**

出題基準 Ⅶ-17-A 生命維持活動調節機能障害

頻出度 Ⓐ 難易度 Ⓐ

1．× 延髄には、呼吸や循環など<u>生命に直結</u>する中枢がある。排尿中枢は<u>仙髄</u>にある。

2．× 間脳は、<u>全身</u>に影響を与える重要な機能をつかさどる、<u>視床</u>、視床下部、下垂体、松果体から成り立っている。平衡を保持する中枢は<u>小脳</u>である。なお、姿勢

を保持する中枢があるのが<u>中脳</u>である。

頻出

3．○ 視床下部は、自律機能の調整を行う総合中枢で<u>体温調節</u>中枢があり、そこで外の環境や体内の環境に合わせて<u>体温調節</u>を行っている。

4．× 橋には、<u>呼吸調節</u>中枢がある。摂食中枢は、<u>視床下部</u>であり、視床下部は、水分・体温・摂食・発汗などを調節している。

問題52 〔解答〕 **1**

出題基準 Ⅶ-19-C 人工関節置換術

頻出度 Ⓐ 難易度 Ⓑ

1．○ 術後1日は、<u>脱臼予防</u>のため、患肢を保持して体位変換する必要が<u>ある</u>。

2．× 脱臼予防のために、軽度<u>外転</u>させる。

3．× 脱臼予防のために膝関節は軽度<u>屈曲</u>させる。

4．× 術側の下肢が外旋位になった場合、<u>腓骨神経</u>が圧迫されて<u>腓骨神経麻痺</u>を生じることがある。

問題53 〔解答〕 **4**

出題基準 Ⅰ-3-B 老年期における身体機能の変化

頻出度 Ⓑ 難易度 Ⓒ

1．○ 白内障は、進行すると目がかすむ、視力障害（霧視、眼精疲労、青紫色の寒色系の<u>識別困難</u>）がみられる。

2．○ パーキンソン病では、振戦、固縮、無動（動作緩慢）、姿勢障害が代表的な症状である、<u>自律神経症状</u>を伴い起立性低血圧がみられることもある。

3．○ 逆流性食道炎は、高齢者の場合は「<u>食道蠕動運動</u>の低下」、「下部食道括約筋部の逆流防止機構の低下」などが主な原因である。主な症状は、食後、夜間、前屈位時にみられる胸やけ、呑酸であり、胃がもたれる、むかむかするなどの訴えがあることがある。

4．× 難聴は<u>伝音性</u>難聴と<u>感音性</u>難聴に分類され、老人性難聴は<u>感音性</u>難聴に属する。内耳（蝸牛）、聴覚伝導路（蝸牛神経）、側頭葉の聴覚中枢における生理的老化現象によるものであり、<u>両側性</u>である。

問題54 〔解答〕 **3**

出題基準 Ⅱ-5-F 高齢者の睡眠と生活リズムの特徴

頻出度 Ⓑ 難易度 Ⓒ

1．× 高齢になると、入眠潜時が<u>長く</u>なり、入眠までに時間を要するようになり、なかなか<u>寝つけない</u>と感じるようになる。

2．✕ 夜間の中途覚醒回数が**多く**なる。

3．○ 高齢者は、夜間の睡眠時間は減少するが、全体の睡眠時間は減っていないため昼間の睡眠の時間が成人に比べると**増えて**いる。そのため高齢者では１日に何回も眠る**多相性**睡眠となる。

4．✕ ノンレム睡眠が減少して、睡眠段階３〜４の**深い**睡眠を得にくくなるとともに、レム睡眠の時間が少なくなる。

問題 55〔解答〕**4**

□□　頻出度 **B**　難易度 **B**

1．○ せん妄は**器質的**な脳の障害であり、高齢者にしばしばみられる疾患である。

2．○ 外界からの刺激に対して、正確に認識する能力や注意を向けたり持続したりする能力を損ない、**不穏**（騒ぎ立てる、興奮するなど）、意識混濁、**幻覚体験**などを生じる状態をいう。

3．○ 夜間はいっそう孤独感や不安感が強まり、心肺機能の低下、環境の変化など複合的な要因が絡み、せん妄状態が**強くあらわれる**ことが多い（夜間せん妄）。

4．✕ 高齢者は環境変化に伴うせん妄に陥ることが**多く**、部屋を明るくしたり、家族写真を飾るなど、なるべく**混乱**を引き起こさない環境づくりを心がけることも大切である。

問題 56〔解答〕**3**

□□　頻出度 **A**　難易度 **C**

1．✕ 子どもの権利に関する条約は 1989 年に国連総会で採択され、日本は **1994 年**に批准した。

2．✕ 第１条において、子どもとは、**18 歳未満**のすべての者と定義されている。また、第２条において、すべての子どもは、皆**平等**にこの条約にある権利をもち、人種、皮膚の色、性、言語、宗教、政治的意見その他の意見、国民的、種族的若しくは社会的出身、財産、心身障害、出生又は他の地位にかかわらず、いかなる**差別もされない**ことが定められている。

3．○ 子どもの権利に関する条約では、**子どもの権利**を保障することが**義務**となり、それまでの「子どもの権利宣言」と大きく違い、一定の**法的拘束力**をもっている。

4．✕ 第５条において、親（保護者）は、子どもの発達しつつある能力に応じて、**適切な方法**で**適当な指示**及び**指導**をすることや、国も親の指導を**尊重**することが明記されている。

問題 57〔解答〕**3**

□□　頻出度 **C**　難易度 **A**

1．✕ 百日咳ワクチンは**定期接種**に含まれているが、主に百日咳の予防を目的としており、**細菌性髄膜炎**の予防に関連する**定期接種ワクチン**としては 2013 年には導入されていない。

2．✕ 大腸菌は新生児**髄膜炎**の原因菌の一つであるが、ワクチンは存在せず、**定期接種**の対象ではない。

3．○ 2013 年に日本で**定期接種**として導入された肺炎球菌ワクチンは、小児の**細菌性髄膜炎予防**に効果が期待されている。肺炎球菌は**細菌性髄膜炎**の主要な原因菌であり、このワクチンにより感染症の発生率低下が見込まれる。**生後２か月**からの接種が推奨されている。

4．✕ B 群溶血性レンサ球菌は新生児**髄膜炎**の主要な原因菌であるが、現在のところワクチンは実用化されておらず、**定期接種**の対象ではない。

問題 58〔解答〕**3**

□□　頻出度 **A**　難易度 **B**

1．✕ 乳児の心拍測定は**外部刺激**に敏感であるが、無言だからといって必ずしも心拍数の変動を防げるわけではないため、無言で測定する必要は**ない**。

2．✕ 乳児の心拍数は通常 **110 〜 130 回/分**の範囲内であることが多いが、変動がみられたり個人差もあったりするため、140 回/分だけで正常とするのは**不適切**である。

3．○ 乳児の心拍数測定は、薄手の**衣類上**や**背部**からも測定が可能である。直接皮膚に聴診器を当てるのが一般的であるが、衣類越しの方が乳児を落ち着かせやすいというメリットがある。

4．✕ 乳児の心拍数の聴取部位は、心基部ではなく**心尖部**が最も聴取しやすい部位である。

問題 59〔解答〕**4**

□□　頻出度 **C**　難易度 **A**

1．✕ 急性ニコチン中毒の初期症状は、**誤飲**後、**吐き**

気・嘔吐、下痢、頻脈、血圧上昇、顔面蒼白がみられ、重篤な場合は、けいれん、昏睡、心停止となる。治療法としては、呼吸管理や循環管理などの対症療法を行うほか、副交感神経刺激作用（気道分泌物促進、流涎、下痢など）がみられる場合には硫酸アトロピンが投与される。来院時は、顔色および機嫌は良好であり、中毒症状はみられないため投与の必要性はない。

2．✕ 顔色および機嫌は良好で、重篤な症状はみられないため胃洗浄は必要ない。

3．✕ タバコの嘔吐中枢刺激作用で嘔吐することが多く、乳児で誤嚥の危険性もあることからも催吐は行わない方が望ましい。

4．○ 急性ニコチン中毒の初期症状は、誤飲後、約15〜60分以内に生じるため、来院時に症状が出現していない場合でも、摂取状況（葉または吸い殻の摂取か、灰皿内の水の摂取か）や摂取量、誤飲した時間等を確認し、経過観察することが必要である。

問題 60 〔解答〕**2**　出題基準 Ⅳ-8-B 発達障害児と家族
　□ □　頻出度 B　難易度 B

1．✕ ADHD（注意欠陥・多動性障害）は脳の機能障害が想定されており、多動性、不注意、衝動性といった3つの主な特性がある。絶えず動き回る、何度言っても態度が改まらない、突然衝動的な行動をするといったことが言動として表れる。ADHD は、幼児期からその状態が現れるため、早期発見・早期介入ができれば周りの理解が得られ、こうしたトラブルは起きにくいかもしれない。しかし、外来看護師が母親にかける言葉として適切とはいえない。

2．○ 脳の発達障害と考えられているため、親の育て方が主な原因ではないと思われる。そのため、外来看護師の対応として適切である。

3．✕ 母親自身も育てにくさを感じ、きちんと向き合っているのに報われないということを何度も経験し、追い詰められていることがある。そのため、一人で抱え込まないような心の支えになる支援が求められ、外来看護師のこの場合の言葉がけとしては適切ではない。

4．✕ 小学校への入学により、学習や人間関係でつまずくことがあるが、小学校の環境が悪かったと決めつけるような対応は適切ではない。

問題 61 〔解答〕**2**　出題基準 Ⅱ-3-B 不妊症（男性不妊症、女性不妊症）
　□ □　頻出度 C　難易度 B

1．✕ 子宮卵管造影法は、子宮内に造影剤を注入し、子宮内腔の形や卵管の通過性、卵管や卵巣の癒着の有無を調べる。妊娠の可能性のない卵胞期に行われる。

2．○ 頸管粘液検査は、頸管粘液を採取して量や性状をみることにより、排卵期を推定する検査である。エストロゲンの分泌に比例して頸管粘液は増加する。排卵期にはエストロゲンが増えるため、頸管粘液の量も増え、さらに透明性と牽糸性も増す。

3．✕ フューナーテストは、排卵日の朝に性交をしてから受診し、腟・子宮の入り口より体液を採取し、精子の有無や運動精子の割合などを顕微鏡で確認する検査である。

4．✕ ミラー─クルツロクテスト〈Miller-Kurzrok test〉は、排卵期に頸管粘液を採取し、ガラス板で精子を接触させ、顕微鏡下で頸管粘液内への精子進入の有無をみる検査である。

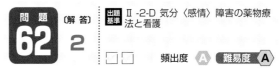

問題 62 〔解答〕**2**　出題基準 Ⅱ-2-D 気分〈感情〉障害の薬物療法と看護
　□ □　頻出度 A　難易度 A

1．✕ 抗精神病薬の代表的な副作用は、錐体外路症状（パーキンソニズム・アカシジア・ジストニア・遅発性ジスキネジア）、悪性症候群、性機能障害（高プロラクチン血症など）、代謝障害（肥満・糖尿病・脂質異常症など）、多飲・水中毒である。依存性は、ベンゾジアゼピン系の抗不安薬・睡眠薬で起こりやすい。

2．○ セロトニン症候群は、抗うつ薬の SSRI（選択的セロトニン再取り込み阻害薬）増量時や、他剤併用時に起こる副作用である。精神症状（不安・錯乱・興奮・多動など）、不随意運動、自律神経症状（発汗・発熱・下痢・頻脈など）がみられる。

3．✕ 耐糖能の異常は、抗精神病薬の有害反応で起こりやすく、食欲亢進や肥満のおそれもある。

4．✕ 遅発性ジスキネジアとは、抗精神病薬を長期服用中の患者に生じる錐体外路症状の一つで、持続性かつ難治性の不随意運動である。舌・顎・体幹・四肢にみられる。

第一回　模擬試験　午後

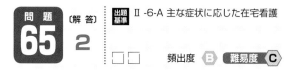

問題 63 〔解答〕**4** ☐☐ 頻出度 **B** 難易度 **A**

出題基準 Ⅰ-4-A 訪問看護の対象と提供方法

１．✕ 本人や家族の**意思**を確認する必要がある。一方的に施設入所を勧めては**いけない**。

２．✕ 家族や介護者の役割負担を大きくしすぎると生活が困難になる。家族や介護者が共倒れにならないように、家族や介護者の**アセスメント**は重要である。このことから、家族や介護者に、同居をしていない家族への協力を説得するように勧めることは適切で**ない**。

３．✕ 訪問看護は、療養者本人およびその**家族**、その他の介護者に対して、直接的な看護、リスクアセスメント、**個別**の健康教育や健康相談などの看護活動を**看護職**が行うものである。

４．〇 訪問看護の対象者には、家族も**含まれる**。つまり、介護者である妻の健康管理や日常生活に関する相談にのるのは、訪問看護師の**役割**の一つである。家族の形態により、その対象者は乳幼児から高齢者まで**全年齢層**であり、疾患や状況もさまざまである。

問題 64 〔解答〕**2** ☐☐ 頻出度 **C** 難易度 **A**

出題基準 Ⅱ-6-A 主な症状に応じた在宅看護

緊急性の有無の判断を問う問題である。訪問看護では、**必要性**があると判断すれば緊急搬送を要請する場合もある。

１．✕ 腹痛は便秘による症状としてもみられるが、**器質性**便秘ではなく**機能性**便秘であれば緊急性は低く、最も優先して考えるものでは**ない**。**食事**や**生活習慣**の改善などから試みる必要がある。

２．〇 ストーマ造設後の晩期合併症として**傍ストーマヘルニア**がある。今回**腹圧**をかけたことから**腹痛**が発生しており、ヘルニアが**嵌頓**（かんとん）している可能性がある。腸への**血流**が途絶えると**腸管壊死**にもつながる（**絞扼**（こうやく））ため、**緊急**の対応が必要であり、現在の情報から考えられる状態として最も優先度が**高い**。

３．✕ 粘膜皮膚接合部離開は、造設したストーマ粘膜と皮膚が**縫合不全**を起こした状態であり、術後の**早期合併症**である。回腸ストーマ造設後２年経過しており、粘膜皮膚接合部離開は考えにくい。

４．✕ 心筋梗塞は緊急性の高い状態であるが、症状は激しい**胸部痛**や**肩・背中への関連痛**（**放散痛**）といった痛みが一般的であり、腹痛のみでは**考えにくい**。

問題 65 〔解答〕**2** ☐☐ 頻出度 **B** 難易度 **C**

出題基準 Ⅱ-6-A 主な症状に応じた在宅看護

１．✕ 新たなサービスの利用を希望しているわけではないので、適切では**ない**。また、サービスの利用は費用が発生するため経済面も**考慮すべき**である。

２．〇 レボドパを長期服用していると、薬効が**短くなり**効果が切れる時間が出てくる**wearing off 現象**が出現する。内服薬の調整により効果が出ているので、薬のよく効いている時間帯に入浴することは適切で**ある**。

３．✕ 症状が改善し、入浴を希望している状況でシャワー浴を促す理由はなく、適切では**ない**。

４．✕ 1と同様である。

問題 66 〔解答〕**3** ☐☐ 頻出度 **A** 難易度 **A**

出題基準 Ⅲ-9-A 地域包括ケアシステムの概要

１．✕ 地域包括支援センターの構成要素は、**保健師**、**社会福祉士**、**主任介護支援専門員**の３職種である。

２．✕ 地域包括支援センターの設置主体は、**市町村**である。

３．〇 介護保険法第115条の46に、地域包括支援センターは「地域住民の心身の健康の保持及び生活の安定のために必要な援助を行うことにより、その**保健医療の向上及び福祉**の増進を包括的に支援することを目的とする施設」と述べられている。

４．✕ 要介護認定審査は、**介護認定審査会**で行われる。

問題 67 〔解答〕**1** ☐☐ 頻出度 **B** 難易度 **B**

出題基準 Ⅲ-3-B グローバルな社会における看護

１．〇 ゆっくり話す、繰り返すなど**言語的**コミュニケーションを工夫するとともに、**非言語的**コミュニケーションも大切にする。

２．✕ 通訳の活用は有効な手段であるが、患者自身が医療の場での通訳ができる人を連れてくることは難しい。

３．✕ 医療費の未払いの問題はあるものの、治療を拒否することは**倫理上**の問題がある。

４．✕ 苦痛の表現は**文化**によって異なる。身体症状についても同様である。

問題68 〔解答〕**1**　出題基準 Ⅰ.Ⅱ.Ⅲ -10-D 呼吸　5肢
頻出度 Ⓐ　難易度 Ⓑ

頻出

1．○　安静時の胸膜腔内圧は**吸息**時に約 − 7 〜 − 6 cmH_2O の圧力となり、**呼息**時には約 − 4 〜 − 2 cmH_2O の圧力となっている。したがって、胸膜腔内圧は**常に陰圧**である。

2．×　吸息時には、外肋間筋の収縮と横隔膜の収縮によって胸郭内の容積が増大する。呼息時には**外肋間筋**の弛緩と横隔膜の弛緩によって、胸郭内の容積が減少する。

3．×　呼吸気量の機能的残気量〈FRC〉は予備呼気量〈ERV〉と残気量〈RV〉の和であり、予備吸気量〈IRV〉と1回換気量〈TV〉の和は**深吸気量（最大吸気量：IC）**である。

4．×　努力性肺活量から求める1秒率は拘束性障害では70%**以上**ある。しかしながら、予測される肺活量と実測肺活量から求める%肺活量は80%**以下**に**低下**している。

5．×　慢性閉塞性肺疾患〈COPD〉では%肺活量が80%**以上**、1秒率が70%**以下**に低下している。

問題69 〔解答〕**4**　出題基準 Ⅰ.Ⅱ.Ⅲ -3-C 自律神経　5肢
頻出度 Ⓐ　難易度 Ⓐ

1．×　毛様体筋収縮は副交感神経の**動眼神経**の働きである。

2．×　瞳孔縮小は副交感神経の**動眼神経**の働きである。

3．×　涙腺分泌は副交感神経の**顔面神経**の働きである。

頻出
4．○　気管支収縮は副交感神経の**迷走神経**の働きであり、その他には心拍数減少、胃や腸の運動を促進し、胆汁の分泌や膵液の分泌を促進する働きがある。

5．×　排尿筋収縮は副交感神経の仙髄の**骨盤内臓神経**の働きであり、排尿時には排尿筋を収縮させ内尿道括約筋を弛緩させる。

副交感神経は、睡眠中や休息時、リラックスしているときに働く神経です。

問題70 〔解答〕**1**　出題基準 Ⅳ -16-A 男性生殖器の疾患（前立腺炎、前立腺肥大）　5肢
頻出度 Ⓑ　難易度 Ⓑ

1．×　PSA は前立腺特異抗原である。PSA 値が高値（4ng/mL 以上）であれば**前立腺がん**を疑う。

2．○　加齢と性ホルモンは大きく関与**する**。

3．○　直腸内指診で**弾性硬**の腫大した前立腺を触れる。

4．○　排尿困難は、前立腺肥大の特徴的な症状で**ある**。

5．○　夜間頻尿は、前立腺肥大の特徴的な症状で**ある**。

問題71 〔解答〕**3**　出題基準 Ⅲ -6-D 死亡（死産・周産期死亡、乳児死亡を含む）、死因　5肢
頻出度 Ⓐ　難易度 Ⓒ

頻出

日本における主要死因は**悪性新生物**、**心疾患**、老衰、**脳血管**疾患、肺炎などである。死因の1位を占める悪性新生物の部位別死亡割合は以下のとおり。なお、令和4年人口動態統計（確定数）の女性の悪性新生物死亡数は、16万2,502人である。

1．×　令和4年の胃がんによる女性の死亡数は14,256人で、悪性新生物に占める割合は8.8%である。

2．×　令和4年の肺がんによる女性の死亡数は22,913人で、悪性新生物に占める割合は14.1%である。

3．○　令和4年の大腸がんによる女性の死亡数は24,989人で、悪性新生物に占める割合は15.4%である。

4．×　令和4年の乳がんによる女性の死亡数は15,912人で、悪性新生物に占める割合は9.8%である。

5．×　令和4年の子宮がんによる女性の死亡数は7,157人で、悪性新生物に占める割合は4.4%である。

問題72 〔解答〕**2**　出題基準 Ⅰ -2-A 生活習慣に関連する健康課題　5肢
頻出度 Ⓐ　難易度 Ⓐ

1．×
2．○
3．×
4．×
5．×

睡眠について、**6〜9**時間（60歳以上は**6〜8**時間）を「十分な睡眠時間」と設定し、令和元年国民健康・栄養調査の結果より、現状では 20〜59 歳は 53.2%、60歳以上は 55.8% が「十分な睡眠時間」を確保している。

睡眠不足は心身の不調に関係し、寿命に影響することがわかってきた。健康日本21（第二次）からの引き続きの目標でもある健康寿命の延伸にも関連する。2032年度目標として60%達成を目指している。

問題73 〔解答〕 **3**

出題基準 Ⅲ-6-D 受療状況、有病率、罹患率

5肢

☐☐ 頻出度 **B** 難易度 **B**

1．✕
2．✕
3．○
4．✕
5．✕

「国民衛生の動向 2023/2024」による令和2年患者調査の外来受療率（人口10万対）の年齢階級・傷病分類別では65歳以上の外来受診をみると、第1位は**高血圧性疾患**で1,295、次いで**脊柱障害**で844、歯肉炎及び歯周疾患で657、歯の補てつで442、糖尿病で416、という順である。

入院受療率（人口10万対）では、**脳血管疾患**の296が最も多いです。

問題74 〔解答〕 **5**

出題基準 Ⅱ-3-C 更年期・老年期女性の健康と看護

5肢

☐☐ 頻出度 **A** 難易度 **A**

1．✕　月経困難症は、生殖機能の成熟に伴って出現し、**思春期女性**の1/2～2/3にみられる。
2．✕　閉経により血液の**消失**を避けられるため、貧血は回避できる。
3．✕　卵巣機能の**低下**により、エストロゲンの分泌も**低下**する。
4．✕　性ホルモンの分泌低下により、外性器の**退縮・萎縮**が生じ、腟の自浄作用が**低下**する。

頻出

5．○　更年期では**エストロゲン**の急激な低下により、骨吸収と骨形成のバランスが崩れ、**骨吸収**が**優位**になるため、骨量が急激に**低下**する。

問題75 〔解答〕 **2**

出題基準 Ⅳ-4-A 神経伝達物質と精神機能・薬理作用

5肢

☐☐ 頻出度 **A** 難易度 **B**

1．✕　ドパミンは、統合失調症で**過剰**となり、幻覚や妄想の出現に関係している。
2．○　うつ病ではセロトニンが**減少**するため、選択的セロトニン再取り込み阻害薬〈SSRI〉が治療に用いられる。
3．✕　グルタミン酸は、**記憶・学習**などの脳高次機能に関与する神経伝達物質である。
4．✕　アセチルコリンは代表的な神経伝達物質の一つである。抗うつ薬の副作用の一つに、抗コリン作用があり、**口渇・便秘・尿閉・かすみ目**などを引き起こす。
5．✕　ヒスタミンは**アレルギー**反応や**炎症**に関与するほか、脳内で神経伝達物質として働く。

問題76 〔解答〕 **1・4**

出題基準 Ⅳ-14-A 筋ジストロフィー

5肢

☐☐ 頻出度 **C** 難易度 **A**

1．○　デュシェンヌ型筋ジストロフィーと筋強直性ジストロフィーの症状を問う問題である。脊柱側弯は、**デュシェンヌ型筋**ジストロフィーにみられる症状である。
2．✕　糖尿病は、**筋強直性**ジストロフィーにみられる症状である。
3．✕　白内障は、**筋強直性**ジストロフィーにみられる症状である。
4．○　心筋症は、**デュシェンヌ型筋**ジストロフィーにみられる症状である。
5．✕　性腺萎縮は、**筋強直性**ジストロフィーにみられる症状である。

問題77 〔解答〕 **1・3**

出題基準 Ⅳ-17-A 言語機能障害

5肢

☐☐ 頻出度 **B** 難易度 **B**

1．○
2．✕
3．○
4．✕
5．✕

失語には、ブローカ失語やウェルニッケ失語、健忘失語などさまざまな特徴がある。ブローカ失語（運動性失語）は、言葉を聞いて理解する能力はあるが、**発語**が流

暢にできず喋るリズムや強弱が不正確になること、**発音**がうまくできなくなることが特徴である。話す量は少なくなるが、単語や決まり文句など短い話をすることは**できる**。また、書字に障害が生じることも特徴である。

ウェルニッケ失語（感覚性失語）は、**話を聞いて理解する能力**に障害がみられるが、話し方は流暢で**発音**に問題はないことが特徴である。話し方は流暢なため、会話の量は多いが、話の内容が**意味不明**になってしまうことがある。

健忘失語(失名詞失語)は、話を聞いて理解し会話をすることは可能であるが、**名詞**を思い出せない失語である。

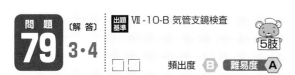

問題 78 〔解 答〕 **3・4**　出題基準 Ⅲ-6-C 自己管理支援、セルフケア支援　5肢　頻出度 **B**　難易度 **B**

1．✕　患者の状態により、多くの情報は患者を混乱させ自己効力感を**低下**させることがある。
2．✕　達成可能な目標を**本人**が立てることが大切である（遂行行動の達成）。
3．○　他人の成功体験などを見聞きすることで、疑似的な成功経験をもつことができ、自己効力感を**高める**(代理的経験)。
4．○　他者から褒められることで、達成感が高まり**自信**を得ていくことができる（言語的説得）。
5．✕　不適切な行為をその都度指摘することは、患者に**緊張感**を与える（情動的喚起）。

問題 79 〔解 答〕 **3・4**　出題基準 Ⅶ-10-B 気管支鏡検査　5肢　頻出度 **B**　難易度 **A**

気管支内視鏡は、気管・気管支の観察や処置を行う内視鏡である。検査の**4**時間前は絶食とし、検査直前に4%リドカイン5mLを咽頭・喉頭に**噴霧**して、**咽頭麻酔**を行う。検査台に仰向けになり、心電図、酸素濃度や血圧を測定するモニターを装着し、鎮静剤の静脈内注射を行う。気管支鏡を鼻または口から挿入する。検査時間は通常20分～30分程度であるが、**直視下生検**、経気管支生検（TBB）、経気管支肺生検（TBLB）、超音波気管支鏡ガイド下生検（EBUS-TBNA）、気管支肺胞洗浄（BAL）など検体採取し、**肺がん**の確定診断等を行うことも多い。
1．✕　息を止めると声門が閉鎖し挿入**できなくなる**ので、「普段通りに**楽に息をしているよう**」に声をかける。
2．✕　検査中は**発声**できないので、検査前に苦痛や何かある際の**合図**の確認をしておく。また、危険であるた

め、検査中に手を出したり動いたりしないよう説明する。
3．○　**4**時間前からの絶食を説明し、検査**直前**にも飲食に関する確認を行う。
4．○　検査終了後は、咽頭・喉頭の**麻酔**が効いているため飲水できないことを説明し、**2**時間後に試飲して誤嚥や息苦しさがないか確認する。
5．✕　検査後**2**時間はベッド上で**安静**にし、異常がなければ自由に歩行できる。

問題 80 〔解 答〕 **1・5**　出題基準 Ⅶ-14-C 腹膜透析〈CAPD〉　5肢　頻出度 **B**　難易度 **A**

1．○　CAPDは、半透膜の性質を有する**腹膜**を利用するものであり、**腹腔カテーテル**が挿入される。そのためシャント造設は必要**ない**。
2．✕　CAPDの場合、**1**日に**3～4**回（6～8時間ごと）透析を行う。
3．✕　腹腔内に挿入されたカテーテルはそのまま**留置**される。
4．✕　カテーテル挿入部・接続部を保護して入浴**できる**。

5．○　腹腔内に細菌が侵入すると**腹膜炎**を発症する恐れがある。そのため、清潔操作が必要である。

問題 81 〔解 答〕 **2・3**　出題基準 Ⅲ-4-A 正常な妊娠経過と妊娠期の異常　5肢　頻出度 **B**　難易度 **B**

1．✕　二卵性双胎と妊娠糖尿病との関連は**ない**。
2．○　**子宮の過伸展**により子宮収縮が生じやすくなるため、切迫早産が**起こりやすい**。
3．○　対となる胎児が妨げとなり、胎位異常が**生じやすい**。
4．✕　双胎間輸血症候群は、両児が胎盤を共有する**一卵性双胎**に多い。
5．✕　結合体は、**一卵性双胎**のうち、受精後10日目以降に分離した場合に生じる。

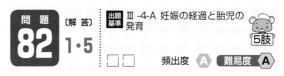

問題 82 〔解 答〕 **1・5**　出題基準 Ⅲ-4-A 妊娠の経過と胎児の発育　5肢　頻出度 **A**　難易度 **A**

1．○　妊娠時の貧血の判定基準は、血中ヘモグロビン濃度**11g/dL未満**、ヘマトクリット値**33%未満**である。

全血液量は非妊時より 20 ～ 30％の増加がみられる。特に血漿量（けっしょうりょう）は妊娠初期より増加し、32 週ごろに最高値を示し、非妊時より 40 ～ 50％増加する。

２．× 　妊婦健診は**妊娠 23 週**までは 4 週間に 1 回、**24 ～ 35 週**までは 2 週間に 1 回、**36 週以降**は 1 週間に 1 回行う。妊娠 31 週の A さんは、2 週間で 1.5kg 増加している。急激な体重増加は、心臓や腎臓に大きな負担がかかるため、妊娠中期から末期は 1 週間に **500g 以内**の増加に留めるよう体重管理が必要である。

３．× 　日本産婦人科学会は、2018 年 5 月に妊娠高血圧症候群（HDP:Hypertensive Disorder of Pregnanncy）を「妊娠時に高血圧を認めた場合、妊娠高血圧症候群とする。妊娠高血圧症候群は、妊娠高血圧**腎症**、妊娠高血圧、**加重型**妊娠高血圧**腎症**、高血圧**合併妊娠**に分類される」と新しく定義した。A さんは**高血圧**ではないため、妊娠高血圧症候群では**ない**。

４．× 　胎児の推定体重は妊娠第 8 月（28 ～ 31 週）頃では 1,500 g であり、胎児発育不全〈FGR：fetal growth retardation〉では**ない**。

５．○ 　子宮底長（ていちょう）は**恥骨結合上縁**から**子宮底**の**最高部**までの距離をいう。

〈妊娠月数による子宮底長の正常値概算法〉

・妊娠第 4 ～ 5 月　（妊娠月数）× 3
・妊娠第 6 月以降　（妊娠月数）× 3 ＋ 3

問題 83　〔解答〕**3・5**
出題基準 Ⅲ -6-B 子宮復古、母乳育児の状況、栄養法
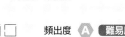
5肢
頻出度 Ⓐ　難易度 Ⓑ

１．× 　産褥（さんじょく）1 日目は**臍下 1 横指**（さいか）が正常である。

〈産褥期の子宮底高と子宮底長の推移〉

	子宮底高	子宮底長
分娩直後	臍下 3 横指	約 11cm
産褥 1 日目	臍下 1 横指	約 15cm
2	臍下 2 横指	約 13cm
3	臍下 3 横指 ＊分娩直後と同じ	約 11cm
4	臍下 4 横指	約 10cm
5	臍下 5 横指 ＊臍と恥骨結合上縁との中央	約 9cm
⋮		
10	恥骨結合上でわずかに触れる	測定困難
⋮		
14（2 週）	腹壁上から触知不能	測定不能

●産褥 1 日目より子宮底は、1 日につき約 1 横指程度の下降が経日的にみられる
●産褥 2 週目には、腹壁上から触知不可能となる

２．× 　脈拍が 52 回／分と徐脈がみられるが、これは母体循環機能の変化や急激な腹腔内圧の降下による副交感神経への刺激で起こっており**一過性のもの**である。

頻出

３．○ 　**産褥 2 ～ 3 日**頃より乳房緊満（きんまん）が生じ始める。

４．× 　通常、乳管は **15 ～ 20** 本あり、そのうち **10 本以上**の開通で良好とする。

５．○ 　**初乳**は、産褥 3 日頃までにみられる**黄白色**（ねん）で粘稠度が高い（ちょうど）乳汁である。

問題 84　〔解答〕**3・5**
出題基準 Ⅲ -7-D 高ビリルビン血症
5肢
頻出度 Ⓑ　難易度 Ⓑ

１．× 　Rh（＋）の**胎児血**が Rh（－）の**母体**に流れることにより、**D抗原**が母体血に進入することによって生じる。

２．× 　2 回目以降の妊娠時に児が発症する。1 回目の妊娠時に抗 D 抗体が産生されると、**初回感作**なので、**IgM** が産生される。IgM は分子量が大きいため胎盤を通過できないので 1 回目の妊娠時の胎児には影響がない。しかし、2 回目以降の妊娠による D 抗原の感作では、分子量が小さい **IgG** が産生されるため、胎盤を通過することができ、胎児に影響を与える。

３．○ 　間接クームス試験の検体は**母体血**、直接クームス試験の検体は、**胎児血**である。

４．× 　IgG が胎盤を通過して、胎児に移行すると、胎児赤血球が脾臓で**溶血**されて貧血となる。

５．○ 　新生児の肝臓は未熟なため、溶血でできた**間接ビリルビン**を処理しきれずに高ビリルビン血症が**生じやすい**。

問題 85　〔解答〕**4・5**
出題基準 Ⅶ -10-C 胸腔ドレナージ

5肢
頻出度 Ⓑ　難易度 Ⓐ

胸腔ドレナージ（胸腔ドレーンの留置）は、胸腔（肺と胸壁の間の空間）にチューブを挿入し、貯留した気体や液体を**排出**する処置である。

１．× 　排液ボトルは、胸腔内から排出された**液体**が貯留する。

２．× 　食道や肺の手術など開胸手術や胸腔鏡手術操作による肺の**虚脱**、気胸など肺の**再膨張**、**胸腔内**の出血や胸水の**排液**を目的に行う。なお、皮下気腫は、胸腔ドレナージに伴う合併症の一つである。胸腔ドレーン刺入部のドレーン周囲のわずかな隙間から**空気**が流入すること

があるため、皮下気腫が発生していないか観察が必要である。

3．✕ 胸腔内圧は、−5cmH₂O であるため、約−10〜−15cmH₂O の陰圧で持続的に**吸引**する。

4．○ このほか、ドレーンの**ねじれ**・屈曲・圧迫・たるみの有無、固定状況、排液量と性状、吸引圧などを観察する。

5．○ 必ず**2か所**に**滅菌蒸留水**を用いる。**滅菌蒸留水**を用いるのは、感染予防のためである。水封室の**滅菌蒸留水**により、胸腔内と外界を遮断している。水封室を空のまま作動すると、陰圧の胸腔に空気が**逆流**し換気が妨げられる。吸引圧制御ボトルに入れる**滅菌蒸留水**の量で吸引圧を調節する。水封室を空のまま作動した医療事故も報告されている。

問題 86 〔解答〕 **3・5** 出題基準 Ⅶ-17-D 脳血管障害　5肢

頻出度 **A** 難易度 **A**

1．✕ クモ膜下出血は、**クモ膜下腔**への出血である。頭蓋内に、急激にある程度の量の血液が流出するため、急激な頭蓋内圧の上昇により激しい**頭痛**、**悪心・嘔吐**があり、意識障害を起こす。

2．✕ クモ膜下出血のみで、**片麻痺**や**失語症**などの脳の局所症状が起こることは少ない。ただし、重度のクモ膜下出血や**脳出血**、**脳梗塞**を合併した場合には起こることがある。

3．○ 出血から4〜14日後頃、脳の栄養血管が糸のように細くなる脳血管攣縮が起きる時期に入る。血流不足に陥り、脳梗塞になる可能性が出てくるため、神経学的所見の観察と血流を保つための**血圧管理**、輸液の管理、血液凝固を**抑制**する薬剤や**血管拡張剤**などの薬剤の管理が重要である。

4．✕ 脳血管攣縮の時期が過ぎる頃、水頭症の発症時期に入る。水頭症は、クモ膜下腔へ流れ出た血腫が、約**1か月**程度で周りの組織と癒着するため、クモ膜下腔を流れる**脳脊髄液**が循環障害を起こし、少しずつ脳の中に溜まってきてしまう状態である。典型的な症状は、**認知**症、歩行障害、尿失禁などがある。

5．○ 発症から24時間は再出血（脳動脈瘤の再破裂）のリスクが**高く**、特に破裂後**早期**に起こりやすい。予後が悪く、再破裂した場合、初発の破裂より死亡率が**高まる**。再出血を防ぐため、安静保持、刺激を避け、血圧の上昇や変動を来さないよう、血圧管理、腹圧をかけない工夫などが重要である。

問題 87 〔解答〕 **3・5** 出題基準 Ⅰ-1-B 医療・看護の質保証と評価　5肢

頻出度 **B** 難易度 **B**

1．✕ クリティカルパスは、標準化できる疾患や治療を対象に、患者の**到達目標**を設定し、入院から退院までの**時間経過**に沿ってケア計画を一覧表にしたものである。

2．✕ プライマリナーシングとは、看護方式の一つで、患者一人ひとりに**担当看護師**がつき、**入院**から**退院**までを通して看護の提供に責任を負う方式を指す。患者や家族と信頼関係を築きやすく、きめ細かい看護が提供できるという利点がある。

3．○ タイムアウトとは、手術患者の誤認や手術部位の誤認を防止するために、手術に関わる医師・看護師全員が**一斉**に手を止め、**患者**と**手術部位**を確認しあうことを指す。

4．✕ インシデントレポートとは、**医療安全**対策を行うために、事故や重大なミスには至らなかったものの、**潜在的**に危険な出来事が発生した際に、その詳細を記録・報告する文書である。

5．○ ダブルチェックとは、医療行為や処置を行う際に、**二人**以上の医療従事者がその内容を確認し合うプロセスである。これにより、誤薬や投与ミス、患者識別ミスなどの**リスク**を減らし、患者の安全を確保することを目的とする。

問題 88 〔解答〕 **2・4** 出題基準 Ⅰ-1-B 医療・看護の質保証と評価　5肢

頻出度 **B** 難易度 **B**

1．✕ 特定行為研修を受けるにあたっての実務経験の規定は**ない**。

2．○ 複数の患者に**同時**に異変がおきている状況や、**複数の看護**を依頼されている状況を**多重課題**といい、医療事故の要因の1つにあげられる。

3．✕ 看護業務基準は、保健師助産師看護師法で規定された**すべての看護職に共通**の看護実践の**要求レベル**と**責務**を示すものであり、看護師に限ったものでは**ない**。

4．○ 設問のとおり。「重症度、医療・看護必要度」は、**急性**期に密度の高い医療を必要とする状態が適切に評価されるよう作成されており、特に、7対1入院基本料の病棟においては、基準を満たす患者が一定以上入院していることが要件となる。

5．✕ 入院基本料とは、入院の際に行われる基本的な医学管理、看護、療養環境の提供を含む一連の費用を評

価した診療報酬をさし、7対1入院基本料、10対1入院基本料など、**看護職員**数と**入院患者**数との**割合**によって異なる。

「2％塩酸ドパミン10mL」とは10mL中に"10の2％"gの薬剤が溶け込んでいることを意味する。

「10(mL)×0.02＝0.2g」すなわち「0.2g＝200mg」の塩酸ドパミンが含まれていることになる。

全体の薬液量：全体の薬剤量＝1分当たりの薬液量：1分当たりの薬剤量
（注入速度）

$$100\text{mL} : 200\text{mg} = X : 3\text{mg}$$
$$200X = 300$$
$$X = \underline{1.5}\text{mL/分}$$

まず酸素ボンベ内の使用開始前の**酸素残量**を求める。

14.7MPaで充填（ボンベ内に酸素がいっぱいの状態）されたうち、5MPaが残っている。

使用開始前の酸素ボンベ内の酸素残量は500×（**5/14.7**）＝**170.06**……となり、小数点以下第1位を四捨五入すると**170L**となる。

次に酸素吸入を開始して使用した酸素量を求める。

毎分3Lで30分間酸素吸入を行ったので、**3×30**＝**90**となり、**90L**使用したことになる。

使用開始前の酸素ボンベ内の酸素残量**170L**から30分間に使用した酸素量**90L**を引けば、現在酸素ボンベ内に残っている酸素残量となる。

したがって**170 － 90 ＝ 80**となり、残っている酸素は**80L**となる。

※平成11年10月1日より圧力単位が変更となり、重量キログラム毎平方センチメートル（kgf/cm²）からSI単位のパスカル（Pa）となった。ただし、従来使用されている圧力計の使用は認められているため、臨床現場では両方の単位を目にすることが多い。

1MPa≒10kgf/cm²である。

酸素ボンベの充填圧力は、旧単位：**150**kgf/cm²、新単位：**14.7**MPaとなる。どちらの単位が用いられても使用できるよう覚えておくことが重要である。

状況設定問題 状況設定

1．○ 退院調整とは、入院早期から始まる**退院支援**の最終的な段階をさす。退院に関する患者や家族の意思決定に基づき、患者が**円滑**に退院できるようにさまざまな**支援**や**調整**を行うことである。

2．× 設問は退院支援の説明である。退院支援とは、患者が自分の病気や障害を理解し、退院後も継続が必要な医療や看護を受けながらもどこで療養するか、どのような生活を送るかを**自己決定**するための支援である。退院調整と退院支援には違いがある。

3．× 訪問看護師は退院**前**から対象者に関わることができる。病院の看護師などが退院予定の対象者の自宅を訪問して療養環境を確認し、退院支援にいかすことを、**退院前訪問指導**という。訪問看護ステーション等が、病院等から退院・退所する利用者に、入院していた病院等の医師やスタッフと共同して指導を行うことで算定できる加算を**退院時共同指導加算**という。退院指導を行った同月または前月の**退院指導後**に退院した場合に、初回の訪問看護に加算することができる。

4．× 退院後，継続的な在宅療養を希望してから在宅医を探すのでは**遅く**、入院前に「かかりつけ医」をもっていた場合はその医師に相談し、もっていない場合は、病院の「医療連携室」「相談室」などに相談する。医療ソーシャルワーカーは主治医や院内の専門職種と**連絡・調整**を行う。退院調整における看護師のアプローチの仕方は、医療ソーシャルワーカーの患者と家族の関係性から全体を把握する傾向とは異なり、患者の予想される**身体状態**から全体を把握する。お互いの専門性を踏まえ協働することが重要である。

1．○ 要介護認定の申請ができるのは、**65**歳以上の人（第1号被保険者）、または、**40**歳以上**64**歳未満の人（第2号被保険者）で特定疾病に罹患している場合であり、Aさんは該当する。基本的には本人とその家族が申請を行うが、本人の来所が難しい場合は、代理人が

申請することもできる。申請して訪問調査や主治医の意見書により審査・判定を受ける。要支援1・2、要介護1～5と認定されれば、介護サービス計画書の作成を行い、介護保険サービスを受けることができる。

なお、非該当の場合は介護保険サービスの利用はできない。

2．✕ Aさんの希望で訪問回数を変更することは**できない**。基本的に、主治医が交付した**訪問看護指示書**及び訪問看護ステーションが立案した**訪問看護計画書**に基づき、保健師、助産師、看護師、准看護師、理学療法士、作業療法士または言語聴覚士が行った訪問看護について、1人につき、週**3**日を限度としている。

ただし、厚生労働大臣が定める疾病等と、特別管理加算の対象者、急性増悪等により**主治医**が一時的に頻回の訪問看護が必要と認めた場合の特別訪問看護指示書の指示期間では、訪問看護の回数を週**4**日以上とすることができる。

3．✕ 訪問看護における重要事項説明書には、「緊急時に訪問看護を実施する」旨の記載があり、**利用者**がそのサービスの提供を**希望**する場合、緊急時の訪問に関しての説明と**利用者の同意**を得る必要がある。このような手続きを行わずに看護師の判断だけで訪問しても、「緊急時訪問看護加算」における加算要件を満たしていないと判断され、報酬は得られない。

4．✕ 医療保険による訪問看護は週**3**日を限度として算定している。しかし、厚生労働大臣が定める疾病等と**特別管理加算**の対象、特別訪問看護指示書の指示期間では毎日の訪問看護が可能であり、さらに、1日複数回の訪問看護を利用することができる。介護保険の場合は、介護支援専門員が作成した**ケアプラン**の範囲内であれば1日複数回のサービス利用が可能である。

問題 93 〔解答〕 **3・5** 出題基準 II-6-B 主な疾患等に応じた在宅看護 ⑤肢

☐☐ 頻出度 Ⓐ 難易度 Ⓐ

1．✕ 医療用麻薬を初めて使用する場合は、麻薬中毒になるのではないかなど、不安や心配を抱える場合がある。Aさんは、退院後3か月経過しているが医療用麻薬を使用していないことから、疼痛時でも使用することをためらっている可能性がある。使用を勧める前に、まずは、医療用麻薬を使用することについての療養者と家族の**思いを聞く**必要がある。

2．✕ 可燃ごみとして破棄しては**ならない**。不要となった医療用麻薬は、交付を受けた麻薬診療施設または

麻薬小売業者に持参するか、近くの麻薬診療施設、麻薬小売業者に持参するように指導する。

3．○ 2時間の作業についてどのような環境、姿勢で実施しているのかなど状況確認と、その時の呼吸困難発生状況や対応などを確認することは**重要である**。園芸を楽しむあまり、集中しすぎて体調への気配りができていない可能性もあり、身体症状がなぜ生じているのかアセスメントを行う。

4．✕ 腰痛や呼吸困難に対して腰痛症のリハビリテーションや呼吸リハビリテーションが効果をもたらす可能性もある。しかし、現時点では十分に腰痛と呼吸困難のアセスメントがされておらず、優先すべきでは**ない**。まずは、理学療法士の意見を聞き、訪問看護ステーション内で看護の方向性を検討することが必要である。

また、Aさんは医療保険で訪問看護を利用しており、主治医の訪問看護指示書の交付を受けて、有効期間内に指示書と訪問看護計画に基づいて訪問看護が実施される。そのため、**理学療法士**による訪問看護の必要性を主治医に伝え依頼する等、療養者の状況に対応した医療を提供できるように、目的と情報を共有する必要がある。

5．○ 痛みの評価を行うことは、医療者間で認識の一致に**有用である**。また、療養者の痛みの程度を理解することになる。

問題 94 〔解答〕 **1** 出題基準 I-3-A 在宅療養者の日常生活における安全管理

☐☐ 頻出度 Ⓑ 難易度 Ⓒ

1．○ 滑り止めのないラグは転倒の原因と**なる**。転倒の予防には段差の有無のみではなく、**足元**の環境にも配慮が必要である。ラグに**滑り止め**がついているか、床が濡れていないか、物が散乱していないか、など多角的な視点からアセスメントが必要である。

2．✕ 玄関の上がり框は段差があることが多く、**屋内外**を行き来する場合は注意が必要である。本問は寝室の隣にあるトイレへの移動であり、リスクが最も高いとは言えない。

3．✕ 廊下やトイレ、浴室など手すりの取り付けは、転倒のリスク回避に有用で**ある**。

4．✕ 転倒予防のために、足元部分の**照明**の活用も重要である。

問題 95 〔解答〕**3**　出題基準 Ⅱ-6-C 主な治療等に応じた在宅看護

頻出度 **B**　難易度 **B**

1．✕　投与時間は、看護師の都合ではなく、<u>療養者や</u><u>その家族</u>の生活状況に合わせて注入時刻を検討する必要がある。

2．✕　皮下埋め込み式ポートは、穿刺針を<u>抜去</u>すれば入浴も可能である。

3．○　皮下埋め込み式ポート留置時の感染は、重大な合併症を引き起こすことがある。<u>敗血症</u>を生じる可能性もあるため、発熱を認めた場合は<u>早急に対応</u>が必要である。

4．✕　経口摂取を禁止にする必要は<u>ない</u>。経口摂取が<u>できない</u>、または<u>不十分</u>な状態の場合に、在宅中心静脈栄養法の適応となる。

問題 96 〔解答〕**4**　出題基準 Ⅱ-5-A 病期に応じた在宅療養者への看護

頻出度 **A**　難易度 **B**

1．✕
2．✕
3．✕
4．○

看護師は療養者本人の<u>意思を尊重</u>し<u>権利を擁護</u>する立場で、家族成員も納得できる意思決定ができるよう支援していく必要がある。前提として、療養者であるＡさん及び主介護者の夫は同様の希望を持っている。夫は、Ａさんの状態の変化と娘の発言に伴い、気持ちに揺れが生じている状態であるため、看護師はいずれかの主張を支持する立場ではなく、家族で話し合い、お互いに納得のいく方向に進むよう<u>調整すること</u>が求められる。

問題 97 〔解答〕**1**　出題基準 Ⅶ-15-A 血糖調節機能障害

頻出度 **A**　難易度 **B**

1．○　尿中に糖が出現することにより、高浸透圧物質として水分の再吸収が<u>抑制</u>されるため、尿量が<u>増加</u>する。

2．✕　２型糖尿病は、<u>インスリン分泌障害</u>とインスリン抵抗性の<u>増大</u>（インスリン感受性の低下）が原因である。

3．✕　グリコヘモグロビン〈HbA1c〉は<u>過去１〜２か</u><u>月</u>の血糖コントロールの指標となる。

4．✕　糖尿病性神経障害では、下肢の指など<u>末梢のし</u><u>びれ</u>が特徴となる。

問題 98 〔解答〕**4**　出題基準 Ⅶ-15-A 血糖調節機能障害

頻出度 **B**　難易度 **C**

1．✕　運動はインスリン注射が開始されても、<u>継続で</u><u>きる</u>。ただし、<u>低血糖症状</u>の出現に注意が必要となる。

2．✕　下肢の観察は<u>毎日</u>実施することが望ましい。

3．✕　アルコールは、インスリンの作用に影響を与えるため、原則<u>禁酒</u>が望ましいとされているが、コントロールが良好な場合は、医師との相談の上、<u>摂取すること</u><u>も</u><u>可能</u>である。

4．○　エネルギー量の<u>50〜60％</u>を<u>炭水化物</u>から摂取することが望ましいとされている。

問題 99 〔解答〕**3**　出題基準 Ⅶ-15-C インスリン補充療法

頻出度 **C**　難易度 **B**

1．✕　中間型インスリンを投与している患者では、食事の内容が普段と変わっても<u>継続して使用する</u>ことが望ましい。

2．✕　ペン型インスリンの針は<u>2回</u>まで繰り返し使用できるとされている。

3．○　消毒綿がなくても、インスリン注射をすることは<u>可能</u>である。

4．✕　ペン型インスリン注射器に入っているインスリンの効果は<u>異なる</u>。また、他者との共有は<u>感染症の原因</u>となる。

問題 100 〔解答〕**2**　出題基準 Ⅶ-15-C 甲状腺切除術

頻出度 **B**　難易度 **A**

1．✕　頸部の手術の場合、術後に吐き気・嘔吐がみられることが多い。嘔吐時に努責をすると頸部の動・静脈圧が上昇し出血しやすくなるため、吐き気を訴えたら<u>薬</u><u>物</u>で制吐する。

2．○　術後出血で危険なことは、頸部からの出血による気管の圧迫からくる<u>呼吸困難・窒息</u>であり、緊急性は高い。

3．✕　ドレーンからの排液は通常、<u>血性</u>、<u>淡血性</u>、<u>淡</u><u>黄色</u>と変化していく。Ａさんの術直後の排液は血性な

ので、今のところ**問題はない**と判断できる。

４．✕　術後の体温上昇は術後の生体反応として一時的にみられる。ただし、発熱（**38.0℃以上**）、頻脈（130回／分以上）、中枢神経症状（不穏、せん妄など）、消化器症状（嘔気・嘔吐、下痢など）など、**甲状腺クリーゼ**には注意が必要である。

問題101〔解答〕**1**　出題基準 Ⅶ-15-C 甲状腺切除術　□ □　頻出度 Ⓐ　難易度 Ⓐ

１．○　術直後は一定時間、**頸部を動かさず安静を保つ**必要がある。創部の安静が保てるよう頸部と体幹が同時に一直線のまま動くようにする。

２．✕　**反回・咽頭神経麻痺**の有無をみるため、発声の状態、嗄声の有無の確認が必要である。

３．✕　甲状腺クリーゼが出現した場合は悪化を防ぐため、室内を静かにし、光を**遮り暗くする**など、外界からの**刺激を避ける**。

４．✕　副甲状腺の摘出や血流障害によって、副甲状腺機能の低下を起こすことがある。**血清Ca**値の低下によって、疼痛を伴う筋の強直性けいれん（**テタニー症状**）を起こすことがあるため、しびれ等の出現があった場合は**すぐに医師に相談**する。

問題102〔解答〕**3**　出題基準 Ⅶ-15-C 甲状腺切除術　□ □　頻出度 Ⓑ　難易度 Ⓐ

１．✕　退院後１週目からテープを貼ったままで**入浴は可能**である。創部が濡れた場合は乾いたタオルでそっと拭く。

２．✕　手術後、１か月以内は甲状腺ホルモンの状態により血液がとまりにくくなる場合があるため、必ず**医師に相談**してから行う。

３．○　左右の安全確認がしっかりできるようになるまでは、車や自転車などの**運転は控える**。

４．✕　手術後半年〜１年くらい、甲状腺機能が低下することがあるため、妊娠については必ず**医師に相談**する。

問題103〔解答〕**4**　出題基準 Ⅱ-6-H 高齢者の薬物動態の特徴　□ □　頻出度 Ⓑ　難易度 Ⓒ

１．✕　利尿薬の副作用としては**脱水**や**低カリウム血**

症、低ナトリウム血症がある。

２．✕　カルシウム拮抗薬などの高血圧治療薬は**低血圧**による**ふらつき**に注意が必要である。

３．✕　ビスホスホネート（**骨粗鬆症治療薬**）は**顎骨壊死**や**消化性潰瘍**などの副作用がある。

４．○　抗パーキンソン薬（レボドパなど）の主な副作用には**幻覚**、**興奮**、**抑うつ**、**起立性低血圧**がある。

問題104〔解答〕**4**　出題基準 Ⅱ-6-B 急性期における高齢者の看護　□ □　頻出度 Ⓑ　難易度 Ⓒ

１．✕　書面にするのはよいが、白内障の程度によっては**みえない可能性**がある。口頭、書面の両方を用いて理解できる説明をする必要がある。

２．✕　手術直後は**安静**が必要である。術後の洗髪や洗顔、入浴などは医師の許可が下りるまで控える。

３．✕　本人に説明し、家族には付き添ってもらう。**インフォームド・コンセント**が必ず必要となる。

４．○　手術後は感染防止のため**抗生剤の点眼**、**目を押さえない**、**保護メガネ**を使用するなどの指導が必要となる。

問題105〔解答〕**4**　出題基準 Ⅱ-5-C 身体機能・認知機能に応じた食事と食生活の支援　□ □　頻出度 Ⓒ　難易度 Ⓒ

１．✕　まずは本人の**咀嚼能力**に合わせた**食事調整**をし、それでも不十分な場合はサプリメントの使用も考慮する。

２．✕　主食は、米、パンであるため、炭水化物は**十分に摂取できている**。

３．✕　Aさんは食事に時間がかかり、総義歯を使用していないこともあるなど、肉や魚などの蛋白質や総エネルギー量が不足がちと思われる。高齢者の食事は蛋白質が不足しがちであり、**PEM〈蛋白質・エネルギー低栄養状態〉**を招きやすいので、控えるのではなく、**摂取**するよう勧める。

４．○　Aさんが食事に時間がかかり、総義歯を使用しないこともあるのは、義歯の調整に問題がある可能性があるため、歯科の受診を勧める。高齢者は**歯牙の欠損**や**咀嚼力の低下**を招きやすい。義歯の調整や残存歯を多く残すためにも、定期的な歯科受診が必要である。

問題106 〔解答〕 **2**　

出題基準 Ⅱ-4-B 検査・処置を受ける子どもと家族への支援

頻出度 Ⅽ　難易度 Ⅽ

１．✕　子どもの入院環境は、**安全**に配慮しながら好きな**おもちゃ**を身近に置いたりすることで、その子らしく安心して落ち着いて過ごせる空間が確保されるようにしていく。Aちゃんに入院生活に慣れてもらうためにも、細かいものや尖ったものなど危険なおもちゃでなければ、すべて持ち帰ってもらう必要はない。

２．◯　入院に対する緊張を緩和するため、母親から聞いたニックネームで呼びかけ自己紹介することは入院環境になじめるような配慮につながる。看護師は**親しみやすい雰囲気**で接し、子どもとよい関係を築き信頼を得るように努める必要がある。

３．✕　病棟内を知ってもらい**不安**を少しでも**軽減**するために、この説明は不適切である。

４．✕　これから臨む手術を受け入れる**心理的準備**のために、母親のみでなくＡちゃんの言語的説明の理解度を確認しながら説明する必要がある。

問題107 〔解答〕 **3**

出題基準 Ⅱ-4-B 子どもへの説明と同意

頻出度 Ⅽ　難易度 Ⅾ

１．✕　「全身麻酔」や「アデノイド」「切除」という専門用語については経験がない言葉が多いことから、**イメージ**しにくく、理解できないことが多い。5歳のＡちゃんにとって**わかりやすい言葉**を選択する必要がある。

２．✕　手術時を**イメージ**しやすい説明であるが、質問に対する答えとしては不適切である。

３．◯　手術や検査などに子ども自身が主体的に取り組めるように、情報提供や模擬体験をして心理的準備の援助をすることを**プレパレーション**という。看護師は、**わかりやすい言葉**や**絵本**を使って説明する工夫が必要である。

４．✕　両親がいることで精神的な苦痛や緊張が軽減できることも多くあるが、質問に対する答えとしては**不適切**である。

問題108 〔解答〕 **4**　

出題基準 Ⅳ-7-C 退院に向けての援助

頻出度 Ⅾ　難易度 Ⅾ

１．✕　術後１日目は**吸収熱**として発熱がみられる場合

があるが、退院後は**創部の感染**や別の合併症の可能性もあるため受診してもらう方がよい。

２．✕　咽頭の痛みが持続することもあるが、１週間以上持続したり増強してきたりして食事が十分にとれない場合は**受診してもらう**方がよい。

３．✕　発熱などの症状がなければ、毎日**清拭**としなくても**シャワー浴**は可能である。

４．◯　創部からの**出血を予防**するため、**硬いものや刺激のある食べもの**は避ける必要がある。

５．✕　歯磨き時に咽頭部の創部を損傷し**出血**するのを予防することは大切であるが、**感染予防**のため食後の**歯磨き**は大切である。

問題109 〔解答〕 **3**　

出題基準 Ⅳ-7-A 急性的な経過をたどる疾患の特徴と治療　5肢

頻出度 Ⓑ　難易度 Ⅾ

１．✕　肝臓は右上腹部に位置する臓器で、肝臓の腫大により**右肋骨**の下が膨らんでみえたり、肝臓に触れたりすることがあるが、A君の症状には肝臓の腫大を示唆するものがない。

２．✕　大泉門の膨隆は、新生児や乳幼児において脳圧が上昇することで起こり得る症状であるが、A君の年齢（7歳）では大泉門は既に閉じており、この症状は**当てはまらない**。

３．◯　Kernig（ケルニッヒ）徴候は、**髄膜炎**の際に見られる髄膜刺激症状の一つである。股関節を90°に**屈曲**させると下腿が伸びず痛みを伴い、膝関節を伸ばすことができない状態である。A君は髄膜炎が疑われる症状を**示しており**、Kernig 徴候はこの状態を示唆する可能性がある。

４．✕　眼瞼腫脹（がんけん）は炎症や感染、**アレルギー**、**体液過剰**などによって引き起こされる症状であるが、A君の症状からは眼瞼腫脹は**考えにくい**。

５．✕　呻吟（しんぎん）は呼気時に起こる**低い短いうめき声**を指すが、A君の症状からは呻吟は考えにくく、呻吟自体が髄膜炎の診断に直接関連する徴候では**ない**。

問題110 〔解答〕 **4**　

出題基準 Ⅱ-5-A 腰椎穿刺

頻出度 Ⓐ　難易度 Ⓐ

１．✕　A君にしっかり言い聞かせることは重要な指示であるが、特に小児患者に対しては、**痛みや不安**から体を動かさずに静止していることが難しい可能性があるた

め、最も適切な対応とは言えない。

2．× 腰椎穿刺では、**心拍モニター**による基本的な**モニタリング**は重要であるが、それだけでは不十分である。正確な**体位調整**や**鎮静薬**の使用に備えて、患者の全身状態や呼吸状態を観察するために**パルスオキシメーター**の準備も必要である。

3．× 検査中のA君の**顔色の観察**を家族に依頼することは、患児の状態を把握する上で重要ではあるが、腰椎穿刺の技術的な実施や介助においては**医療従事者**の役割が優先される。

4．○ 腰椎穿刺を行う際には、患児が**側臥位**で膝を腹部に引き寄せ、頭は臍が見えるように前屈し**背中を丸めた**姿勢を取る。この姿勢により脊椎の椎間が広がり、**穿刺針**が脊髄腔に入りやすくなり、**合併症**のリスクが低減される。

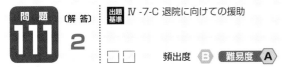

問題111 〔解答〕**2**　出題基準 Ⅳ-7-C 退院に向けての援助

頻出度 **B**　難易度 **A**

1．× 流行性耳下腺炎（おたふくかぜ）の潜伏期間は**2～3週間**であり、A君の発症から5日以内にBちゃんにワクチン接種を行っても、すでに感染している可能性が高いため、感染予防効果は期待**できない**。

2．○ おたふくかぜの合併症として、**難聴**を発症する可能性がある。**感音性難聴**を一側性に急性発症し、高度になることもあるため、退院後も聴力の変化に注意を払う必要がある。

3．× おたふくかぜの合併症である**精巣炎**は、主に**思春期以降**の男性で発症リスクが高くなるため、7歳のA君では精巣炎の可能性は低く、退院時の説明としての優先度は**低い**。

4．× おたふくかぜの出席停止期間は、耳下腺等の腫脹発現後**5日**を経過し**全身状態**が良好になるまでと定められているため、退院後**10**日間の登園禁止は過剰な対応であり適切で**ない**。

問題112 〔解答〕**2**　出題基準 Ⅲ-5-D 前期破水

頻出度 **B**　難易度 **B**

1．× 分娩開始は、**陣痛**が**10分**ごとに規則正しく起こる、または**1時間**に**6回**発来した時点をいう。Aさんの場合、陣痛は規則正しく起きているが、陣痛間隔が**15～20分**と長いため、分娩が開始されているといえ

ない。

2．○ **分娩開始前**の破水なので、前期破水である。

3．× **ビショップスコア**とは、内診所見の**子宮口開大**度、展退度、**児頭下降度**、子宮口硬度、子宮口位置の5因子をそれぞれ0～3点（ただし、子宮口硬度及び子宮口位置は0～2点）で点数化し、**頸管成熟度を評価する指標**である。**13**点満点で得点が高くなるほど頸管が成熟していることを示す。Aさんの場合、子宮口開大度**2**点、展退度**3**点、児頭下降度**2**点、子宮口硬度**2**点、子宮口位置**1**点の合計**10**点であり、頸管熟化が進んでいる。

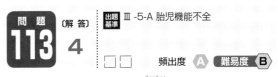 〈ビショップスコア〉

点数 因子	0	1	2	3
子宮口開大度 （cm）	0	1～2	3～4	5～6
展退度(%)	0～30	40～50	60～70	80～
児頭下降度	−3	−2	−1～0	＋1～＋2
子宮口硬度	硬	中	軟	―
子宮口位置	後方	中央	前方	―

4．× 胎児心拍数基線は**110～160**bpm が正常脈である。

問題113 〔解答〕**4**　出題基準 Ⅲ-5-A 胎児機能不全

頻出度 **A**　難易度 **B**

1．× 変動一過性徐脈では**臍帯の圧迫**により胎児は低酸素状態のため、酸素投与が必要であるが、まずは体位変換によって**圧迫**を除去することが優先される。

2．× 医師への報告は必要であるが、体位変換をして**原因の除去**を行うことが優先される。

3．× **変動一過性徐脈**がある場合、腰痛マッサージによる産痛緩和は優先順位が低い。

頻出

4．○ 体位変換を行い、早急に**臍帯圧迫**の除去を行う。

問題114 〔解答〕**2**　出題基準 Ⅲ-7-A 新生児一過性多呼吸〈TTN〉、呼吸窮迫症候群〈RDS〉、胎便吸引症候群〈MAS〉、新生児ビタミンK欠乏症

頻出度 **A**　難易度 **A**

1．× 呼吸窮迫症候群〈RDS〉は、**肺サーファクタントの欠乏**により、肺胞の表面張力が低下し、呼気時に肺が虚脱するために生じる。**低出生体重児**に多い。

2．○ 羊水混濁があり、**胎便吸引症候群**が生じやすい

状況である。

胎便吸引症候群とは、胎児が胎便が混じった羊水を気管内に吸い込むことで生じる、呼吸障害です。

3．✕ 新生児一過性多呼吸は、<u>出生時の肺水吸収の遅延</u>による一過性の呼吸障害をいう。<u>帝王切開児</u>に多く、これは胸郭の圧迫による肺水の除去や、陣痛に伴うストレスがないためカテコールアミンやステロイドの分泌が少ないなどが原因である。

4．✕ 新生児メレナとは、<u>ビタミンK</u>の欠乏による<u>新生児消化管出血</u>をいう。下血や吐血の症状がみられる。症例ではこれらの症状は確認できない。

問題115　〔解答〕　**2**

出題基準 Ⅳ-4-G 精神科訪問看護、訪問看護

頻出度 **A**　難易度 **B**

1．✕ Aさんは現在、日常生活が<u>自立</u>しているので、訪問介護は必要ない。

2．○ Aさんの服薬に対する否定的な発言や、睡眠が不規則になるといった状況から、精神科訪問看護の必要性が<u>ある</u>。

3．✕ 訪問リハビリテーションは、介護保険のサービスである。Aさんは40歳なので、要介護認定を受けること自体が<u>難しく</u>、適切とはいえない。

4．✕ Aさんの就労希望に関する情報がないため適切ではない。就労移行支援は、一般企業での就労を目ざす<u>65歳未満</u>の障害者で、通常の事業所に雇用されることが<u>可能</u>と見込まれる者に、おおむね2年を限度に、就労のための支援を行う。Aさんは入院期間が長いため、いきなり一般企業の就労を目指すことは現実的ではない。

問題116　〔解答〕　**3**

出題基準 Ⅳ-4-E 家族への教育的介入と支援

頻出度 **A**　難易度 **C**

1．✕ Aさん自身が入院を希望しているのかわからない。また、この相談内容だけでは入院が必要かどうか<u>判断できない</u>。

2．✕ Aさんの就労についての考えがわからないため、適切とは<u>いえない</u>。

3．○ 精神疾患の多くは慢性に経過するため、家族は不安や葛藤を生じやすく、自らの希望や期待を押しつけてしまうことがある。選択肢のようにまずは<u>本人の考え</u>を問うことは、患者や家族のサポートにつながる。

4．✕ 1日中家の中で何もせず過ごしているという問題はあるが、薬物調整が必要な状態とまでは判断<u>できない</u>。幻覚や妄想などの精神症状が悪化している場合や、薬の副作用が認められる場合には薬剤調整が必要である。

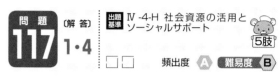

問題117　〔解答〕　**1・4**

出題基準 Ⅳ-4-H 社会資源の活用とソーシャルサポート

5肢

頻出度 **A**　難易度 **B**

1．○ 自立訓練（生活訓練）とは「障害者の日常生活及び社会生活を総合的に支援するための法律〈障害者総合支援法〉」のサービスで、障害者が自立した日常生活ができるように一定期間<u>通所</u>して、身体機能または生活能力向上のための訓練を行う。

2．✕ 小規模多機能型居宅介護は<u>介護保険</u>のサービスで、要介護者が在宅での生活を継続できるように、通所、短期宿泊、自宅訪問等が提供される。Aさんの年齢や状態では要介護認定を受けることは難しい。

3．✕ 短期入所〈ショートステイ〉は、<u>介護者</u>の休養などを目的に短期間入所して介護を受けるサービスであり、この場合には適さない。

4．○ 共同生活援助〈グループホーム〉とは、<u>共同生活</u>の住居で障害者に<u>相談</u>や<u>日常生活</u>支援を提供し、地域生活への移行を支援するものである。単身生活の経験がなく、実家を出て生活したいAさんにとって、状況に適した選択肢である。

ひっかけ

5．✕ 就労継続支援A型は、<u>雇用</u>契約に基づく就労で、<u>65歳未満</u>が対象である。Aさんの就労希望についての考えがわからないため、この選択肢は適さない。仮に就労希望があった場合、就労経験のないAさんには、雇用契約を結ばずに比較的自由に働ける就労継続支援B型が適している。

問題118　〔解答〕　**4**

出題基準 Ⅱ-2-A 災害時の医療体制

頻出度 **B**　難易度 **C**

トリアージは、多数の傷病者が発生した場合に、傷病者の緊急度や重症度に応じて適切な処置や搬送を行うための優先順位を決めることを目的として実施される。

トリアージの方法の1つであるSTART法は、以下のフローチャートに従って、対象者を評価する。

〈トリアージの START 法〉

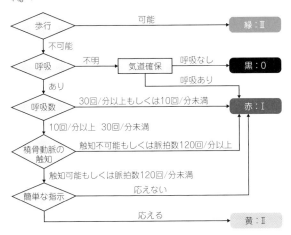

1．✕ 出血があるものの、歩いて来院できていることから、トリアージ区分は、**緑**（区分Ⅲ：治療不要・軽処置群）である。

2．✕ 気道確保しても自発呼吸がないため、トリアージ区分は**黒**（区分0：死亡・救命困難群）である。

3．✕ 歩行ができないこと、呼吸回数が5回／分と少なく、簡単な指示に応じることができないため、トリアージ区分は**赤**（区分Ⅰ：最優先治療群）である。

4．〇 歩行はできないものの、呼吸回数が30回／分以上、10回/分未満ではなく、橈骨動脈の触知が可能で脈拍数は120回/分未満であること、簡単な指示に応じることができているため、トリアージ区分は**黄**（区分Ⅱ・待機的治療群）である。

問題 **119** 〔解 答〕 **1**　出題基準 Ⅱ-2-B 災害時に生じやすい健康被害の特徴

□ □　頻出度 **C**　難易度 **B**

Bさんは、両下肢が長時間圧迫されており腫脹等があること、赤褐色尿がみられることから、挫滅症候群（クラッシュ症候群）になっていると考えられる。挫滅症候群（クラッシュ症候群）は、損傷した筋肉組織から生じた**カリウム**や**クレアチンキナーゼ**が血流の再開とともに全身に放出され、**高カリウム血症**等を引き起こす。

1．〇 損傷した筋組織から全身へ**カリウム**が放出されるため、血清カリウムは高値と**なる**。

2．✕ 損傷した筋組織から全身へ**クレアチンキナーゼ**が放出されるため、クレアチンキナーゼは高値と**なる**。

3．✕ HbA1C は糖尿病における血糖コントロール状態を判別する指標であり、過去1〜2か月の血糖値の状態を知ることができる。挫滅症候群（クラッシュ症候群）

で高値には**ならない**。

4．✕ 挫滅症候群（クラッシュ症候群）により血中のカルシウム値は高値とは**ならない**。

問題 **120** 〔解 答〕 **4**　出題基準 Ⅱ-2-A 災害時の医療体制

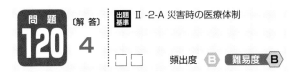

□ □　頻出度 **B**　難易度 **B**

DMAT（災害派遣医療チーム）は、災害急性期に活動できる機動性を持った医療チームである。DMAT は、医師や看護師、業務調整員等で構成され、大規模災害などの現場に急性期から活動できる機動性を持っている。

1．✕ DMAT は、地域・広域医療搬送・病院支援・現場活動などを主な活動としており、傷病者の搬送も活動の一環と**なる**。

2．✕ 心的外傷後ストレス障害〈PTSD〉は、症状が**1か月**以上持続した場合に診断される。そのため、DMAT の活動には含まれ**ない**。被災者の精神面への支援では、専門性の高い精神科医療の提供を行う DPAT（災害派遣精神医療チーム）等が派遣される。

3．✕ DMAT の活動期間は、移動時間を除き概ね**48時間**以内が基本となる。

4．〇 DMAT は、被災地での資材調達を必要としない「**自己完結型**」の活動を行う。

非選択式の計算問題（模擬試験の第1回午後の問題89、問題90、第2回午後の問題89、問題90）は、2つ（または3つ）の数字を選んでひとつの答になるパターンの問題です。毎年、出題されていますので、出題形式に慣れるようにしましょう。

弱点チェックメモ

◆ **必修問題** ◆

◆ **一般問題** ◆

◆ **状況設定問題** ◆

1回目に間違えた問題を、
メモしておいてね。
2回目は正解できるように
がんばってください。

第二回 模擬試験 午前 解答一覧

番号	解答番号	番号	解答番号	番号	解答番号
1	3	41	3	81	2・5
2	4	42	3	82	2・4
3	3	43	4	83	3・5
4	4	44	4	84	2・3
5	1	45	4	85	3・5
6	4	46	3	86	1・5
7	3	47	2	87	2・4
8	3	48	4	88	2・5
9	3	49	1	89	3・5
10	1	50	4	90	4・5
11	2	51	4	91	4
12	2	52	4	92	4
13	4	53	2	93	2・3
14	3	54	4	94	4
15	2	55	2	95	1
16	3	56	2	96	4
17	3	57	1	97	1
18	4	58	1	98	2
19	2	59	4	99	1
20	4	60	1	100	1
21	3	61	1	101	3
22	3	62	2	102	2
23	1	63	1	103	2
24	1	64	2	104	2
25	2	65	2	105	1
26	2	66	4	106	4
27	3	67	2	107	4
28	3	68	4	108	4
29	4	69	3	109	2・3
30	3	70	2	110	4
31	4	71	3	111	3
32	3	72	4	112	1
33	4	73	4	113	1
34	2	74	1	114	1
35	3	75	5	115	3
36	1	76	2・3	116	2
37	2	77	1・4	117	1
38	2	78	1・4	118	4
39	1	79	1・3	119	1
40	3	80	3	120	4

問題 1 〔解答〕 **3**

□ □ 　頻出度 Ⅽ 　難易度 Ⅽ

1．✕

2．✕

3．〇

4．✕

厚生労働省「国民生活基礎調査」による世帯構造別にみた世帯数は、どの世帯数も小幅な増加と減少を繰り返して推移してきているが、平成10年と比べると「単独世帯」「夫婦のみの世帯」「ひとり親と未婚の子のみの世帯」は**増加**し、「夫婦と未婚の子のみの世帯」は**減少**している。なお、令和3（2021）年の世帯総数は5,191万4千世帯、1世帯あたり平均世帯人員は2.37人となっている。

 〈世帯構造別にみた世帯数の推移〉

単位：％

年	単独世帯	夫婦のみの世帯	夫婦と未婚の子のみの世帯	ひとり親と未婚の子のみの世帯
平成10年	23.9	19.7	33.6	5.3
平成16年	23.4	21.9	32.7	6.0
平成22年	25.5	22.6	30.7	6.5
平成28年	26.9	23.7	29.5	7.3
令和元年	28.8	24.4	28.4	7.0
令和3年	29.5	24.5	27.5	7.1

問題 2 〔解答〕 **4**

□ □ 　頻出度 Ⓐ 　難易度 Ⓐ

1．✕　BMIが**18.5**未満をやせ、**25.0**以上を肥満としている（日本肥満学会）。

2．✕　炭水化物の摂取基準は総エネルギーの**50**％以上**65**％未満が目標である。

3．✕　メタボリックシンドロームは過食と運動不足などの生活習慣によって生じる**内臓脂肪蓄積**が原因である。

4．〇　設問のとおり。ナトリウム濃度の上昇は血圧上昇だけでなく、心筋をはじめとした筋肉にも影響を及ぼす。その結果**不整脈**や**心伝導障害**等を起こす。

問題 3 〔解答〕 **3**

□ □ 　頻出度 Ⅽ 　難易度 Ⅽ

1．✕　日本の労働災害による死傷者数は、昭和36年をピークに長期的にみると**減少傾向**となっている。令和4年の休業4日以上の死傷者数は、**132,355人**で、前年より17,563人**減少**している。

2．✕　近年の業務上疾病の発生状況は、**増減を繰り返している**。令和3年の疾病の内訳は災害性腰痛が**20.8**％、物理的因子による疾病が2.7％、作業態様による疾病1.5％の状況である。なお、令和3年は新型コロナウイルス感染症の拡大により、一昨年までと数値が大幅に変わっている。

3．〇　精神障害の認定数は、平成22年以降、脳・心臓疾患の認定数を**上回っている**。

4．✕　石綿による肺がん・中皮腫の労災保険給付支給決定件数の年次推移では、平成16年以降急激に**増加**し、平成18年にピークとなった。なお、その後は年により増減はあるものの、**減少**傾向にあり、令和4年の労災保険給付支給決定件数は、肺がん418件、中皮腫596件である。

問題 4 〔解答〕 **4**

□ □ 　頻出度 Ⓑ 　難易度 Ⓑ

1．✕　国民医療費は、その推計額は年々**増加**の一途をたどっている。昭和36年度以降は特に増加が著しく、昭和40年度は1兆円、昭和53年度は**10兆円**を超えている。令和2年度は前年度より1兆4,320億円減少し、**42兆9,665億円**となった。

 〈国民医療費の推移〉

単位：億円

年度	国民医療費	年度	国民医療費
昭和29年度	2,152	平成17年度	331,289
昭和40年度	11,224	令和2年度	429,665

2．✕　国民医療費の国内総生産に対する比率は、昭和30年度の2.78％から**上昇**傾向を示し、昭和50年度は4.25％、平成7年度は5.22％、平成17年度6.30％、平成22年度7.49％と上昇して、平成27年度には7.95％、令和2年度には**8.02**％となった。

3．✕　人口1人あたりの国民医療費は昭和30年度2,700円から昭和40年度1万1,400円、昭和50年度5万7,900円、昭和60年度13万2,300円、平成7年度21

万4,700円、平成27年度には33万3,300円、令和2年度には**34万600**円となった。

4．○ 国民医療費の国民所得に対する比率は、昭和30年度3.42%から年々**上昇**傾向を示し、平成21年度には**10.19%**となった。以降、10%以下になることはなく、令和2年度は**11.44%**となっている。

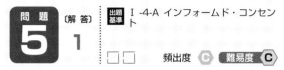

1．○ インフォームド・コンセントとは、患者の人権の尊重をもとに、医療職者の十分な説明と患者の同意、承諾を意味するものである。1975年に世界医師会が医の倫理に関する**ヘルシンキ宣言**にインフォームド・コンセント指針を盛り込み修正している。

2．× 1947年の「**ニュルンベルク綱領**」を倫理的原則としてインフォームド・コンセントという考え方が生み出された。「**看護者の倫理綱領**」は1988年に日本看護協会から出されたものである。

3．× 日本には医事法学や生命倫理学の研究者たちにより**1970**年代に入ってからインフォームド・コンセントが紹介されている。

4．× インフォームド・コンセントは、もともとは**医師の診療行為**をめぐる議論から生まれたものである。

1．× 身体的な面の生命の延長だけではなく、精神面、社会面、倫理面など総合的に判断される。その人が自分の人生、生活における**幸福感**を得られることや**満足**できることがQOLの向上につながる。

2．× QOLの基準は個人のもつ**価値観**や**人生観**である。

3．× QOLは、**生命の質**、**生活の質**、**人生の質**などと訳され、身体面、精神面、社会面からみて人間にとってよりよい状態である。

4．○ QOLは、その人の価値観や人生観を踏まえて、どの程度**自己実現**が達成されるか（幸福感、満足感など）によって判断される。

1．× 発達は**頭部**から**脚部**の方向へ一定の順序性と方向性をもっている。

2．× 成長・発達は身体の**中心部**から**末梢方向**へ向かって進行する。

3．○ 連続的な現象で、**一定の順序性**をもって進行する。

4．× 速度は**一定ではない**。急速に発達する時期や緩やかに発達する時期もある。また、器官によっても速度は**異なる**。

1．× 3か月頃は、人があやすと顔をみて**笑ったり**する。

2．× 5か月頃は、人の声や顔が**わかる**。

3．○ 6か月頃から恐怖の感情を示すようになり、**7〜8か月頃**には、特定の人と**見知らぬ人を識別**できるようになる。見知らぬ人に対して、恐怖として泣くなどの感情を表す。

4．× 12か月頃になると、自分の周囲の人たちに対して**親しさ**を感じるようになる。

1．× 3歳児では尿意や便意を訴えて一人でトイレに行けるが、後始末ができるのは**4歳以降**である。

2．× うがい・口をすすぐことができるようになるのは**4歳以降**である。

3．○ 3歳頃には**箸**を使う、シャンプーハットを使えば自分で髪を洗える、尿意や便意を訴えて**一人でトイレに行ける**などの生活習慣が身についていく。

4．× 3歳児では前のボタンをかけたり、服を一人で脱ぐことができるようになる。上着の前後を間違えずに着ることができるのは**4歳以降**である。

第二回 模擬試験 午前

〈基本的生活習慣〉

	食 事	清潔(身体・口腔)	排 泄	衣 服
1歳半〜	両手でコップや食器を持って、スープ等を飲める	石けんを使って手のひらをこすり合わせるようになる	大人の助けを借りて、パンツを下げトイレを使う	ズボンやスカートは足首まで脱げる
2歳〜	こぼさないで飲む	胸やおなかを洗い始める（洗髪は怖がることもあるため介助が必要）		一人で服を脱ごうとする
2歳半〜	食事のあいさつができるようになる　一人でだいたい食べられる	歯磨きは一人でできるようになるが仕上げ磨きが必要　短いブクブクができる	パンツをとれば一人で用がたせる（衣服の着脱、後始末は援助が必要）	一人で服を着ようとする　靴をはける
3歳〜	箸をつかう	髪はシャンプーハットなどを使用すれば自分で洗える　前歯と奥歯を磨き分けられる	尿意や便意を訴えて一人でトイレに行ける	前のボタンをかけられる服を一人で脱げる
4歳〜	こぼさず一人で食べられる	顔を洗って拭く　髪をとかすことができる　髪の毛、身体を一人で洗えるようになる　歯磨き・うがい・口をすすぐなどができるようになる	パンツを全部脱がなくても排泄ができるようになる　排便後の後始末もできるようになってくる	上着の前後を間違えず着ることができる
5歳	―	食後の歯磨き、外出後のうがい・手洗いなどが習慣化してくる	遊びに夢中になっても、おもらしをしなくなる	全部一人で脱ぎ、だいたい一人で着ることができるようになる

参考：『小児の発達と看護』メディカ出版

問題 10 〔解答〕 **1**

出題基準 Ⅲ-10-A 循環器系

□□ 頻出度 Ⓐ 難易度 Ⓒ

1．○ 心臓は胸腔の中央で左右の肺に挟まれた縦隔内にある。

2．✕ 心臓は拳ほどの大きさで丸みのある円錐状をしている。上部が心底部（心基部）であり、後方にやや傾いている。下部は尖った部分で心尖部と呼び、胸部の左前下に位置する。この心尖部の心拍動は左の第5肋間と乳頭腺が交差する周囲で触診することができる。

3．✕ 心室は高い圧力で血液を送り出す機能をもつ。したがって、心房の壁より厚い。左心室の壁は右心室の壁より約3倍の厚さがある。

4．✕ 心臓にある弁を心臓に戻る静脈血が流れる順番に示すと①右房室弁〈三尖弁〉、②肺動脈弁、肺から戻る③左房室弁〈僧帽弁〉、全身に動脈血を送る④大動脈

弁となる。右房室弁は心臓に戻った静脈血を右房室から右心室に送る際に機能する逆流防止弁である。

問題 11 〔解答〕 **2**

出題基準 Ⅲ-10-A 呼吸器系

□□ 頻出度 Ⓑ 難易度 Ⓐ

1．✕ 気管から分岐する2本の気管支のうち、右気管支は太く短い。また、傾斜も急でほぼ垂直に下りる。この構造により、気管支内に侵入した異物は右気管支に落ちやすい。

2．○ 肺胞内の酸素分圧は100mmHg、静脈血の酸素分圧は40mmHgである。この分圧差（濃度差）より高い方から低い方に、つまり肺胞から毛細血管内に物質移動がなされている。これを拡散という。

3．✕ 呼吸の際に機能する筋群は主に、横隔膜、外肋間筋、内肋間筋である。吸気時は、横隔膜が収縮して下降し、外肋間筋が収縮して肋骨が挙上すると、胸腔が拡大し肺への吸息が行われる。呼気時は、横隔膜が弛緩して挙上し、内肋間筋が収縮して肋骨が下制すると、胸腔は縮小し肺からの呼息が行われる。

4．✕ 延髄にある呼吸中枢は吸息中枢と呼息中枢に分かれている。

問題 12 〔解答〕 **2**

出題基準 Ⅲ-10-A 栄養と代謝系

□□ 頻出度 Ⓐ 難易度 Ⓑ

ここでは、日本人の食事摂取基準（2020年版）を参考に解説する。この基準は厚生労働省が定期的に示している食事摂取基準である。男女別、身体活動レベル別、年代別に示されており、栄養アセスメントをする際に非常に役立つ。

1．✕ 身体活動レベルⅠの場合、6〜7歳の男性では1,350kcal/日を必要とする。

2．○ 身体活動レベルⅠの場合、15〜17歳の男性では2,500kcal/日を必要とする。15〜17歳は身体活動レベルにかかわらず、最も多くのエネルギーを必要とし、ここをピークにエネルギー必要量が減少していく。

3．✕ 身体活動レベルⅠの場合、30〜49歳の男性では2,300kcal/日を必要とする。

4．✕ 身体活動レベルⅠの場合、75歳以上の男性では1,800kcal/日を必要とする。

 〈推定エネルギー必要量（Kcal/ 日）〉

	身体活動レベル					
	男性			女性		
	Ⅰ	Ⅱ	Ⅲ	Ⅰ	Ⅱ	Ⅲ
6〜7歳	1,350	1,550	1,750	1,250	1,450	1,650
8〜9歳	1,600	1,850	2,100	1,500	1,700	1,900
10〜11歳	1,950	2,250	2,500	1,850	2,100	2,350
12〜14歳	2,300	2,600	2,900	2,150	2,400	2,700
15〜17歳	2,500	2,800	3,150	2,050	2,300	2,550
18〜29歳	2,300	2,650	3,050	1,700	2,000	2,300
30〜49歳	2,300	2,700	3,050	1,750	2,050	2,350
50〜64歳	2,200	2,600	2,950	1,650	1,950	2,250
65〜74歳	2,050	2,400	2,750	1,550	1,850	2,100
75歳以上	1,800	2,100	−	1,400	1,650	−

※身体活動レベルは、低い、ふつう、高いの３つのレベルとして、それぞれⅠ、Ⅱ、Ⅲで示している。
参考：日本人の食事摂取基準（2020 年版）

問題 13 〔解答〕 **4**　出題基準 Ⅲ-10-A 泌尿器系

□□　頻出度 Ⓐ　難易度 Ⓐ

１．✕　膀胱の内容量は約 300 〜 450mL とされる。膀胱の内容量が 150 〜 300mL になる頃に尿意を感じ始め、400mL を超えると膀胱内圧が急激に上昇する。

２．✕　膀胱出口に存在する内尿道括約筋は**平滑筋**であり、意識的に収縮させることは**できない**（不随意筋）。一方、尿道周囲に存在する外尿道括約筋は**骨格筋**であり、意識的に収縮させることが**できる**（随意筋）。

３．✕　４．〇　膀胱壁の平滑筋は排尿筋と内尿道括約筋である。蓄尿反射は排尿筋を**弛緩**させて膀胱容量を増加させ、内尿道括約筋を**収縮**させて出口を封鎖しようとする。一方、排尿反射は排尿筋を**収縮**させて膀胱内の尿を押し出し、内尿道括約筋を弛緩させて排尿が起こる。つまり膀胱は尿をためておく（蓄尿する）機能と尿を出す（排尿する）機能をもつ。これら相反する機能が可能であるのは**交感神経**と**副交感神経**の両方に支配を受けているためである。

問題 14 〔解答〕 **3**　出題基準 Ⅲ-11-A 意識障害

□□　頻出度 Ⓑ　難易度 Ⓐ

１．✕　ジャパン・コーマ・スケール〈JCS〉において２桁の点数で表されるのは刺激すると**覚醒する**状態である。Ⅱ−20 は大きな声で呼びかける、あるいは身体を揺さぶることにより開眼する状態である。

２．✕　Ⅱ−30 は刺激すると**覚醒する**状態であり、痛み刺激を加えながら呼びかけを繰り返し行うことで**かろうじて**開眼する状態である。

３．〇　ジャパン・コーマ・スケール〈JCS〉において３桁の点数で表されるのは刺激を与えても**覚醒しない**状態である。Ⅲ−100 は覚醒せず、痛み刺激に対して、**払いのける**ような動作をする状態である。

４．✕　Ⅲ−200 は刺激を与えても**覚醒しない**状態であり、少し手足を動かしたり、顔をしかめたりする状態である。

〈ジャパン・コーマ・スケール〉

Ⅰ　覚醒している状態（１桁の点数で表現）	
1	だいたい清明だが、いまひとつはっきりしない
2	見当識障害がある（時、場所、人がわからない）
3	自分の名前、生年月日がいえない
Ⅱ　刺激すると覚醒する状態（２桁の点数で表現）	
10	ふつうの呼びかけで容易に開眼する
20	大きな声で呼びかける、あるいは身体を揺さぶることにより開眼する
30	痛み刺激を加えながら呼びかけを繰り返すと、かろうじて開眼する
Ⅲ　刺激しても覚醒しない状態（３桁の点数で表現）	
100	痛み刺激に対して、払いのけるような動作をする
200	痛み刺激に対して、手足を動かしたり、顔をしかめたりする
300	痛み刺激にまったく反応しない

さらに次のような症状に該当する場合には、それぞれの記号を付加する
R: 不穏状態　Ⅰ: 糞尿状態　A: 失外套状態・無動性無言

問題 15 〔解答〕 **2**　出題基準 Ⅲ-11-A 黄疸

□□　頻出度 Ⓐ　難易度 Ⓑ

１．✕　肝細胞で処理された**直接**ビリルビンは、胆汁に混ざって、胆管、腸管に排出される。閉塞性黄疸では胆道閉塞のため**直接**ビリルビンが腸へ排出されない状態であり、**直接**ビリルビンの上昇が認められる。間接ビリルビンの増加は**溶血**性黄疸や**体質**性黄疸でみられる。

２．○ 直接ビリルビンの上昇による黄疸になると、血液中に逆流した<u>胆汁酸</u>により、皮膚の神経<u>終末</u>を刺激しかゆみが生じると考えられる。かゆみの強さは、ビリルビンの量でなく、胆道閉塞による胆汁のうっ滞の程度と持続期間に左右される。

３．× 閉塞性黄疸ではビリルビンが腸管に排出されないため、便の褐色色素であるウロビリン体がなく、便の色が<u>灰色</u>っぽくなる（<u>灰白色便</u>）。

４．× 血液中の直接ビリルビンが増加し、腎臓でろ過され尿中にビリルビンが増加し尿の色調が濃くなる。この状態を<u>ビリルビン</u>尿という。

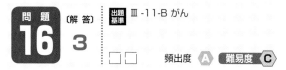

問題 **16** 〔解答〕 **3** 　出題基準 Ⅲ-11-B がん　　頻出度 Ⓐ 難易度 Ⓒ

生活習慣は悪性腫瘍の主要な原因である。国立がん研究センターは、日本人のがんの予防に重要な要因として、<u>喫煙</u>、<u>飲酒</u>、<u>食事</u>、身体活動、体形、感染の６つを取り上げ、「日本人のためのがん予防法」を示している。科学的根拠に基づくリスク評価では、膀胱がんのリスク要因は<u>喫煙</u>である。

１．× 野菜摂取不足は、<u>胃</u>がん、<u>食道</u>がん、<u>大腸</u>がんなどである。

２．× 運動不足は、<u>大腸</u>がん、<u>乳</u>がんなどである。

３．○ 喫煙は多くのがんのリスク要因である。<u>膀胱</u>がんのほか、肺がん、胃がん、食道がん、肝がん、膵がん、口腔がん、咽頭がん、子宮頸がん、腎がんなどである。

４．× 肥満は<u>食道</u>がん、<u>大腸</u>がん、<u>乳</u>がん（閉経後）、<u>腎</u>がんなどである。

問題 **17** 〔解答〕 **3** 　出題基準 Ⅲ-12-B 禁忌　　頻出度 Ⓐ 難易度 Ⓒ

１．×
２．×
３．○
４．×

β₂作動薬、キサンチン誘導体、抗コリン作動薬は、気管支を拡張する作用があり、気管支喘息患者には<u>有効</u>である。

β遮断薬は、気管支平滑筋を収縮させるため、気管支喘息患者には<u>禁忌</u>である。

問題 **18** 〔解答〕 **4** 　出題基準 Ⅳ-13-A 面接技法　　頻出度 Ⓒ 難易度 Ⓐ

１．× <u>面接</u>は、人と人が対面して一定の目的をもって話し合い、相談や情報交換をしたり、意思を伝えあったりする方法である。看護者が行う面接では<u>個人情報</u>を扱うことが多いため、プライバシーが<u>保てる場所</u>で行う必要がある。病室が<u>個室</u>の場合はプライバシーを保持できるが、<u>多床室</u>の場合はその限りではない。

２．× ロビーでは、他の話し声や人の動きなどがあり、気が散りやすく、<u>話に集中できにくい</u>ため、好ましくない。

３．× ナースステーションの状況が把握しやすい場所では、**2**と同様の理由から話に集中できにくいため、<u>好ましくない</u>。

４．○ 面接を行う際は悩み事を<u>表出しやすい</u>環境が好ましい。

ひっかけ

問題 **19** 〔解答〕 **2** 　出題基準 Ⅳ-14-B 導尿　　頻出度 Ⓐ 難易度 Ⓐ

１．× <u>感染</u>防止の観点から陰部洗浄は積極的に<u>行う</u>。

２．○ カテーテルやチューブが屈曲すると尿の流出を<u>阻害</u>するので注意が必要である。

３．× 蓄尿バッグは膀胱より<u>低い</u>位置を保ち、膀胱内への尿の<u>逆流</u>を防ぐ。

４．× 持続的導尿中の患者に水分の摂取を制限する理由は<u>ない</u>。飲水を許可されているのであれば積極的に勧め、尿の流出を<u>停滞</u>させないようにする。

問題 **20** 〔解答〕 **4** 　出題基準 Ⅳ-14-B 失禁のケア　　頻出度 Ⓑ 難易度 Ⓑ

１．× 腹圧が上昇することで漏れてしまうため、腹圧をかけやすい体位は失禁が<u>起こりやすく</u>なる。よって適切ではない。

２．× 腹圧性尿失禁は<u>腹圧</u>がかかることで尿失禁が起こるため、腹筋を鍛えるトレーニングを行っても失禁の回避には<u>ならない</u>。

３．× 腹圧性尿失禁があるため、排尿を促す援助は必要<u>ない</u>。

４．○ 腹圧性尿失禁は、膀胱内に尿が充満した状態で

起こりやすいため、**外出前**や腹圧のかかる**作業の前**に排尿して膀胱内を空にしておくとよい。

問題 **21** 〔解答〕 **3**

〔出題基準〕Ⅳ-14-D 入浴、シャワー浴

□ □ 頻出度 **B** 難易度 **C**

入浴には、**温熱作用**・**静水圧**作用・**浮力**作用という三大作用があり、それぞれに効果がある。

1．× 温熱作用により、末梢血管が拡張し循環血流量が**増す**。筋緊張は**やわらぎ**、自律神経機能、慢性疼痛や慢性疲労、食欲・睡眠の**改善**などの効果がある。したがって、設問の筋緊張の亢進が**誤り**である。

2．× 温熱作用の効果を引き出すためには、**38 〜40℃**の微温浴とする。

3．○ 湯につかることで身体に静水圧がかかり、心臓への静脈還流量が**増加**すると同時に、胸郭も圧迫されて循環器系や呼吸器系に**負荷**がかかる。これを考慮し、循環動態が不安定な人や高血圧の人に対しては、浴槽台を用いて**半身浴**にするなど負荷軽減の工夫をする。

4．× 水中では浮力によって筋力の負担が軽減されて楽になり、**関節可動域**訓練に役立つ。しかし、浮力により身体バランスが**崩れやすく**、特に麻痺がある場合は**溺れる危険**があるため注意する。

問題 **22** 〔解答〕 **3**

〔出題基準〕Ⅳ-15-A 病室環境

□ □ 頻出度 **B** 難易度 **A**

1．× 相対湿度は夏季**50％〜60％**、冬季**40％〜50％**程度が望ましいとされる。湿度65％の状態で加湿器を使用すると、さらに湿度があがり不快となるので**不適切**である。

2．× 病室においては**100 〜 200**ルクス程度が目安とされている。1,000ルクスは手術室等で必要な明るさである。

3．○ 室温は夏季**25 〜 27**℃、冬季**20 〜 22**℃程度が望ましいとされているが、快適と感じる温度は、患者の重症度や症状、着衣状況などにより異なるので、患者の状態にあわせて適切に室温を調整する必要がある。

4．× 環境基本法により療養施設のある地域は、昼間（6 〜 22 時）**50**dB 以下、夜間（22 時〜 6 時）**40**dB 以下と定められている。

問題 **23** 〔解答〕 **1**

〔出題基準〕Ⅳ-15-B 誤薬の防止

□ □ 頻出度 **A** 難易度 **A**

誤薬防止のための確認事項として、**6R**（下図参照）が代表的である。やみくもに記憶するのではなく、実際の投与をイメージし、**6R** の意味するところを理解して確認することが重要である。

1．○
2．×
3．×
4．×

与薬の際は、副作用及びアレルギーの有無や服用歴に関する確認が重要であるが、どれも誤薬の防止には**つながらない**。

🐒 **〈与薬の確認事項（6R）〉**

6R	
Right patient	正しい患者
Right drug	正しい薬剤
Right purpose	正しい目的
Right dose	正しい用量
Right route	正しい用法
Right time	正しい時間

問題 **24** 〔解答〕 **1**

〔出題基準〕Ⅳ-16-C 刺入部位の観察

□ □ 頻出度 **B** 難易度 **B**

1．○ 点滴静脈内注射の施行中は、刺入部の**もれ**はないか、**疼痛**、**発赤**、**腫脹**、**熱感**、**硬結**はないかの観察を頻回に行う必要がある。

2．× 静脈留置針刺入部の**疼痛**の訴えがあった場合は、速やかに**点滴を中止**して留置針を抜去し、必要に応じて再度留置する。

3．× 点滴静脈内注射施行中に、**発赤**や**腫脹**、**疼痛**が出現した場合、薬剤が血管外の周囲組織に漏出する「**血管外漏出**」や、血管に沿って疼痛を伴う発赤・腫脹、熱感、硬結を生じる「**静脈炎**」が生じている。これらの場合、直ちに**輸液を中止**し抜針する。

4．× 留置針を固定したドレッシング材やテープのはがれは、**刺入部が不潔**になったり、ルートがひっぱられた際に**抜針**する原因となる。

ドレッシング材やテープの
はがれを発見したときは、
直ちに固定しなおします。

問題 25　〔解答〕 **2**

出題基準 Ⅳ-16-D 採血方法

□□　頻出度 **B**　難易度 **B**

1．✕　採血部位から7〜10cm中枢側に駆血帯を巻く。

2．○　刺入部位を最も清潔に保つために、消毒は刺入部位の中心から外側に向かって円を描くように行う。

3．✕　真空採血管は陰圧により自動的に血液を採取できるように設計されているため、先にホルダーに真空採血管を装着すると陰圧状態ではなくなり、自動採取ができなくなる。

4．✕　真空採血管は温度変化によって圧が変化するため、室温と同じ温度になってから使用する。

問題 26　〔解答〕 **2**

出題基準 Ⅰ.Ⅱ.Ⅲ-3-B 中枢神経系の構造と機能

□□　頻出度 **B**　難易度 **B**

ひっかけ

1．✕　毛様脊髄反射は一側頸部に針で痛みを与え、瞳孔が大きくならないことを確認する。

2．○　眼球が動かないことを確認する方法には眼球頭反射もあるが、耳の中に冷たい水を入れて、水の注入側の逆方向に眼球が動かないことを確認するのは前庭反射である。

3．✕　咽頭反射はのどの奥を刺激し、嘔吐するような反応がないことを確認する。

4．✕　眼球頭反射は顔を左右に振り、眼球が動かないことを確認する。

問題 27　〔解答〕 **3**

出題基準 Ⅰ.Ⅱ.Ⅲ-7-A 血液の物理化学的特性

□□　頻出度 **B**　難易度 **B**

ひっかけ

血液量は体重の約8％である。なお、血液比重1.055を換算して血液量を算出する。

1．✕　血液量が体重の約8％であるのに対し、体液量は体重の約60％である。血液量を体液量の60％と間違えた場合には、36Lとなる。

2．✕　血液比重を換算しない場合には、4.80Lとなる。

3．○　血液量は体重の約8％で 60×0.08＝4.8kg となり、血液の比重1.055を換算すると 4.8÷1.055≒4.55L となる。

4．✕　血液量を体重の5％と間違えた場合には、3Lとなる。

問題 28　〔解答〕 **3**

出題基準 Ⅰ.Ⅱ.Ⅲ-8-B 酸塩基平衡

□□　頻出度 **B**　難易度 **C**

1．✕　肺炎などの呼吸器疾患ではCO_2が蓄積し、動脈血CO_2分圧が45mmHg以上となり、pH 7.35 未満の呼吸性アシドーシスの状態になっている。このときには腎臓からHCO_3^-の再吸収が増加し、HCO_3^-の排泄が抑制され、血中のHCO_3^-が増加する腎性代償の結果、pH 7.35 以上に正常化される。

2．✕　過剰な呼吸の疾患ではCO_2が低下し、動脈血

CO_2 分圧が **35** mmHg 以下となり、pH **7.45** 以上の呼吸性アルカローシスの状態になっている。このときには腎臓から HCO_3^- の排泄が増加し、血中の HCO_3^- が減少する腎性代償の結果、pH 7.45 未満に正常化される。

3．○ 腎不全や糖尿病では HCO_3^- **の低下やケトン体（有機酸）が増加**し、血中の HCO_3^- が 24 mEq/L 以下となり、pH **7.35** 未満の代謝性アシドーシスの状態になっている。このときには呼吸が増加し、動脈血 CO_2 分圧が低下する呼吸代償の結果、pH 7.35 以上に正常化される。

4．× 激しい嘔吐では**胃酸が喪失**し、pH **7.45** 以上の代謝性アルカローシスの状態になっている。このときには呼吸が抑制され、動脈血 CO_2 分圧が増加する呼吸代償の結果、pH 7.45 未満に正常化される。

問題29 〔解答〕**4** 出題基準 Ⅳ-6-A 先天性心疾患（心房中隔欠損症、心室中隔欠損症、動脈管開存症、Fallot〈ファロー〉四徴症）

□ □ 頻出度 Ⓐ 難易度 Ⓑ

1．× 心房中隔欠損症は、チアノーゼを**伴わない**。

2．× 心室中隔欠損症は、チアノーゼを**伴わない**。

3．× 動脈管開存症は、チアノーゼを**伴わない**。

4．○ ファロー四徴症は、肺動脈狭窄症、右室肥大、心室中隔欠損、大動脈騎乗の四徴を伴う疾患で、チアノーゼを**伴う**。

問題30 〔解答〕**3** 出題基準 Ⅳ-7-D 腫瘍（肝癌）

□ □ 頻出度 Ⓑ 難易度 Ⓑ

1．× 肝細胞がんの男女比は約 2：1 と**男性**が多い。

2．× 腫瘍マーカーでは、AFP（α-フェトプロテイン）、PIVKA Ⅱの**上昇**がみられる。

3．○ 慢性肝疾患を有していることが**多い**。最も多いのが、C 型肝炎である。

4．× 肝細胞がんに対する治療後も、肝内に**再発**を繰り返すことが特徴的である。そのため、治療後も**腫瘍マーカー**、**画像診断**で再発の有無を評価し、繰り返し治療を行っていく必要が**ある**。

問題31 〔解答〕**4** 出題基準 Ⅳ-7-C 腫瘍（大腸ポリープ、結腸癌、直腸癌）

□ □ 頻出度 Ⓐ 難易度 Ⓒ

1．×

2．×

3．×

4．○

　大腸がんは組織学的には**腺がん**が多く、発生部位はＳ状結腸・直腸が最も多い。

大腸がんは男女とも多く発生しています。

問題32 〔解答〕**3** 出題基準 Ⅳ-11-A 全身性エリテマトーデス〈SLE〉

□ □ 頻出度 Ⓐ 難易度 Ⓑ

1．× **20〜40** 歳の妊娠可能な年齢層の女性に多い。

2．× 血液検査所見では、白血球数の**減少**、赤血球数の**減少**、血小板数の**減少**がある。

3．○ 約半数の患者でループス腎炎を合併し、予後不良因子となっている。他に**精神神経**症状（CNS ループス）も予後不良因子の一つである。

4．× 皮膚や眼球に限定した症状ではなく、**全身**の様々な臓器病変を呈する。

問題33 〔解答〕**4** 出題基準 Ⅳ-15-A 腎炎、慢性腎臓病

□ □ 頻出度 Ⓑ 難易度 Ⓐ

1．×

2．×

頻出

3．×

4．○

　ネフローゼ症候群は、糸球体に障害があることで**蛋白質**が漏出し、**高蛋白尿**・低蛋白血症・**浮腫**・脂質異常症〈高 LDL コレステロール血症〉を起こす症候群である。

　「エビデンスに基づくネフローゼ症候群診療ガイドライン 2020」によるネフローゼ症候群の診断基準は以下のとおり。

①タンパク尿：**3.5**g/ 日以上が持続する。
（随時尿において尿蛋白／尿クレアチニン比が **3.5**g/gCr 以上の場合もこれに準ずる）

②低アルブミン血症：血清アルブミン値 **3.0**g/dL 以下。

血清総タンパク量 **6.0**g/dL 以下も参考になる。

③**浮腫**

④**脂質異常症**〈高 LDL コレステロール血症〉

注）

1）上記の尿タンパク量、低アルブミン血症〈低タンパク血症〉の両所見をみとめることが本症候群の診断の必須条件である。

2）浮腫は本症候群の必須条件ではないが、重要な所見である。

3）脂質異常症は本症候群の必須条件ではない。

4）卵円形脂肪体は本症候群の診断の参考となる。

問題 34　〔解答〕**2**　出題基準 Ⅳ-15-A 腎不全

頻出度 **A**　難易度 **B**

1．✕　慢性腎不全により、腎機能が低下すると水素イオンが排泄できなくなる。その結果、水素イオンが蓄積して血液は**酸性**に傾くため、**代謝性アシドーシス**が起こりやすくなる。

2．○　慢性腎不全では赤血球の産生が滞り**貧血**が起こる。この貧血は、**腎性貧血**と呼ばれている。

3．✕　腎機能の低下により、水分とナトリウム排泄の低下による循環血液量の**増加**や血管拡張作用の減弱などにより血圧は**上昇**する。

4．✕　腎臓機能の低下により、糸球体濾過量は**減少**する。

問題 35　〔解答〕**3**　出題基準 Ⅲ-6-A ヘルスプロモーション

頻出度 **A**　難易度 **B**

1．✕

2．✕

3．○

4．✕

「オタワ憲章」では、ヘルスプロモーションの活動方針として、①健康的な**公共政策**づくり、②健康を支援する**環境**づくり、③**地域活動**の強化、④**個人技術**の開発、⑤保健・医療の**方向転換**を挙げている。3は②にあたるため**正しい**。

問題 36　〔解答〕**1**　出題基準 Ⅲ-10-A 喫煙・飲酒対策

頻出度 **B**　難易度 **B**

生活習慣病に対処するために、食生活、運動、休養、喫煙、飲酒等の生活習慣の改善を目指す一次予防に重点を置いた対策が推進されている。

1．○　運動習慣の定着は健康増進につながるので、**一次予防**である。

2．✕　がん検診の実施は、**二次予防**である。

3．✕　高血圧の重症化予防であり、**二次予防**である。

4．✕　機能障害の回復及び残存能力を活用した QOL 向上であり、**三次予防**である。

〈生活習慣病の予防概念〉

第一次予防	①健康増進　②疾病の発症予防
第二次予防	①早期発見・早期治療　②疾病の重症化予防
第三次予防	①再発予防　②リハビリテーション

問題 37　〔解答〕**2**　出題基準 Ⅱ-3-E 系統別のフィジカルアセスメント

頻出度 **B**　難易度 **B**

リンネ試験とは音叉の音を聞いて、両耳の聴力を**片耳**ずつ調べる試験である。**骨伝導**と**気伝導**がどのように聞こえるかによって、**伝音性**難聴、**感音性**難聴があるかをスクリーニングする。

音叉を振動させた後、一方の耳の後方の**乳様突起**に当て、**骨伝導**での音が聴こえなくなるまでの時間を測定する。聞こえなくなったら、そのまま音叉を耳元に持っていき、**気伝導**での音が聞こえなくなるまでの時間を測定する。

正常では骨伝導時間：気伝導時間 = 1：2 以上である。骨伝導が長く聴こえる場合は**伝音性**難聴、気伝導が長く聴こえる場合は**感音性**難聴を疑う。

1．✕　①は眼底鏡である。**眼底出血**の有無を確認する際に用いられる。

2．○　②は音叉である。**聴力**のスクリーニングにおいて用いられる。

3．✕　③は角度計である。**関節可動域（ROM）**を測定する際に用いられる。

4．✕　④は打腱器である。**腱反射**を測定する際に用いられる。

問題 38 〔解答〕 **2** 出題基準 Ⅱ-3-G 針刺しの予防と対策

頻出度 Ⓐ 難易度 Ⓐ

１．✕ リキャップによる針刺し事故は、全体の２割強を占めており、**使用後**に針をリキャップすることは非常に危険である。リキャップを**しない**習慣が重要となる。

２．〇 患者の病室で針を使用する際は、リキャップしないですむように、**専用廃棄容器**を携帯する。

３．✕ 針の落下による針刺し事故を防止するために、職務中は、**つま先と踵**をおおう**シューズ型**の靴をはく。

４．✕ 処置のための**時間と作業スペース**を十分に確保し、落ち着いた状況で処置に集中できるようにすることは、針刺し事故を防止するために重要である。

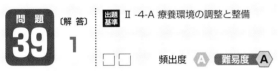

問題 39 〔解答〕 **1** 出題基準 Ⅱ-4-A 療養環境の調整と整備

頻出度 Ⓐ 難易度 Ⓐ

１．〇 ベッド周囲に多くの物品を乱雑に置くと、患者が**つまずいたり**、転倒したりする原因となる。ベッド周囲は、**整理・整頓**し、**不必要なもの**は置かないことが重要である。

２．✕ ベッド上で生活する患者には、**自立**を妨げることのないように、生活において必要なものを**手の届く範囲**に置くなどの環境の調整が重要である。

３．✕ ベッド周辺は清掃や換気を行い、**清潔な環境**に整備することが必要である。

４．✕ 入院後に患者の治療内容や自立度が変化した場合、患者の行動範囲や必要な物品が変化するため、**患者と相談**しながら物品配置を考え、**安全な環境**を整備する必要がある。

問題 40 〔解答〕 **3** 出題基準 Ⅱ-4-B 健康な食生活と食事摂取基準

頻出度 Ⓑ 難易度 Ⓑ

食事摂取基準における目標が設定されているおもな栄養素では、脂質はエネルギーの**20〜30**％、炭水化物はエネルギーの**50〜65**％とされている。つまり設問では520〜780kcalを脂肪から摂取することが望ましいことになる。

アトウォーターのエネルギー換算係数では、糖質1g及びタンパク質1gは**4**kcal、脂肪1gは**9**kcalとなる。

１．✕ 脂肪45gは**405**kcalで、2,600kcalのうち

15.6％程度となり、摂取量としては**少ない**。

２．✕ 脂肪52gは**468**kcalで、2,600kcalのうち18％となり、摂取量としては**少ない**。

３．〇 脂肪65gは**585**kcalで、2,600kcalのうち22.5％となり、摂取量として**適切**である。

４．✕ 脂肪92gは**828**kcalで、2,600kcalのうち31.8％程度となり、摂取量としては**多い**。

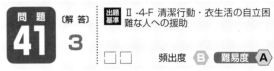

問題 41 〔解答〕 **3** 出題基準 Ⅱ-4-F 清潔行動・衣生活の自立困難な人への援助

頻出度 Ⓑ 難易度 Ⓐ

１．✕ アルコール含有の洗浄剤は清涼感を得られるが、皮膚の**乾燥**を助長することもあるため、洗浄剤は皮膚の状態に応じて、適切な洗浄剤を選択することが大切である。

ひっかけ

２．✕ 清拭時の湯の温度は、看護師が湯の中に手を入れウォッシュクロスをゆすぐことができる最高温度（50〜52℃）と準備中の温度低下を考慮し、**52〜55**℃とする。

３．〇 湯の量が多いほど温度の低下は遅いが、ウォッシュクロスをゆすぐ操作も必要になることを考慮し、**2/3**程度が適している。

４．✕ 室温の感じ方は個人差があるが、一般的に室内環境は約**24±2**℃が適温とされる。また、すきま風は室温を下げたり、気流となって**気化熱**を奪い皮膚の表面温度を下げることにつながるので気をつける。

問題 42 〔解答〕 **3** 出題基準 Ⅱ-5-C 薬剤の種類と取り扱い方法

頻出度 Ⓒ 難易度 Ⓐ

１．✕ 開封前のインスリン製剤は原則2〜8℃で**凍結**を避けて**冷蔵保存**する。開封後、インスリンのカートリッジ製剤やキット製剤は室温で保存し、バイアル製剤は開封前後で変わらず冷蔵保存する。

２．✕ 用時溶解の薬剤は、溶解後**速やか**に使用することが望ましい。薬剤によって異なるが、やむを得ず保存を必要とする場合、冷所保存で24時間以内に使用するよう**示されている**ものが多い。

３．〇 麻薬は必ず**鍵**のかかる場所に保管しなければならない。使用して残った麻薬注射液あるいは空いたアンプル等の容器は、必ず**麻薬管理責任者**に返却しなければならない。

４．✕ シロップ剤は化学変化や雑菌の繁殖等を生じる

など変質しやすいため、開封後は**冷蔵**保存が望ましい。

問題43 〔解答〕**4**

出題基準 Ⅱ-5-F 生体検査（エックス線撮影、超音波、CT、MRI、心電図、内視鏡、核医学）

□□　頻出度 **B**　難易度 **C**

1．×　がん細胞は正常な細胞と比較して多くの**ブドウ糖**を消費する性質がある。その性質を利用してFDG〈検査用ブドウ糖〉という薬剤を用いる。検査の**4〜5**時間前から食事や糖分を含んだ水分の摂取は禁止となる。**糖分**を含まない水分は摂取して構わない。

2．×　FDGを静脈注射で投与し全身に行き渡るまで**安静**にする。この間、体を動かすと使用した筋肉に薬剤が集積してしまうため、安静に過ごす必要がある。

3．×　撮影はベッドに横になっているだけであり、概ね**30〜40**分程度で終了する。苦痛の少ない検査である。

4．○　微量の**放射能**が体内に残っているため、検査後**1〜2**時間程度は人ごみを避けるよう説明する。

問題44 〔解答〕**4**

出題基準 Ⅰ-1-A 身体的・心理的・社会的な特徴

□□　頻出度 **B**　難易度 **C**

1．×　更年期は閉経前後の約**10**年間であり、この時期に生殖機能が急速に低下する。日本人女性における閉経の平均年齢は、約**50**歳であり、45〜55歳頃に**エストロゲン**の分泌減少を主原因とする更年期症状を起こしやすい。

2．×　卵巣機能の低下により月経周期が短くなる等、月経周期が**変化**し、最終的に閉経する。

3．×　更年期では、卵巣機能が低下するためエストロゲンの分泌が**減少**する。

4．○　更年期には、顔のほてり・発汗過多などの血管運動神経症状、イライラ感・不安感・抑うつ感といった精神神経症状、肩こり・腰痛などの運動器系症状など様々な症状が**認められる**ことがある。

問題45 〔解答〕**4**

出題基準 Ⅰ-2-A 生活習慣病の要因

□□　頻出度 **A**　難易度 **C**

1．×　BMI〈Body Mass Index〉は、体重（kg）を身長（m）^{2}で割り、算出する。BMI**22**を標準とし、**25以上**を肥満とする。

2．×　臍部における腹部CTスキャンで、内臓脂肪面積が**100cm^2**以上であれば内臓脂肪型肥満である。

3．×　内臓脂肪型肥満を基礎にして、耐糖能障害、脂質異常症、**高血圧**をもたらした状態がメタボリックシンドロームであり、血管障害のリスクが高い。

4．○　肥満症は、生活習慣と密接に関係している。摂取エネルギーを少なくし、消費エネルギーの増加を目的とした食事と運動の**生活習慣の改善**が必要である。

問題46 〔解答〕**3**

出題基準 Ⅱ-4-B ショックへの対応

□□　頻出度 **C**　難易度 **A**

1．×　輸血処置は、出血など**循環血液量減少性ショック**になった場合に行う。

2．×　強心剤は心臓の働きを改善する薬剤である。急性心筋梗塞など**心原性ショック**になった場合に使用する。

3．○　アナフィラキシーショックは**血液分布異常性ショック**の一つである。血圧低下、上気道の浮腫や気管支攣縮などの呼吸器症状、全身の発疹や痒みなどの皮膚症状がみられる状態である。まずは**ショック体位**にして**気道確保**を行う。**アドレナリン0.3mgを筋肉注射**することで、血圧上昇、喉頭浮腫などの症状が改善される。

4．×　X線検査は、循環血液量減少性ショックの原因検索をする検査である。アナフィラキシーショックの場合は、**症状緩和**をすることが第一である。

問題47 〔解答〕**2**

出題基準 Ⅲ-6-C セルフケア能力とセルフケア行動のアセスメント、アドヒアランスに影響する要因のアセスメント

□□　頻出度 **A**　難易度 **B**

1．×　行動変容は、**内部**から動機づけられる。

2．○　成人は、自己で決定した行動であれば、**実現**しやすく、**継続**しやすい。

3．×　患者と専門家（医療者）のどちらかが責任を負うのではなく、**両者が責任を分担**する。

4．×　目標は、医療者ではなく、**患者**が設定する。

問題48 〔解答〕**4**

出題基準 Ⅲ-6-C 自己管理支援、セルフケア支援

□□　頻出度 **A**　難易度 **C**

1．×　失敗例では自己効力感が**高まらない**。自らの**成功体験**や自分の状況に近い人からの成功例を見聞きして**代理的経験**をすることにより、自己効力感が向上しやす

いと言われている。

2．✕　目標は具体性があり**実現可能**なものとし、患者の自己効力感が上がるように支援する。

3．✕　患者の行動を監視し、望ましい行動を行っていない場合に注意をすることは、患者の不満や無力感につながり、自己効力感は**高まらない**。

4．○　少しでも自己管理できた点があればそれを認め評価する（ほめる）ことは、**言語的説得**にあたり、自己効力感の向上が**期待できる**。

問題49　〔解答〕**1**

出題基準 Ⅳ-7-A リハビリテーションの定義

頻出度 Ⓑ　難易度 Ⓑ

1．○　作業療法は、**社会的適応能力の獲得**を目的とする。

2．✕　理学療法は、**基本的な動作能力の回復**を目的とする。

3．✕　医療チームだけではなく、**患者・家族を含めて行う**。

4．✕　リハビリテーションは疾病の**第3次予防**である。

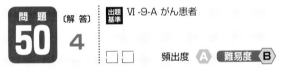

問題50　〔解答〕**4**

出題基準 Ⅵ-9-A がん患者

頻出度 Ⓐ　難易度 Ⓑ

1．○　経時的に痛みの程度を**スケール**を用いて客観的に評価し、対応することが求められる。

2．○　患者に必要な日常生活援助を行うにあたり、疼痛の**部位・程度**を把握して実施する。

頻出　3．○　コデインの副作用症状として、**悪心（おしん）、便秘**、眠気、不整脈、**眩暈（げんうん）**などが挙げられ、それらの副作用の有無・程度を観察する必要がある。

4．✕　コデインは**第2段階**の**弱オピオイド鎮痛薬**であり、切り替える場合、WHO3段階除痛ラダーにそって**第3段階**の**強オピオイド鎮痛薬**が選択される。アセトアミノフェンは**非オピオイド鎮痛薬**であり、**第1段階**で使用する薬剤である。

問題51　〔解答〕**4**

出題基準 Ⅶ-12-A 嚥下障害

頻出度 Ⓑ　難易度 Ⓑ

1．✕　冷たいからといって、誤嚥を起こすわけでは**ない**。

2．✕　水分により誤嚥を起こす恐れが**ある**。

3．✕　食材が細かく刻まれていると、**誤嚥しやすくなる**。

4．○　むせがあったり、咽頭への送り込みが困難であったりする患者の場合、ベッドを**30〜60度**に傾斜させることにより、食べ物が食道に入りやすくなり、誤嚥を予防**できる**。

問題52　〔解答〕**4**

出題基準 Ⅶ-19-C ギプス固定

頻出度 Ⓐ　難易度 Ⓑ

ギプス固定やシーネ固定は、**循環障害や神経麻痺**、褥瘡、廃用性筋萎縮、**関節拘縮**などの合併症や二次障害を生じるリスクがあるため、注意深い**観察**とアセスメント、予防が大切となる。下肢の骨折へのギプス固定では、**腓骨頭**部が圧迫されることで**腓骨神経麻痺**（足母趾の背屈が弱くなる、足背のしびれ、感覚鈍麻）が起こりやすいので注意が必要である。また、肘関節周辺の骨折や脱臼によって起こるフォルクマン拘縮（循環障害）が発生していないか、ギプス固定中は観察する必要がある。

1．✕　ギプス固定中の冷感は、**循環障害の徴候である**可能性がある。腫脹や出血による血管走行部の**圧迫**がないか確認する。

2．✕　ギプスを濡らさずに入浴する方法は**ある**。

3．✕　ギプス固定中の疼痛は、**循環障害や神経麻痺**の可能性があり、**早急な対応**が必要な場合もあるため、すぐに合併症の徴候をアセスメントすることが必要である。

4．○　**関節拘縮**予防のため、屈伸運動が必要と**なる**。

問題53　〔解答〕**2**

出題基準 Ⅶ-20-A 蓄尿・排尿障害

頻出度 Ⓑ　難易度 Ⓐ

1．✕　尿閉のため、常に膀胱内に**蓄尿**がおき、少しずつ漏れる尿失禁である。

2．○　**骨盤低筋群**の筋力**低下**によって、腹圧性尿失禁は起こる。

3．✕　尿意が感じられず、ある程度膀胱内に尿がたまると反射的に膀胱が**収縮**して漏れる尿失禁である。

4．✕　トイレへの**移動動作**が困難になることで、トイレ**以外**の所で排尿してしまう尿失禁である。

1．✕　メラトニンの分泌は加齢とともに**減少**する。それにより、睡眠障害が起こりやすくなる。

2．○　コルチゾルは変化し**ない**。コルチゾルの分泌は加齢による影響を受けにくい。

3．✕　成長ホルモンの分泌は加齢により**減少**する。

4．✕　**副甲状腺**から分泌されるパラソルモンは、加齢によって**増加**する。加齢によって腎臓でのカルシウムの再吸収率は下がるが、パラソルモンの分泌量が増加することによって血清カルシウム値が維持される。

1．✕　加齢による聴覚中枢の機能低下によってもたらされる難聴は、内耳より中枢側の蝸牛（かぎゅう）レベルでの障害によって起こる**感音性難聴**である。

2．○　体温調節機能が低下しているので、あたためても容易に体温は上昇しない。**寒さ**に対する感受性は高いが、**暑さ**に対する感受性は低いため、脱水に気づきにくい。また、末梢血管収縮反応は低下しやすくなる。

3．✕　唾液をはじめとする消化液の分泌量が減少し、**便秘**になりやすい。

4．✕　錐体細胞の感度が低下するため、**青**と**黄**を混同する。「緑が青っぽく」「黄色が白っぽく」みえるようになるといわれている。さらに水晶体の老化により紫、青、緑などの**短い波長の光**がみえにくくなる。逆に赤や橙色などの暖色系は高齢者の目にもとまりやすい。

1．✕　内閣府による「令和3（2021）年度高齢者の日常生活・地域社会への参加に関する調査結果」によると、「趣味（俳句、詩吟、陶芸等）」は14.5%で「健康・スポーツ」に次いで**2番目**に多い。

2．○　平成15（2003）年度、平成25（2013）年度、令和3（2021）年度のいずれの調査においても、「**健康・スポーツ**」の割合が最も高い（26.5%）。

3．✕　「地域行事（祭りなど）」は12.8%であり、平成

25（2013）年度の19.0%より割合が**減少**している。

4．✕　「高齢者の支援」は2.3%で、平成25（2013）年度の6.7%より割合が**減少**している。

1．○　義歯に不具合があると、すき間に歯垢が付着しやすくなるため、**観察**により不具合が発見できる。

2．✕　変色を**防ぐ**ために歯みがき剤を用いる。ただし、研磨剤によって義歯に細かい**傷**がつき細菌が繁殖するため、研磨剤の使用は推奨さ**れない**。

3．✕　**除菌**や**脱臭**効果のため、洗浄剤を用いる。

4．✕　夜、外して水に浸けるのは**乾燥**による変形を防ぐためである。

1．○　機能性尿失禁とは、**運動**障害および**認知症**などにより排尿動作ができないことによる尿失禁をいう。対処としては、排尿日誌から排尿パターンを把握し、排尿のタイミングを**先読みした誘導**などが効果的である。

2．✕　骨盤底筋体操は、**腹圧性尿失禁**のある高齢者に効果的である。

3．✕　間欠導尿は、おもに**神経因性**膀胱や尿道の**狭窄**により排尿障害がある場合に行う。身体的な負担や尿路感染症のリスクとなるため、尿失禁への援助としては適切では**ない**。

4．✕　水分の制限は、口渇中枢の減退などにより**脱水症**を来しやすくするため、水分摂取を控えるように伝えるのは適切では**ない**。

1．✕　リハビリテーションを開始する際は、高齢者の身体面だけでなく、**精神面・社会面**からもアセスメントし、**個人差の大きい**高齢者の障害の程度と生活への影響を把握する必要がある。

2．✕　リハビリテーションは多職種チームで取り組むことが大切であり、高齢者の身近にいる看護師は、高齢

者の情報を他の職種に伝え、**生活機能**からの視点で、チームの方針に反映させていくことが重要である。

３．✕　高齢者の場合は、障害された機能の回復だけでなく、残された**残存機能**を増強し、心身ともに回復した状態で自宅や社会へ戻れる状態になることが大きな目標となる。

４．○　<u>廃用症候群</u>の予防や<u>転倒</u>予防に役立つ。

１．✕　パーキンソン病は**錐体外路症状**を主とする進行性の神経変性疾患である。

２．○　パーキンソン病の治療の基本は、**レボドパ（L-ドーパ）**を含む薬剤である。

３．○　パーキンソン病は、**安静時振戦**、筋固縮、無動・寡動、姿勢反射障害が特徴的な症状である。

４．○　歩行では前かがみになり、歩幅が<u>小さく</u>なる。他に**すくみ**足や突進現象などの症状がある。

１．○　ウェルニッケ失語とは、大脳の<u>側頭葉</u>の障害により**言語理解**が困難で、言葉は流暢だが支離滅裂な言葉が出るなど、**感覚性**言語中枢が障害されることで生じる失語である

２．✕　構音障害とは、言語の理解は<u>可能</u>だが、**発声器官**に障害があることで、正しく発語できず、正確に話すことができない状態である。

３．✕　健忘失語とは、喚語困難や呼称障害により適切な名詞が出ず、「あの、あれ…」のように**指示代名詞**が多くなり、迂遠な言い回しを特徴とする失語である。

４．✕　作話はウェルニッケ脳症やアルコール依存症などにより起こる**コルサコフ**症候群の症状の一つで、実際に体験したことはないことを体験したかのように話し、本人にはそれが作り話という<u>自覚がない</u>状態をいう。

ブローカ失語とは、大脳の<u>前頭葉</u>の障害により<u>発語</u>が

困難で、他人の言葉の理解はできるがふつうに話すことができないなど、**運動性**言語中枢が障害されることで生じる失語である。

１．○　聴覚的理解は比較的<u>よい</u>といわれているが、一度に聞き取る内容が長文かつ早口だと理解が<u>困難</u>となる特徴がある。**早口**になりすぎず、内容が伝わりやすい配慮をすることで、より理解しやすくなる。

２．✕　本人は発言した言葉が間違っていることをよく理解しているため、言い直しを要求されることに**ストレス**を感じる。また、発語そのものが障害されているため、言い直しは<u>難しい</u>。

３．○　言葉を表出して伝えられないストレスやプレッシャーを感じているため、聴こうとしてくれる態度により、患者は**安心**して発言することができる。

４．○　発語困難のため、答えやすいように質問を<u>工夫</u>すると、コミュニケーションがよりスムーズになる。

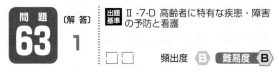

１．○　パーキンソン病のすくみ足は、「いちに、いちに」と**一定のリズム**をとりながら目印をまたぐように足を出すと歩行しやすくなる。

２．✕　パーキンソン病では、進行に伴い自律神経症状である**起立性低血圧**が生じやすい。立ち上がり動作は、段階的に<u>ゆっくり</u>と行う。

３．✕　活動性の低下は身体機能の低下につながるため、**動き**のよい時に運動や趣味活動などを行い、活動を楽しめるよう調整する。

４．✕　副作用が強い場合は主治医に相談し、内服薬の減量や変更が必要である。日常生活が**薬効**に左右されやすいため、**服薬**や**症状の変化**などの記録をつけるとよい。

１．✕　看護職員は必置では**ない**。常勤換算で、利用者<u>3人</u>に対し<u>1人</u>以上の**介護職員**の配置が義務付けられている。

２．○　設問のとおり。なお、地域密着型サービスの中には、グループホーム以外にも、**小規模多機能型居宅介護**などがある。

３．✕　必要に応じて医療機関との連携は必要である

が、医療機関での看取りは必須では**ない**。

4．× 居宅での生活復帰を目的とするのは、<u>介護老人</u><u>保健施設</u>である。

問題 65　〔解答〕**2**

出題基準　Ⅰ-2-C 免疫系

□□　頻出度 **C**　難易度 **B**

　この図は**スキャモンの発育曲線**であり、人間の各器官の成長パターンを**一般型、神経型、生殖器官型、リンパ器官型**の４つに分類し、それぞれの発育を曲線で示している。グラフの縦軸は、20歳時の器官の大きさを100%としたときの各器官の相対的なサイズを表している。問題の①では、<u>リンパ器官型</u>に分類される<u>胸腺</u>の成長曲線が示されている。

1．× 消化器の発育曲線は「**一般型**」に分類され、<u>出生後</u>から緩やかに成長し、成人期に安定する。

2．○ 胸腺の発育曲線は「**リンパ器官型**」に分類される。<u>胸腺</u>は<u>幼少期</u>に急速に成長し、思春期をピークに縮小していく特徴的な成長パターンを示している。

3．× 脳の発育曲線は「**神経型**」に分類され、<u>出生後</u>から<u>幼少期</u>にかけて急速に成長し、その後は緩やかになる。

4．× 睾丸の発育曲線は「<u>生殖器官型</u>」に分類され、主に<u>思春期</u>に顕著な成長を示し、成人期に安定する。

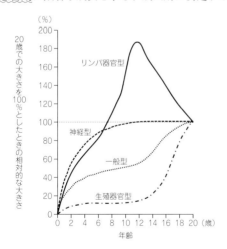

問題 66　〔解答〕**4**

出題基準　Ⅱ-5-A 与薬

□□　頻出度 **A**　難易度 **C**

1．× ミルクに**薬**を混ぜるとミルク自体を嫌がる可能性が出てくるため<u>混ぜない</u>。

2．× 満腹時に与薬すると嫌がったり、嘔吐したりすることがあるので、哺乳と哺乳の<u>間</u>や哺乳<u>直前</u>の空腹時に与薬する。

3．× 散剤の場合は2～3mL程度の**薬が溶ける**最低量の<u>白湯</u>で溶解する。多量の白湯で溶解すると、嫌がった場合に全量服薬できないことがあるため好ましくない。散在の量が少ない場合は、数滴の水や白湯を加えペースト状に練り、指で上顎か頬の内側にすばやく塗りつける。

4．○ <u>スポイト</u>や注射器を用いて、舌の側面に沿って<u>嚥下</u>できる量でゆっくり注入する。

問題 67　〔解答〕**2**

出題基準　Ⅳ-9-B エンド・オブ・ライフ< end-of-life >にある子どもの心身の状態と緩和ケア

□□　頻出度 **C**　難易度 **B**

1．× 進行神経芽腫の末期にあるA君に対して、活動を制限し安静を保つよう指導することは、**QOL**を低下させる可能性がある。A君が楽しめる活動を可能な限り続けられるよう支援することが大切である。

2．○ 緩和ケアへの移行は、家族にとって大きな転機であるため、緩和ケアの**目的と効果**を丁寧に**説明**し、両親の**理解を深める**ことが最も重要である。これにより、両親は心の準備ができ、残された時間をA君の**QOL**向上に注力できるようになる。

3．× A君の意向を<u>尊重</u>することは、自律性を保ち、尊厳を守るために<u>重要</u>である。医療者の判断を一方的に優先すること適切な対応ではない。

4．× 終末期の患児と家族は、大きな心理的負担を抱えているため心理的サポートは<u>不可欠</u>である。

問題 68　〔解答〕**4**

出題基準　Ⅲ-4-A 妊娠の経過と胎児の発育

□□　頻出度 **A**　難易度 **A**

1．× 第**2**胎向・**骨盤**位である。

2．× 第**2**胎向・**頭**位である。

3．× 第**1**胎向・**頭**位である。

4．○ 第**1**胎向・**骨盤**位である。

　胎児の位置は、胎位・胎向・胎勢で表現する。

【定義】

胎位：胎児の縦軸と子宮の縦軸との位置関係を表す。両軸が平行なものを縦位といい、さらに児頭が子宮の下方にあるものを<u>頭位</u>、胎児の骨盤が下方にあるものを<u>骨盤位</u>と分類する。胎児の縦軸と子宮の

縦軸が垂直に交差するものを<u>横位</u>という。胎児の縦軸と子宮の縦軸が斜めに交差するものを<u>斜位</u>という。

胎向：縦位では児背と母体との関係、横位では児頭と母体との位置関係を表す。児背または児頭が母体の左側にあるものを<u>第1胎向</u>、右側にあるものを<u>第2胎向</u>という。また、児背が前方にあるものを<u>第1分類</u>または<u>背前位</u>、後方にあるものを<u>第2分類</u>または<u>背後位</u>という。

胎勢：胎児の姿勢を意味し、胎児の頭部と体幹との位置関係で表す。頭位において、児頭を前屈させて下顎と胸部が近づき、背中は軽く前方に屈曲し、上下肢は各関節を屈曲し、腕を胸部の前で交差させている姿勢を<u>屈位</u>という。屈位は正常胎勢である。一方、児頭を後方に屈曲伸展させた前頭位、額位、顔位は異常胎勢であり、<u>反屈位</u>という。

問題69 〔解答〕 **3**

出題基準 Ⅳ-4-B 認知行動療法

□□ 頻出度 Ⓑ 難易度 Ⓑ

１．✕ 自分で緊張や不安を和らげるのは、主に自律訓練法や<u>リラクセーション</u>法で期待される効果である。

２．✕ 「薬物療法についての理解が深まる」のは、<u>心理教育</u>で期待される効果である。

３．○ 認知行動療法とは、対象者が抱える生活上の問題について、できごと自体ではなく、できごとの<u>認知</u>（受けとり方・捉え方）に働きかけながら、困りごとから抜け出す心理療法である。

４．✕ 「過去の心的外傷に気づく」のは、<u>精神分析</u>療法で期待される効果である。

問題70 〔解答〕 **2**

出題基準 Ⅰ-1-C 看護提供システム

□□ 頻出度 Ⓒ 難易度 Ⓑ

ひっかけ

１．✕ パートナーシップ・ナーシングは<u>看護師経験の異なる2名</u>の看護師から構成され看護実践を行う。教育背景や資格の異なるものから構成されたチームによって看護を実践するのは、<u>チームナーシング</u>である。

２．○ パートナーシップ・ナーシングでは、<u>情報交換</u>や<u>確認作業</u>などでパートナー同士が互いを補完し合いながら看護を実践することで、安全で確実な看護が可能となる。

３．✕ 経験年数の違いにより発生する看護実践能力の

差が問題となるのは、1人の看護師に複数の患者を割り当てる<u>看護方式</u>である。

４．✕ 看護師を一定期間固定する看護方式は<u>固定チームナーシング</u>であり、パートナーシップ・ナーシングでは固定しない。

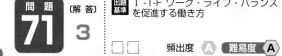

問題71 〔解答〕 **3**

出題基準 Ⅰ-1-F ワーク・ライフ・バランスを促進する働き方

□□ 頻出度 Ⓐ 難易度 Ⓐ

頻出

１．✕ 1992年に制定された「看護師等の<u>人材確保の促進</u>に関する法律」に基づき、ナースセンターが設置された。

２．✕ 都道府県ナースセンターは、<u>都道府県知事の指定</u>を受けて都道府県の看護協会が運営しており、都道府県ごとに1か所に限り認められている。

３．○ ナースセンターでは、就職先を探している看護職と、看護職員を雇用したいと考えている施設に、<u>無料</u>で紹介事業を行っており、ナースバンク事業と呼ばれている。

ひっかけ

４．✕ 都道府県ナースセンターでは、<u>訪問看護支援事業</u>として、訪問看護等、看護についての知識及び技能に関する研修を行っている。

問題72 〔解答〕 **4**

出題基準 Ⅰ-2-C チームでの活動

□□ 頻出度 Ⓑ 難易度 Ⓒ

１．✕ チームアプローチでは、<u>共通の目標</u>を有する。

２．✕ 患者や家族は支援の対象であるとともに<u>チームの一員</u>でもある。

３．✕ 医学的や身体的な問題以外にも精神・心理的な問題、社会的な問題に対しても検討し、患者の<u>QOL</u>の向上を導く。

４．○ 患者や家族のニーズや思いをチームで共有し、目指す目標や今後の方針を決定する必要がある。このため、看護師は<u>患者や家族の代弁者</u>としての役割も担う。

問題73 〔解答〕 **4**

出題基準 Ⅲ-3-A グローバル化に伴う世界の健康目標と課題

□□ 頻出度 Ⓑ 難易度 Ⓑ

１．✕ 日本政府が行う国際協力である政府開発援助は、<u>多国間援助</u>と<u>二国間援助</u>の2種類がある。<u>多国間援助</u>とは国際機関を通じた援助であり、国際機関には

2．× 二国間援助とは<u>開発途上国</u>に対する直接援助をいう。

3．× 二国間援助には、<u>資金</u>協力と<u>技術</u>協力がある。青年海外協力隊の派遣は<u>技術</u>協力にあたる。

4．○ 政府開発援助の実施機関は<u>国際協力機構</u>〈<u>JICA</u>〉である。

問題 **74**　〔解答〕 **1**　出題基準 Ⅰ.Ⅱ.Ⅲ-15-C 甲状腺、膵島、腎臓、性腺　5肢　頻出度 Ⓐ　難易度 Ⓑ

1．○ 循環血液量が増加すると心臓の右心房が刺激され、<u>心房性ナトリウム利尿ペプチド</u>が分泌され、集合管からのナトリウムの再吸収が<u>抑制</u>されることにより、利尿が促進され、循環血液量を<u>減少</u>させる。

2．× 循環血液量が減少すると<u>レニン</u>の働きや血漿膠質浸透圧の<u>上昇</u>によって視床下部が刺激され、下垂体後葉から、バソプレシン（抗利尿ホルモン）が分泌される。さらに、腎臓の集合管から<u>水</u>の<u>再吸収が促進</u>され、尿量が減少し、<u>循環血液量を増加</u>させる。

3．× グルカゴンは低血糖時に肝臓のグリコーゲンを分解し、血糖値を<u>上昇</u>させる働きがある。

4．× カルシトニンは血中カルシウム濃度が上昇すると甲状腺から分泌され、骨の破骨細胞の活性を抑制し、骨から血中に放出されるカルシウムを<u>抑制</u>させる。

5．× ヒト絨毛性ゴナドトロピンは妊娠後に胎盤から分泌し、<u>プロゲステロンの分泌</u>に関与する。

問題 **75**　〔解答〕 **5**　出題基準 Ⅰ.Ⅱ.Ⅲ-13-A 糸球体濾過　5肢　頻出度 Ⓑ　難易度 Ⓒ

1．×
2．×
3．×
4．×
5．○

原尿は、<u>糸球体</u>の圧力と<u>ボウマン嚢内圧</u>の圧力差で濾過される作用と、血漿膠質浸透圧の働きでボウマン嚢から水分を糸球体に引き込む作用によって、糸球体から濾過されている。そのため、原尿を濾過し、尿として排泄するためには、<u>ボウマン嚢内圧</u>と血漿膠質浸透圧の和以上に<u>動脈圧</u>（平均血圧）が必要となる。

また、腎動脈から輸入細動脈を通り、<u>糸球体</u>に到達

するまでに動脈圧は <u>15mmHg ぐらい低下</u>する。このことから、15 mmHg + 20mmHg のボウマン嚢内圧 + 25mmHg の血漿膠質浸透圧となり、60 mmHg 以上の平均血圧が必要となる。

問題 **76**　〔解答〕 **2・3**　出題基準 Ⅱ-3-A 創傷と治癒　5肢　頻出度 Ⓐ　難易度 Ⓒ

1．× 創部消毒は、組織を障害するため、創傷治癒が<u>遅延</u>する。水・微温湯での洗浄で十分である。

2．○ 創部除圧をすることで血流を保ち、創傷治癒が<u>促進</u>される。

3．○ 湿潤環境を保つことで、必要な因子が創部に適切に運ばれ、創傷治癒が<u>促進</u>される。

4．× 血腫は、創傷治癒を<u>阻害</u>する。ゆえにこまめなデブリードメントが望ましい。

5．× 痂皮は、創傷治癒を<u>阻害</u>する。ゆえにこまめなデブリードメントが望ましい。

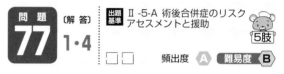

問題 **77**　〔解答〕 **1・4**　出題基準 Ⅱ-5-A 術後合併症のリスクアセスメントと援助　5肢　頻出度 Ⓐ　難易度 Ⓑ

1．○ 機械的イレウスでは腹部レントゲンで、<u>鏡面像</u>〈<u>ニボー像</u>〉が認められる。

2．× 術後せん妄の症状としては、<u>幻覚</u>や<u>興奮</u>などがある。知能低下は<u>起こさない</u>。

3．× 縫合不全は、<u>術後 1 週間前後</u>で起こりやすい。

4．○ 早期離床により、痰の喀出が促されたり、横隔膜が下がったりすることで、呼吸がしやすくなり、<u>呼吸器合併症を予防</u>する。

5．× 弾性ストッキングを着用する目的は<u>血栓予防</u>であり、<u>肺血栓塞栓症の予防</u>に効果がある。

問題 **78**　〔解答〕 **1・4**　出題基準 Ⅰ-4-C 成年後見制度　5肢　頻出度 Ⓒ　難易度 Ⓑ

1．○ 成年後見制度は、<u>法定後見</u>と<u>任意後見</u>の2つの制度で構成されており、<u>法定後見</u>には、「<u>後見</u>」「<u>保佐</u>」「<u>補助</u>」の3類型がある。<u>任意後見</u>は、判断能力が十分な人が予め<u>自ら</u>任意後見人を選び、<u>公証人役場</u>で手続きを行う制度である。

2．× 法定後見人を決めるには、<u>家庭裁判所</u>に申し立

て、裁判所が個々に応じて適任者を選任する。

３．✕　任意後見制度は、判断力が十分あるうちに予め**自ら**後見人を指定できる制度である。後見人は親族に**限らない**。

４．○　解答１、３の記述のとおり。

５．✕　成年後見制度とは、認知症・知的障害・精神障害などの障害によって判断能力が著しく低下した人の財産管理や身上監護を支援するための制度である。一方、日常生活自立支援事業は、**社会福祉法**の福祉サービス利用援助事業に基づくものである。

問題 **79**　〔解答〕**1**　出題基準 Ⅲ-6-A 子どもへの虐待の特徴　5肢　頻出度 Ⓑ　難易度 Ⓑ

１．○　厚生労働省「子ども虐待対応の手引き（平成25年8月改正版）」には、心理的虐待の具体例として「配偶者やその他の家族などに対する**暴力や暴言**」が挙げられており、家庭内暴力（ドメスティック・バイオレンス：DV）を目の当たりにすることは虐待に**含まれる**。

２．✕　令和3（2021）年度の児童虐待相談における主な虐待者別構成割合は、**実母**が47.5％と最も多く、次いで**実父**が41.5％となっている。

３．✕　児童虐待を受けたと思われる児童を発見した者は、速やかに、**福祉事務所**若しくは**児童相談所**に通告しなければならない。

４．✕　日本は平成6（1994）年「児童の権利に関する条約」を批准し、平成12（2000）年には、**児童虐待の防止等に関する**法律（児童虐待防止法）」が制定・施行され、その後、同法は何度も改正が行われている。児童相談所における児童虐待相談対応件数は令和3（2021）年度に207,660件で、**年々増加**している。

５．✕　厚生労働省「社会保障審議会児童部会児童虐待等要保護事例の検証に関する専門委員会」における「子ども虐待による死亡事例等の検証結果等について（第18次報告）の概要」（令和4年9月）によると、2020年度の死亡事例のうち心中以外の虐待死は47例・49人であった。おもな虐待の類型は、「**ネグレクト**」が44.9％、「**身体的虐待**」が42.9％を占めている。

問題 **80**　〔解答〕**3**　出題基準 Ⅱ-3-B 生殖補助医療　5肢　頻出度 Ⓑ　難易度 Ⓑ

１．○　配偶者間人工授精（AIH）は、**夫**の精液を子宮

内に注入する方法で、認められて**いる**。

２．○　**第三者**から提供を受けた卵子に、**体外受精**によってできた胚を移植するもの。法制化はされていないが、日本生殖補助標準医療機関（JISART）のガイドラインに基づき行われている。

３．✕　体外受精によりできた胚を、**ほかの人**の子宮に移植するもの。わが国では、**出産**した者が母とみなされる法律のため、現法律での対応は認められて**いない**。

４．○　非配偶者間人工授精（AID）は、夫の精液の代わりに**第三者**から提供された精子を子宮内に注入する方法で、認められている。

５．○　第三者から提供された精子を、卵子に**体外受精**させてできた胚を移植するもので、認められて**いる**。

問題 **81**　〔解答〕**2・5**　出題基準 Ⅰ.Ⅱ.Ⅲ-12-B 酵素　5肢　頻出度 Ⓐ　難易度 Ⓑ

頻出▶

１．✕　**膵液**の消化酵素のリパーゼは脂肪を**脂肪酸**とモノグリセリドに分解する。

２．○　**唾液**と**膵液**の消化酵素のα-アミラーゼは炭水化物を二糖の**麦芽糖**に消化する。

３．✕　胃液のペプシンは蛋白質をポリペプチドなどに消化する。

４．✕　**膵液**の消化酵素の**トリプシン**は**ポリペプチド**を消化し、**トリペプチド**や**ジペプチド**などにする。

５．○　**腸液**に含まれる消化酵素のマルターゼは炭水化物から分解された**麦芽糖**を単糖の**グルコース**に消化する。

〈炭水化物の消化と吸収〉

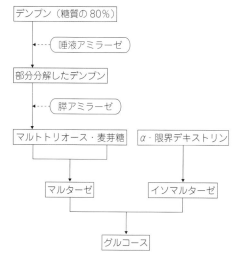

第二回　模擬試験　午前

問題 82 〔解答〕 2・4

出題基準 Ⅱ-5-D 生活保護法、扶助の種類と内容

5肢
頻出度 A　難易度 B

1．○　日本国憲法第25条（生存権）に規定されている。
2．×　生活保護法より他法、他施策、あらゆる資産及び能力の活用が優先される（保護の補足性の原理）。

ひっかけ

3．○　生活保護は次の8項目に分類される。
①生活扶助：生活に必要な食費や光熱費など
②教育扶助：義務教育期間中に必要な諸費用
③住宅扶助：家賃の金銭給付あるいは宿所提供施設の利用・入所費用
④医療扶助：診察、薬剤、治療材料、看護、移送費など（現物給付）
⑤介護扶助：介護サービス（現物給付）
⑥出産扶助：出産にかかる費用
⑦生業扶助：自立に必要な技能の修得や就労に必要なものの給付
⑧葬祭扶助：葬儀・埋葬に必要な費用など

4．×　扶助の要否は世帯単位で判断する（世帯単位の原則）。
5．○　上記3④⑤より正しい。

問題 83 〔解答〕 3・5

出題基準 Ⅶ-17-A 高次脳機能障害

5肢
頻出度 B　難易度 A

1．×　学習された行動や動作が正しく行えないことを失行といい、感覚器を通じて情報を得ても内容や意味がわからないことを失認という。
2．×　半側空間無視は頭頂葉の障害によって発生する。片側がみえてはいるが認識できない状態である。また、自分が障害をもっていることに対する認識ができない病態失認があるため、片側に注意を向けたり意識することができない。そのため、左半側空間無視の患者には、右側に物を置くなどの援助をすることが必要である。
3．○　言葉を理解できるが流暢に話せなくなるのは、前頭葉の障害であるブローカ失語（運動性失語）である。発話を急がせずゆっくりと待ち、言葉に詰まったときには言葉を誘い出し、発話しやすくする。
4．×　流暢に話せるが錯語が多くなるのは、側頭葉の障害であるウェルニッケ失語（感覚性失語）である。簡単な言葉やジェスチャーを交えて伝える。失語症患者にとって、仮名文字が最も難しい記号となるため、五十音表は役に立たない。漢字や絵などの方が伝わりやすい。

5．○　手にした物が閉眼では識別できない触覚失認は、その手と反対側の頭頂葉の障害である。

問題 84 〔解答〕 2・3

出題基準 Ⅶ-17-C 脳室ドレナージ術

5肢
頻出度 B　難易度 A

1．×　ドレーン挿入部のガーゼが濡れてきた場合、ドレーンの閉塞やドレーンに髄液が流れず周囲にもれていると考えられるため、すぐに医師に報告し、ルート（回路）の途中に屈曲や閉鎖がないか、位置が変わっていないかを確認する。ガーゼ交換では、感染のリスクが高まるので、その都度行うことはしないほうがよい。ドレーンは、直接脳室と交通しているため、無菌操作や厳重な感染予防が重要である。
2．○　ルート（回路）内の髄液滴下部の先端をみると、髄液が心拍に同期して動いている様子がみられる。回路内で拍動する髄液の拍動が弱くなったり、拍動がなくなった場合は、ドレーンの閉塞や抜去を疑い、刺入部から順にルートの確認をする。また、脳室がすでに小さくなって流出しなくなっていることも考えられるため、一般状態と神経学的所見（フィジカルイグザミネーション）と照らし合わせて厳重な観察が必要である。
3．○　脳室ドレーンの目的は、①脳圧測定（コントロール）、②急性水頭症に対する髄液排除、③クモ膜下出血、脳出血、脳腫瘍などによる血腫や病変除去の術後の水頭症予防、④薬液や人工髄液による灌流目的などがある。
4．×　脳室ドレナージは、外耳孔を基準として、通常、髄液面の高さは10～15cmH₂Oとなるように設定する。設定圧がずれてオーバードレナージになった場合、頭蓋内圧の急激な低下による脳ヘルニアや脳出血など、致死的な状態に陥る可能性があるため、圧が変わらないように厳重な管理が必要である。
5．×　髄液は絶えず、産生→循環→静脈からの吸収を繰り返す。1日の産生量は約500mLである。

問題 85 〔解答〕 3・5

出題基準 Ⅱ-3-B 性感染症〈STI〉

5肢
頻出度 A　難易度 C

1．×　令和4（2022）年の厚生労働省「性感染症報告数」によると、男性15,578件、女性14,558件であり、男性のほうが多い。平成30（2018）年までは男性より女性が多かった。
2．×　罹患者数が最も多い年齢（5歳階級）は20～

24 歳である。件数は 9,200 件で、男女ともに最も多い。

3．○ 令和 4（2022）年のデータでは 30,136 件であり、性感染症の中で**最も多い**。

4．× 男性は**排尿痛**などの症状が現れるが、女性は主に子宮頸管に感染し、帯下がやや増加する以外は**症状がない**こともある。感染成立時は自覚症状が乏しい。放置しておくと子宮付属器炎を起こし、後に不妊症などの原因にもなり得る。

5．○ 治療は原則、**抗菌薬**を 10 ～ 14 日間内服する。治療は性交のパートナーと**同時**に行い、完治するまで継続する。

1．○ 家庭の保護者が子育ての**第一義的責任**を有するという基本的認識のもとに、2003（平成 15）年に制定された。

2．× 設問は児童虐待の防止等に関する法律の内容の説明である。

3．○ 急速な少子化の進行に対応するとともに、家庭や**地域環境**の変化にも対応している。

4．○ 次世代の社会を担う子どもの育成を支援するために、国や地方公共団体、企業などの**責務**と**行動計画**が策定された。

5．× 設問は、**母子保健法**第 12 条による健康診査の内容である。

1．○ 胎盤が子宮壁から剥離することによって、**板状硬**と呼ばれる板のように固い状態と**なる**。また、子宮口への血液の流入により子宮底は**上昇**する。

2．× 常位胎盤早期剥離は主に**内出血**が起こる。外部出血が主に起きるのは**前置胎盤**である。

3．○ 胎盤剥離部に一致した突然の**下腹部痛**と、それに続く持続的な**子宮収縮**が特徴である。

4．× 設問は**前置胎盤**の誘因である。常位胎盤早期剥離は、**妊娠高血圧症候群**や喫煙が危険因子となる。

5．○ 胎盤後血腫内の凝固因子の消費が著しくなり、凝固障害が生じ、**組織トロンボプラスチン**が母体血中に流入することにより母体が DIC を起こし、ショック状態になる。

1．○ 設問の**とおり**。出産後すぐに母子を一緒にすることは、母子間に相互作用を発生させ、きずな形成を**促進**する。

2．× ルービンは、**母親役割獲得過程**を提唱した。

3．○ 設問の**とおり**。母子間の、**接触**や愛着行動により母子相互作用が促進される。

4．○ 設問の**とおり**。エントレインメントは、**同調性**を意味する。母子間での微笑、話しかけなどにお互いが反応する現象により、母子相互作用が促進される。

5．× **妊娠**期から、母親は胎児のことを思いながら児への愛着を形成していく。

1．× 家族の高齢化に伴い、負担が大きくなっている等の理由から**保護者の規定を削除**し、医療保護入院にあたっては、**家族等**（**配偶者、親権者、扶養義務者、後見人または保佐人**）のうちいずれかの者の同意を要件とした。

2．× 法改正に伴い、扶養義務者も医療保護入院の同意が可能となった。民法第 877 条第 1 項に直系血族及び兄弟姉妹は互いに扶養する義務があり、第 2 項に特別な事情がある場合は三親等内の親族間においても扶養の義務を負わせることができるとあり、**三親等内の親族による同意が可能**となった。

3．○ 退院後生活環境相談員は、医療保護入院者が可能な限り早期に退院できるよう、退院支援において中心的役割を果たし、**多職種連携**や**院外機関**との調整を行う。

4．× 行動制限最小化委員会は、平成 16 年度・診療報酬改訂で「**医療保護入院等診療料**」の新設に伴い、整備が求められるようになった。

5．○ 医療保護入院者退院支援委員会は医療保護入院者の退院促進を図るため、①**入院継続**の必要性、②推定される**入院期間**、③退院に向けた取組、について審議を行う。

問題 90 〔解答〕 **4・5**

□ □　　頻出度 Ⅰ　難易度 Ⅰ

5肢

1．✕　精神医療審査会は、患者・家族からの退院や処遇改善の請求を受け、その是非について審査する役割を担っている。「精神保健及び精神障害者福祉に関する法律」第12条に基づき、**都道府県知事**が任命した5人の委員で構成される。

2．✕　弁護士との面会は、人権擁護の点から制限**できない**。

3．✕　「精神保健及び精神障害者福祉に関する法律」第36条では、「精神科病院の管理者は、入院中の者につき、その医療又は保護に欠くことのできない限度において、その行動について必要な制限を行うことができる」とされているが、信書の発受、人権擁護に関する行政機関の職員との面会・電話、弁護士との電話は制限**できない**としている。

4．〇　信書の発受は制限**できない**が、手紙に刃物・薬物などの異物が同封されていると判断される場合には、患者による開封のうえで、異物を取り出すことが**できる**。

5．〇　任意入院の患者は、行動制限のない開放処遇が原則である。しかし精神保健指定医が診察のうえ、医療または保護にとって必要と認めた場合は、閉鎖病棟に入院させることが**できる**。

続いて、状況設定問題にチャレンジしましょう！

問題 91 〔解答〕 **4**

□ □　　頻出度 Ⅰ　難易度 Ⅰ

1．〇　介護用品が適切に利用・管理されているか、住環境に**リスク**がなく、利用者が**快適**に暮らせる状況になっているかの確認は**重要**である。

2．〇　退院してきたばかりであり、どのような心理状態でいるのか、**ストレス**や不安、孤独感などを感じていないか、介護者である妻への**接し方**などの確認は**重要**である。

3．〇　介護者である妻の心身の健康チェックだけではなく、服薬管理や医療処置、介護を快適に行う**能力**の有無、夫との関係性などの確認は**重要**である。

4．✕　フィジカルアセスメントとは、身体的な情報を意図的に**収集**して、**判断**して、**共有**する思考過程を示す。Aさん本人へのフィジカルアセスメントは必須だが、妻に対しては、フィジカルアセスメントではなく**ヘルスアセスメント**が重要となる。**ヘルスアセスメント**とは、個人の健康状態を身体的、精神的、社会的側面から**総合的**に評価する健康アセスメントであり、妻のヘルスアセスメントは療養者が在宅療養を継続するためにも**重要**である。

問題 92 〔解答〕 **4**

□ □　　頻出度 Ⅰ　難易度 Ⅰ

1．✕　Aさんの思いに寄り添わず**説得する**ことは適切では**ない**。意欲が低下している人に声かけをして行動を促そうとしても、逆効果になることがある。介護負担の軽減を目的にデイサービスを利用している場合においても、それは、Aさんの在宅療養生活を継続するための支援の一部であることを納得してもらえるように**説明する**。

2．✕　Aさんの状況を介護支援専門員と情報共有することは適切な行為だが、**一方的**にデイサービスの機能訓練の中止を依頼するのは**不適切**である。Aさんの思いや現在の状況、デイサービスでの様子などを統合して、Aさんの望む生活が送れるように、同じ方向に向かって支援するように行動する必要がある。

3．✕　Aさんのできる部分を褒めることは**適切**なことだが、叱咤激励の言葉は逆効果になることがあるので、**叱咤激励**の言葉をかけるタイミングは慎重を期す。不安

や弱い自分の姿をみられたくないという思いの時に頑張るように促されても効果はない。また、自分は十分頑張っているという思いの時にさらに頑張るように促されても本人はつらいだけである。Aさんの場合、肩が痛いという身体的な訴えとデイサービスに行きたくないという思いの二つをアセスメントする必要がある。デイサービスに行きたくないのではなく、家にいたいという強い思いがあるため、デイサービスに行きたくないと言葉にしてしまうことも考えられる。

4．○ 相手の気持ちに**寄り添う**看護が適切な支援といえる。内容について判断せず、相手の話を**奪わない**、「しっかりと聞いてもらった」という思いをAさんがもつことが必要である。そのような関りをすることで、本当の気持ちや考えを理解することで必要なアセスメントにつながり、Aさんへの適切な支援ができる。

1．× 褥瘡予防として車いすで過ごす時間を**制限**することは、場合によっては必要である。しかし、Aさんの状態は安定しており日中も活動できる状態であることから、療養者の**生活スタイル**を尊重し、その中で可能な**褥瘡予防**について検討する必要がある。

2．○ Aさんは車いす移乗の動作がスムーズであり、状態は安定していることから、プッシュアップは**可能**と考えられる。物事に集中していると除圧行動を忘れてしまうことがあるため、家族から声掛けをするとよい。プッシュアップや姿勢変換は、褥瘡のできやすい**骨突出**部の除圧になる。

1時間に1回程度を目安に行います。

3．○ 皮膚を健康な状態に保ち、**バリア機能**（体内の水分が出ていくのを防ぐとともに外部からの刺激・異物から身体を守る働き）を維持することは褥瘡予防に有用である。乾燥した皮膚は汗や排泄物、**衣類**の接触、圧迫などの**刺激**に対して影響を受けやすくなるため、保湿剤を塗布して皮膚の**乾燥を防ぐ**ことは大切である。

4．× 発赤がみられた場合、「**持続性**の発赤」なのか「**一時的**な発赤」なのか見極める必要がある。訪問看護時だけで判断するのは適切では**ない**。なお、「**持続性**の発赤」は、**血管**の破綻によって赤血球が漏出したもので、**褥瘡**の初期状態である。

5．× **体圧**を低減する目的で使われてきたクッションの一種を円座という。形状がドーナツ型で穴の開いた部分では体圧は軽減されるが、周辺部には体圧がかかり、ずれ力も強く働くため、褥瘡の予防・治療には効果が**低い**。なお、車いす用クッションは介護保険の適用であり、消耗により合わなくなってきた場合は、介護支援専門員に連絡をして検討してもらうようにする。

1．× 療養者の、オムツは絶対にしたくないという意思に反するような言動は**とらない**。

2．× 高齢でもあり、水分を制限することは**脱水**にも繋がりかねないため、トイレ回数を減らす目的での水分の制限は適切では**ない**。

3．× がんのステージⅣで、多発転移もあり余命宣告されている状態である。また、倦怠感やがん性疼痛により臥床安静傾向となっていることも考慮すると、筋力向上目的でのリハビリテーションは本人の負担であり適切では**ない**。

4．○ ポータブルトイレの使用は、オムツを使用したくないという療養者の**希望**に添いつつ、**転倒のリスク**を下げる可能性のある提案である。

持続痛である癌性疼痛に対して鎮痛薬の定時投与が行われる。鎮痛薬を使用していても一過性に痛みが増強することがあり、この突出痛に対して行われるのがレスキュー（臨時追加薬の投与）である。PCAポンプは患者による自己調節鎮痛が可能な医療機器であり、痛い時にレスキューを使用することができる。

1．○ PCAポンプは**療養者**の判断でレスキューの追加投与が**可能**である。

2．× レスキューで投与される1回量は設定されており、療養者や家族は変更できない。また、1回レスキュー

を使用すると、一定時間投与できなくなる不応期がある
ため、**連続してのレスキュー**は使用できない。

３．✕　がん性疼痛の持続痛に対しては、薬剤の**血中濃
度**を一定に保つ必要があるため、痛みがなくなったから
といって薬剤の注入を終了しては**いけない**。

４．✕　家族は麻薬を取り扱うことが**できない**。

薬剤の交換は、訪問看
護師等が行います。

問題96　〔解答〕**4**
出題基準　Ⅱ-5-A 病期に応じた在宅療養者への看護
頻出度 **B**　難易度 **B**

１．✕　家での看取りを希望されているため、救急車を
呼ぶよりも**かかりつけ医**に連絡するのが望ましい。

２．✕　生死については、療養者や家族が**話せる**雰囲気
が望ましい。

３．✕　家での看取りを希望されているため、入院を促
すのは**不適切**である。

４．○　死に至るまでに療養者に起こりうる変化をあら
かじめ家族に伝えておくことは、死に対する家族の**心の
準備**につながり、**動揺**を最小限にする。

問題97　〔解答〕**1**
出題基準　Ⅶ-21-C 乳癌手術
頻出度 **A**　難易度 **A**

１．○　乳がんの発生部位は**乳房外側上部**が最も多く、
半数を占める。

２．✕　両側に同時に発生するのは**まれ**である。

３．✕　女性の罹患数が多い部位は乳房であるが、死亡
数が多いのは**大腸がん**である。

４．✕　好発年齢は**40 ～ 60歳代**（**50**歳前後）である。

問題98　〔解答〕**2**
出題基準　Ⅶ-21-C 乳癌手術
頻出度 **A**　難易度 **A**

１．✕　手術によって生じた機能障害、しびれ、浮腫な

どの改善のため、術後**1日目**から患側上肢の**リハビリ
テーション**を開始する。じゃんけんの繰り返し、ゴムボー
ル握りなどを実施していく。

２．○　壁登りは、だいたい手術後**4～5**日目くらいか
ら実施する。手術をしていないほうの腕を伸ばし、手の
届く一番上にマークをはり、目標にする。壁に向かって
立ち、両手を肩の高さに置き、ゆっくり指先を壁に沿っ
て伸ばし、ゆっくり肩の高さまでおとす。これを**1日ご
と**に手の届く高さを**上げていく**。

３．✕　振り子運動は腰をかがめて両腕を左右に振る。
肘は**曲げない**。

４．✕　**入院中**から日常生活動作を取り入れていく。例
えば、手術**2～3**日目頃にはタオルを絞ったり、寝巻き
を着替えたりする動作を行っていく。

問題99　〔解答〕**1**
出題基準　Ⅶ-21-C 乳癌手術
頻出度 **A**　難易度 **A**

１．○　日常生活においては、**患側上肢**に過度な**負担**が
かからないようにする。血圧測定や点滴などは**健側**で行
う。

２．✕　ブラジャーは創部を圧迫するため、退院後すぐ
に**着用しない**。

３．✕　妊娠については、妊娠そのものが疾患の悪化に
つながることがあるため、医師から妊娠が許可されるま
では**避妊**をするよう指導する。

４．✕　**自己検診**については、月経前や月経中は、乳房
緊満や痛みが生じていることがあるため、月**経終了後～
1**週間以内に実施する。

問題100　〔解答〕**1**
出題基準　Ⅶ-11-D 心不全
頻出度 **A**　難易度 **A**

１．○　**酸素消費量**を少なくし、酸素供給量に合った活
動範囲にし、心機能の安定を図りたい。また、血管拡張
剤を点滴で開始されたため、**血圧も低下**する危険がある。

２．✕　感染予防、安静は必要であるが、75歳で急な
入院であるため**精神的**な安寧も考えると、**面会制限**まで
する時期ではない。

３．✕　全身性の浮腫は軽度であるが、脈拍120回 / 分、
呼吸28回 / 分浅表性、SpO_2 89％、血圧 170/100mmHg、
胸部聴診でラ音を聴取より、心臓のポンプ機能及び呼吸
機能の低下がある。飲水により血液量が増えると、さら

に心臓・肺への負担がかかる。そのため制限された飲水量の範囲で摂取するのはよいが、**フリー**で飲水することは避けなければいけない。

4．× 水分摂取の制限や血管拡張薬・利尿薬の使用、酸素の投与など口腔内が乾燥する状況がある。口腔内の**清潔**を保ち、**菌**の繁殖を予防することで**肺炎**などの予防に努めることが重要であり、口腔ケアは実施する。

問題 101 〔解答〕 **3**　出題基準 Ⅶ-11-D 心不全　頻出度 A　難易度 A

1．× BUNは、**腎臓**や**尿路系**の機能を推測する。尿素窒素は尿素の中に含まれる窒素分のことで、血液中の尿素は**腎臓**に運ばれ、糸球体でろ過されて尿中に排泄される。**腎臓**の**排泄**機能が低下すると尿素窒素が尿中にうまく排泄されず、血液中に増加する。

2．× 組織が破壊されたりすると、肺炎双球菌のC多糖体に反応する蛋白が血液中に出現することから、CRP検査では、**炎症**や**組織障害**の存在と程度を推測する。

3．○ NT−ProBNP検査は、心臓から分泌される**循環調整**ホルモンの量を調べる検査で、心臓（主に心室）の負荷の有無やその程度を知ることができる。心室の負荷に応じて血中濃度が**上昇**する。

4．× 鉄欠乏状態などの**鉄代謝**異常を推測できる。

問題 102 〔解答〕 **2**　出題基準 Ⅶ-11-D 心不全　頻出度 A　難易度 A

1．× 体重は**1週間**に**2kg**の増加を目安に指導をする。

2．○ セルフチェックをすることから始めて、**自己管理**していく。

3．× 軽い**散歩**など、日常生活行動は苦しいなどの症状がない範囲で行うことを**勧める**。

4．× 少し動いただけでも息苦しさや息切れがあればすぐ受診をしてもらうが、原則、救急車で来院をすることは**勧めない**。

問題 103 〔解答〕 **2**　出題基準 Ⅱ-6-I 手術療法を受ける高齢者の看護　頻出度 B　難易度 C

1．×

2．○

3．×

4．×

MRI検査では強力な磁力を使用するため、**金属性**のものを身につけているとそれが装置に引きつけられて身体を損傷したり、金属が熱を帯びて熱傷を起こしたりする危険性もある。補聴器などが壊れることもある。安全確保のため、MRI検査を受ける場合には、**眼鏡**や**義歯**、アクセサリーなどの貴金属、時計などを身につけていないか必ず確認する。そのほか、過去の**手術**歴についても確認し、体内にコイルやステント、プレートなどの**金属**が留置されていないかを確認する。**化粧品**や**入れ墨**にも金属が含まれている場合があるため、皮膚の損傷を予防するために化粧は**控え**、入れ墨がある場合は**申し出てもらう**ことが必要である。金属探知機などを使用する場合もあるが、事前の問診や確認は重要である。なお、内服などは特に影響**しない**。

問題 104 〔解答〕 **3**　出題基準 Ⅱ-6-I 手術療法を受ける高齢者の看護　頻出度 B　難易度 C

1．× Aさんは、入院時HDS-Rが28点であり、認知機能は**保たれている**。

2．× うつ病は抑うつ気分を主症状とし、数週間から数か月をかけて発症して徐々に悪化する。Aさんは、症状の**日内変動**はなく、ほぼ一定であるため、うつ病とは**考えにくい**。

3．○ 入院後**間もない**時期はせん妄の好発期である。Aさんには**見当識障害**がみとめられるので、せん妄と**考えられる**。

4．× パニック障害は予期しない突然の強い恐怖や不快感の高まりが生じて、動悸、息苦しさ、吐き気、ふるえ、めまい、発汗などの**パニック発作**を繰り返すもので、Aさんの症状には**当てはまらない**。

問題 105 〔解答〕 **1**　出題基準 Ⅱ-5-C 摂食・嚥下障害　頻出度 B　難易度 C

1．○ 毎食後と就寝前の口腔ケアは、口腔内の病原微生物を減少させるため、誤嚥性肺炎の予防効果が**ある**。

2．× Aさんは時々むせるということから、嚥下機能がやや低下していることが考えられる。サラサラした食品は誤嚥しやすいため適切ではない。

３．✕ 高齢者の誤嚥性肺炎は、食物の誤嚥以外にも睡眠中の唾液や喀痰による**不顕性誤嚥**によって起こることが多い。

４．✕ Aさんは、現在、糖質制限をする必要のある疾患はみられないため、厳しくする必要は**ない**。

問題106〔解答〕**4** 出題基準 Ⅳ-8-A セルフケア能力の獲得のための養育と家族への支援

□□ 頻出度 Ⓒ 難易度 Ⓐ

１．✕ カーボカウントは、食事の**炭水化物量**に応じて**インスリン量**を調節する方法であり、定時にインスリンを注射しても、食事の**炭水化物量**が変動すれば血糖コントロールが不十分になる可能性がある。したがって、正確な**炭水化物量**の把握とそれに見合った**インスリン量**の調整が重要であることを指導する。

２．✕ インスリン注射から１時間後の測定は**不適切**である。カーボカウントの効果を評価するには、**食前**（通常はインスリン注射直前）の**血糖値**と食後２時間の**血糖値**の推移を継続的に確認する必要がある。超速効型インスリンの場合、通常は注射後**15**分以内に食事を摂取する。

３．✕ 子どもの発達段階に応じて、療養行動の**自立**を促していけるように**本人**と**家族**双方への適切な指導が必要である。

４．〇 インスリン注射を同じ部位に繰り返すと、皮下脂肪組織の**硬結**や**萎縮**を引き起こし、インスリンの吸収が妨げられ、**血糖コントロール**が困難になる。そのため、注射部位を**ローテーション**することが重要である。

問題107〔解答〕**4** 出題基準 Ⅳ-8-A 子どもの疾患に対する家族の受容と援助

□□ 頻出度 Ⓒ 難易度 Ⓑ

１．✕ 糖尿病以外の気道感染症や胃腸炎などにかかり、発熱、嘔吐、下痢などの症状を認め、血糖コントロールが不良になることを**シックデイ**という。食欲がないからといっておかゆやゼリーなどの摂取のみの食事にし、インスリン注射を行わないと、**ケトアシドーシス**に陥るので、インスリン注射は中断せず、**糖質**を含むものを少量ずつでも摂取する。

２．✕ 血糖値が高いため、食欲がないからといってインスリン注射を**中止せず**、**尿ケトン体**をチェックし、異常が認められた場合は**早期に受診**するよう指導する。

３．✕ 十分な水分摂取による脱水予防は重要であるが、１日の水分摂取量の目安は、**1,500mL**程度である。

４．〇 早めの**主治医への連絡**や**医療機関への受診**により、指示を受けることが大切である。

問題108〔解答〕**4** 出題基準 Ⅶ-19-D 関節リウマチ

□□ 頻出度 Ⓐ 難易度 Ⓐ

関節リウマチは**免疫**の異常によって関節で炎症が起き、腫れや激しい痛みが生じ、軟骨や骨が破壊されて関節が変形し、関節としての機能が失われる。関節の内側の**滑膜**が炎症を起こし、慢性化すると**滑膜**が増殖して周囲の組織を破壊する。女性の発症が多く、発症年齢は**30**代〜**50**代がピーク。

ステロイド治療は免疫抑制作用があることから、**内服管理**を徹底する必要がある。また、易感染状態に対しての手洗いや含嗽などの予防行動、十分な休養、予防接種などで**感染症**を予防、投与中の骨粗鬆症のリスクを観察することも大切となる。

１．✕ ステロイドの内服で、短期間に筋肉が増強することは**ない**。

２．✕ 免疫機能に関係する薬剤のため、**自己判断**の服薬量の調節や中止することがないように説明が必要である。

３．✕ 関節滑膜が減少しているため、無理に伸ばすことで関節周囲の**骨組織**の破壊が進行して疼痛を増強させてしまう。

４．〇 ステロイドの内服により**易感染**状態になるため、感染予防が大切となる。

問題109〔解答〕**2・3** 出題基準 Ⅲ-4-A 妊娠の経過と胎児の発育 5肢

□□ 頻出度 Ⓐ 難易度 Ⓑ

１．✕ 妊娠28週3日は妊娠8か月である。

〈妊娠月数と週数〉

月数	週数	月数	週数
第1月	0〜3週	第6月	20〜23週
第2月	4〜7週	第7月	24〜27週
第3月	8〜11週	第8月	28〜31週
第4月	12〜15週	第9月	32〜35週
第5月	16〜19週	第10月	36週〜分娩まで

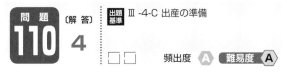

〈妊娠期間〉

妊娠初期（1st trimester）	妊娠 14 週未満
妊娠中期（2nd trimester）	妊娠 14 〜 28 週未満
妊娠後期（3nd trimester）	妊娠 28 週以降

2．○　35 歳以上の初産婦を**高年初産婦**という。また、19 歳以下の初産婦を**若年初産婦**という。

3．○　ヘモグロビン〈Hb〉値 **11.0**g/dL 未満、ヘマトクリット〈Ht〉値 **33.0**%未満を妊娠貧血という。

4．×　子宮底長とは、**恥骨結合上縁**から**子宮底**までの距離をいう。妊娠 28 週（妊娠 8 か月）の子宮底長は 20 〜 27cm である。

5．×　胎児心拍数基線の正常値は **110 〜 160**bpm〈beat per minute〉である。110bpm 未満を**徐脈**、160bpm より多いものを**頻脈**という。

問題 110　〔解答〕**4**　出題基準 Ⅲ -4-C 出産の準備
頻出度 **A**　難易度 **A**

1．×　かかとの高さは **3**cm前後で広さがあるものがよい。

2．×　乳房・乳頭の手入れは胎盤が完成した妊娠 **16** 週頃から行うよう指導する。

なお、切迫早産症状のある妊婦では悪化する可能性があるため、妊娠 **36** 週を過ぎるまでは乳房・乳頭の手入れは控えます。

3．×　妊娠中であっても性生活を控える必要はない。しかし、腹部を圧迫しない体位を工夫したり、精液に含まれる**プロスタグランディン**が切迫流・早産を誘発する可能性があるためにコンドームを使用するなどの注意が必要である。

4．○　この頃より入院の準備を始め、遅くとも妊娠 **36** 週までには整えておく必要がある。

問題 111　〔解答〕**3**　出題基準 Ⅲ -5-D 前期破水
頻出度 **B**　難易度 **A**

1．○　正常な羊水は透明であるが、羊水混濁のある場合は、**胎児機能不全**の可能性が考えられるため、早急な対応が必要である。

2．○　胎動の有無は、**自宅**でも確認できる重要な胎児情報の一つである。

3．×　分娩期では膀胱充満が**子宮収縮**を妨げる要因の一つとなる。そのため、陣痛を促すための情報として最終排尿の日時を確認する必要があるが、この場面では優先度は**低い**。

4．○　Aさんの入院準備を病棟で行うために**必要な**情報である。また、時間帯によっては、病院受付の場所が違う場合があるため、予め説明してスムーズに入院ができるような配慮が必要である。

問題 112　〔解答〕**1**　出題基準 Ⅱ -3-C ホルモンの変化
頻出度 **B**　難易度 **C**

1．○
2．×
3．×
4．×

更年期におけるホルモンの変化は、卵巣機能低下に伴い、エストロゲン**低下**、黄体形成ホルモン（LH）**上昇**、卵胞刺激ホルモン（FSH）**上昇**、プロゲステロンが**低下**する。

問題 113　〔解答〕**1**　出題基準 Ⅳ -16-A 生殖器系の疾患の病態と診断・治療
頻出度 **B**　難易度 **C**

1．○　**血管運動神経**症状として、hot flush（のぼせ、ほてり、発汗など）、**手足の冷え**、**動悸**などがある。

2．×　手足の感覚の鈍化は、**知覚神経**症状であり、その他の症状として手足の**しびれ**などがある。

3．×　肩こりは、**運動器官**への症状であり、その他の症状として易疲労感、手足の痛み、**腰痛**などがある。

4．×　手足の冷えは、**血管運動神経**症状である。精神神経症状として、**憂うつ感**、不眠、めまい、易怒性などがある。

問題 114 〔解答〕 **1**

出題基準 Ⅳ-16-A 生殖器系の疾患の病態と診断・治療

□ □　頻出度 Ⓑ　難易度 Ⓑ

1．○　そのほか、のぼせやほてり、発汗、不眠やめまいなどさまざまな症状が出現する。

2．✕　性生活については、夫・パートナーを交えて指導する。性交痛がある場合は、ゼリーを使用するとよい。

3．✕　日常生活に対する指導として、適度な運動は気分転換や筋力低下防止にも効果がある。

4．✕　更年期は、45〜55歳くらいにあたり、この時期は、卵巣機能の低下により更年期障害が起こるが、更年期障害は個人差があり、心理・社会的な要因もその症状に影響する。閉経によって各器官における変化が生じることもあるため、閉経後、すぐに回復するとは言えない。

問題 115 〔解答〕 **3**

出題基準 Ⅱ-2-C 統合失調症、統合失調症型障害および妄想性障害の薬物療法と看護

□ □　頻出度 Ⓐ　難易度 Ⓒ

1．✕　悪性症候群は、抗精神病薬の最も重篤な副作用であり、放っておくと命にかかわる。投与開始から数週間以内、もしくは増量や中止時に起こりやすい。主な症状は38℃以上の高熱、筋強剛、発汗過多、意識障害などである。治療として、原因薬を速やかに中止し補液やダントリウムの投与を行う。

2．✕　無為は、統合失調症の慢性期にみられる陰性症状である。意欲が減退し、自発的行動や周囲への関心が著しく低下した状態である。

3．○　下の突出や口をもぐもぐとさせる動きは、遅発性ジスキネジアの症状である。錐体外路症状の一つであり、舌や口、頬などに不規則な不随意運動がみられる。抗精神病薬の長期間服用に伴って起こることがある。

4．✕　炭酸リチウムは、双極症の治療薬であり抗躁効果が認められる。最適治療量と中毒量が近いため、定期的に血中濃度を観察することが重要である。炭酸リチウム中毒では、消化器症状や意識障害、精神症状など、様々な症状がみられる。

問題 116 〔解答〕 **2**

出題基準 Ⅱ-2-C 統合失調症、統合失調症型障害および妄想性障害の薬物療法と看護

□ □　頻出度 Ⓑ　難易度 Ⓑ

1．✕　妄想は思考内容の障害であり、そのパターンか

ら主に、被害妄想・身体妄想・微小妄想・誇大妄想の4つに分けられる。統合失調症では被害妄想や身体妄想がよくみられる。

 〈妄想の主な種類〉

被害妄想	他人から攻撃されていると思い込む（注察妄想・被毒妄想など）
身体妄想	自分の身体に自分ではない別のものが入り込んでいると思い込む（憑依妄想・変身妄想など）
微小妄想	自分を実際よりも過小に評価する（貧困妄想・罪業妄想など）
誇大妄想	自分を実際よりも過大に評価する（血統妄想・発明妄想など）

2．○　滅裂思考は思路障害（思考の進め方の障害）の一つであり、支離滅裂ともいう。思考のまとまりを欠き、内容に一貫性が失われるため会話が成り立たず、統合失調症でよくみられる症状である。

3．✕　思考途絶は思路障害の一つであり、統合失調症によくみられる。思考の流れが突然止まってしまい、話の途中で急に黙り込むようになる。

4．✕　幻触や皮膚・臓器などの異常感覚を体感幻覚という。「脳が溶けている」「腸が腐っている」など、グロテスクで奇妙な知覚の異常体験として訴えられることが多い。

問題 117 〔解答〕 **1**

出題基準 Ⅳ-4-G 精神保健医療福祉に関する社会資源の活用と調整

□ □　頻出度 Ⓑ　難易度 Ⓑ

1．○　精神科デイケアは、外来治療の一環として、昼間の6時間を標準として施設へ通所する精神科リハビリテーションの一つである。精神科デイケアの目的には、生活リズムを整えることや社会生活機能の回復、対人交流の機会などがあり、生活リズムが乱れているAさんには適している。

2．✕　本問におけるショートステイ（短期入所）は、精神障害者の介護を行っている者の病気や事故等の理由により、居宅で介護を受けることが困難になった者を対象にした精神障害者居宅生活支援事業の一つである。介護者にとってはレスパイトサービスの役割を果たしている。本肢では、Aさんの生活リズムの乱れなどについて、どうしたらいいかという相談を姉から受けており、それに対してショートステイのサービスを勧めるのは適切ではない。

3．✕　グループホーム（共同生活援助）は共同生活を行う住居であり、その目的は、生活の場を提供することや、家事や食事などの生活支援、相談などである。Aさ

んには生活の場があり、Aさんにグループホームを勧めるのは**適していない**。

4．✕　就労移行支援は、**一般就労**を希望する**65歳未満**の障害者が対象になる。支援内容には、一般就労に向けた作業や実習、知識の獲得、本人に適した職場探し、就労に必要な体力の向上、集中力の習得などがある。Aさんは今の時点で就労を希望しているわけではないので、Aさんに勧めるのは**適していない**。

問題 118 〔解答〕 **4**

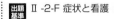
出題基準 Ⅱ-2-F 症状と看護

☐☐　　頻出度 **B**　難易度 **B**

1．✕　食事摂取量の低下によって**低アルブミン血症**となり、浮腫がみられる場合がある。

2．✕　再体験症状（フラッシュバック）は**心的外傷後ストレス障害（PTSD）**の主症状である。

3．✕　極端に痩せている状態を、**病気と認識していない**ことが多い。

4．○　痩せていても、自分が**太っている**と認識している。

問題 119 〔解答〕 **1**

出題基準 Ⅱ-2-F 臨床検査および心理検査と看護

☐☐　　頻出度 **A**　難易度 **B**

1．○　嘔吐を繰り返すことにより**カリウム**が失われ、低カリウム血症となる。**カリウム**が低下すると**筋力**低下、**筋肉**のしびれやけいれんが生じることがある。さらに、心機能に影響を及ぼし、**不整脈**や、場合によっては**心不全**を引き起こして突然死の原因にもなる。

2．✕　食事摂取量の低下に伴ってカルシウムも**低下**する。しかし、低カリウム血症の方が特に注意が**必要**である。

3．✕　尿酸は**プリン体**（ビール・鶏卵・魚卵・肉・魚などに多く含まれる）の摂取量が多い場合に上昇する。

4．✕　HbA1cは**糖尿病**との関連性が高い。

問題 120 〔解答〕 **4**

出題基準 Ⅱ-2-F 症状と看護

☐☐　　頻出度 **C**　難易度 **C**

1．✕　食事摂取量を確認することは大切であるが、強い監視下で食事を摂取させることは、患者の**心理的負担**を増強させ逆効果になるため**不適切**である。

2．✕　患者の**恐怖心**を増強する恐れがあるため**不適切**である。

3．✕　突き放すような言動は、患者の**不安**感や自尊心の**低下**などを助長するため、控えるべきである。

4．○　患者の行動を**責める**のではなく、行動に至った背景に目を向け、患者に**言語化**させることが大切である。

状況設定問題は基本は3連問ですが、第111回の試験では2連問と1問という問題が出題されました。問題を解くときには時間配分に気をつけましょう。問題文に制限時間の目安が載っていますので、参考にしてください。

第二回　模擬試験　午前

弱点チェックメモ

◆ 必修問題 ◆

◆ 一般問題 ◆

◆ 状況設定問題 ◆

1回目に間違えた問題を、
メモしておいてね。
2回目は正解できるように
がんばってください。

第二回 模擬試験 午後 解答一覧

番号	解答番号	番号	解答番号	番号	解答番号
1	2	43	2	85	1, 2
2	2	44	1	86	1, 2
3	4	45	1	87	3, 5
4	2	46	3	88	1, 4
5	3	47	3	89 ①	1
6	2	48	4	89 ②	0
7	4	49	1	90 ①	8
8	1	50	4	90 ②	1
9	2	51	2	91	3
10	2	52	1	92	4
11	3	53	2	93	3
12	1	54	4	94	3
13	3	55	2	95	3
14	3	56	4	96	1
15	3	57	1	97	4, 5
16	4	58	2	98	4
17	4	59	4	99	4
18	1	60	2	100	1
19	3	61	2	101	2
20	1	62	3	102	3
21	3	63	1	103	3
22	4	64	2	104	2
23	3	65	1	105	4
24	4	66	1	106	3
25	2	67	2	107	4
26	1	68	2	108	3
27	2	69	1	109	4
28	2	70	4	110	2
29	1	71	4	111	4
30	3	72	4	112	3
31	1	73	3	113	4
32	1	74	3	114	5
33	3	75	5	115	2
34	4	76	2	116	1
35	3	77	4	117	4
36	2	78	3	118	2
37	2	79	3	119	3
38	1	80	4	120	4
39	1	81	4		
40	1	82	3, 5		
41	2	83	1, 5		
42	2	84	3, 4		

問題 1 〔解 答〕 **2**

□□　頻出度 **B**　難易度 **B**

1．×

2．○

3．×

4．×

　令和4（2022）年の都道府県別合計特殊出生率では、最低率県は東京1.04、最高率県は沖縄1.70である。一般に低率県は大都市及びその周辺地域であり、高率県は九州など比較的温暖な地域で認められる。

〈合計特殊出生率〉

高率都道府県		低率都道府県	
沖縄	1.70	東京	1.04
宮崎	1.63	宮城	1.09
鳥取	1.60	北海道	1.12
長崎・島根	1.57	埼玉・神奈川	1.17

問題 2 〔解 答〕 **2**

□□　頻出度 **A**　難易度 **A**

1．×

2．○

3．×

4．×

　お風呂に体を沈めると、その沈めた部分には湯の圧力がかかる。この際の水圧を静水圧という。静水圧は末梢の血液循環を良くし、疲労回復などに役立つ。一方、心臓に戻る血液量が増加することになり、心肺には大きな負担がかかる。したがって、心肺機能に障害のある人には、特に注意が必要である。

〈静水圧のしくみ〉

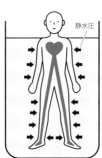

静水圧

入浴前の空気中に立っているときの血液分布　　全身浴をしたときの血液分布

問題 3 〔解 答〕 **4**

□□　頻出度 **B**　難易度 **B**

1．×　令和元年の厚生労働省国民健康・栄養調査によると、習慣的に喫煙をしている男性においてその割合が最も高いのは40歳代で、以下30歳代、50歳代となっている。

2．×　令和元年の厚生労働省国民健康・栄養調査における成人喫煙率では、男性27.1％、女性7.6％であり低下傾向ではあるが、諸外国に比べて高率である。

3．×　妊婦が喫煙した場合、早産や低出生体重、胎児発育遅延の危険性が高くなる。食事だけでは、それらの影響回避は難しい。

4．○　2003年健康増進法25条において、多数の者が利用する施設を管理する者は受動喫煙を防止するために必要な措置を講ずるように努めなければならないとされた。さらに2020年4月からは、多数の者が利用する施設における喫煙は禁止されている。

問題 4 〔解 答〕 **2**

□□　頻出度 **A**　難易度 **A**

1．×　遺伝子組換え食品の安全性の審査は、平成13（2001）年4月から食品衛生法に基づく義務となった。審査項目はアレルギ　誘発性、有害物質の産生等で、食品添加物の安全性等がこの審査により確認されている。

2．○　厚生労働省は、平成8（1996）年の英国産牛肉や加工品等の輸入の自粛を指導し、平成12（2000）年のBSEの急増を受け、平成13（2001）年2月に食品衛生法施行規則を改正し、疑いのある牛肉やその加工品等の輸入禁止の措置をとった。

3．×　厚生労働省は、食用として処理される牛の食肉処理時の特定部位を、全月齢の扁桃・回腸遠位部、30か月齢超の場合は、頭部（舌・頬肉・皮は除く）・脊髄・脊柱であるとし、これらの除去、焼却を法令上に義務化した。

4．×　平成29（2017）年4月から、食用として処理される牛のBSE検査は廃止されている（健康牛に限る。24か月齢以上の牛のうち、生体検査において神経症状が疑われるもの及び全身症状を呈するものについては、引き続きBSE検査を実施）。厚生労働省は、食品安全委員会のリスクアセスメント結果に基づいて検討を重ね、牛海綿状脳症対策特別措置法施行規則の一部改正を随時

行ってきた。

問題5 〔解 答〕**3**

出題基準 Ⅰ-3-A 給付の内容

頻出度 **B** 難易度 **B**

1．× 健康保険法は大正11（1922）年に制定され、昭和2（1927）年から**労働者**を対象に給付が開始された。これが日本の医療保険制度のあゆみの始まりである。

2．× 国民健康保険法は昭和13（1938）年に制定され、当初は保険者の**任意加入**制度であった。

3．〇 国民皆保険体制は昭和36（1961）年4月に実現した。当初の医療給付内容は被用者本人が原則**10**割給付、被用者家族と国民健康保険は**5**割給付であったが、昭和43（1968）年に国民健康保険、昭和48（1973）年に被用者家族が**7**割給付となった。

4．× 後期高齢者医療制度で医療給付の財源負担は、後期高齢者の保険料が**1**割、現役世代からの支援金が約**4**割、公費負担が約**5**割となっている。

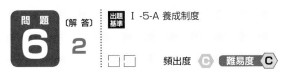

問題6 〔解 答〕**2**

出題基準 Ⅰ-5-A 養成制度

頻出度 **C** 難易度 **C**

1．× 短期大学専攻科で学ぶ保健師教育養成機関の指定権者は**文部科学大臣**である。短期大学卒で看護師国家試験受験有資格者が入学資格を得る。修業年限は**1年以上**である。

2．〇 専修・各種学校で学ぶ准看護師教育養成機関の指定権者は**都道府県知事**である。中学卒が入学資格で修業年限は**2年以上**である。

3．× 大学に付設する専修・各種学校で学ぶ助産師教育養成機関の指定権者は**文部科学大臣**である。看護師国家試験受験有資格者が入学資格を得る。修業年限は**1年以上**である。

4．× 高等学校・高等学校専攻科一貫教育5年で学ぶ看護師教育養成機関の指定権者は**文部科学大臣**である。中学卒が入学資格である。

　1〜4の根拠法規はいずれも**保健師助産師看護師法**である。令和4（2022）年4月現在、看護師等学校養成所数は看護師1,082か所（看護系大学303、3年課程557か所、2年課程142か所、高等学校・高等学校専攻科5年一貫教育80か所）、准看護師182か所、保健師304か所、助産師221か所である。

問題7 〔解 答〕**4**

出題基準 Ⅱ-7-D 社会性の発達

頻出度 **A** 難易度 **C**

1．× 分離不安は、特定の人の顔を見分けるようになる**生後7〜8か月**ごろにおける特徴である。母親の姿がみえなくなると不安になって泣いたり、探し求めたりする。

2．× 第1次反抗期は、一般に**3、4歳**ごろ、自我が発達してくる時期に現れてくる。周囲に対して否定的、反抗的態度が強くなる。

3．× モラトリアムとは、社会に出て**一人前の人間となることを猶予**されている状態である。肉体的には成人しているが、社会的義務や責任を課せられない猶予期間である。

4．〇 小学校の中学年から高学年ごろの学童期に、**集団的**な行動や**組織的**な遊びを好むようになる。**12〜13**歳ごろまで続く。

問題8 〔解 答〕**1**

出題基準 Ⅱ-7-F 社会的責任と役割

頻出度 **B** 難易度 **B**

1．〇 成人中期の発達課題の一つである。成人初期には配偶者との幸福な生活、家庭を管理する責任をとるなどがある。成人中期には、成人としての**社会的・市民的**責任の達成、中年期の生理的変化への適応などがある。

2．× **青年**期における発達課題である。他には、親からの**情緒**的独立の達成、結婚と家庭生活の準備などがある。

3．× **高齢**期の発達課題である。他には、**身体**的変化への適応、退職後の配偶者との生活の学習などがある。

4．× **学童**期の発達課題である。他には、仲間と交わることの学習、自己及び外界との理解の発達などがある。

問題9 〔解 答〕**2**

出題基準 Ⅱ-9-A 病院・診療所

頻出度 **A** 難易度 **C**

1．× 患者収容施設のないもの（**無床診療所**）、または患者19人以下の収容施設のあるもの（**有床診療所**）をいう。

2．〇 **19人以下**の患者を入院させることができる。

3．× 管理者は**医師または歯科医師**である。

4．× 管理者は医師、歯科医師であるため、**歯科診療所**の業務はできる。

医師又は歯科医師が、公衆又は特定多数人のため医業又は歯科医業を行う場所であって、患者を入院させるための施設を有しないもの又は 19 人以下の患者を入院させるための施設を有するものである。このうち、歯科医業を行うものを歯科診療所、それ以外のものは一般診療所とよばれる。入院施設のないものは無床診療所、施設のあるものは有床診療所とよばれる。

法 律	医療法
種類と施設数	一般診療所：有床診療所 – 5,593 施設 無床診療所 – 99,675 施設
	歯科診療所：66,843 施設

令和6年2月現在

問題 10 〔解答〕 **2**

出題基準 Ⅲ-10-A 感覚器系

□ □ 頻出度 Ⓐ 難易度 Ⓐ

1．✕ 外耳道の長さは**3.5cm** 程度である。外耳孔から1／3は軟骨で形成され、この部位に発達しているアポクリン汗腺からの分泌物と皮膚の落屑が耳垢である。

2．〇 鼓膜の先に存在する鼓室の中にはツチ骨、キヌタ骨、アブミ骨とよばれる**耳小骨**があり、これらが鼓膜の振動を内耳の**前庭窓**に伝える。

3．✕ 蝸牛、前庭、半規管は**内耳**に存在する。それぞれの機能を以下の表に示す。

蝸牛	音の振動を感知
前庭	頭の傾きを感知
半規管	頭の回転を感知

ひっかけ

4．✕ 鼓室は耳管で**咽頭**とつながっている。**耳管**は鼓室から咽頭の上部にかけて存在する 30 ～ 40mm 程の管であり、嚥下の際に外耳と中耳の間に発生した気圧差を調整している。

🐭〈耳の構造〉

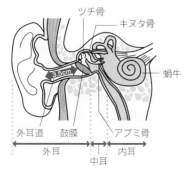

問題 11 〔解答〕 **3**

出題基準 Ⅲ-10-A 内分泌系

□ □ 頻出度 Ⓐ 難易度 Ⓐ

　我々の身体は内部環境を一定の条件に**調整**する機能をもつ。ホルモンによる調整を**液性調節**、神経伝達物質による調整を**神経性**調節という。

1．✕ ホルモンは専用の導管を**もたず**、血液と共に全身に運搬される。

2．✕ シナプスを介して情報伝達するのは、**神経性**調節の特性である。

3．〇 血液と共に全身に運搬され、**標的**細胞まで到達して作用する。

4．✕ 標的細胞まで**血流**にのって運搬されるため、**遅効性**である。

🐭〈液性調節と神経性調節〉

液性調節 情報伝達は遅いが持続性がある

内分泌細胞　ホルモンが血流にのって運ばれる　標的細胞

神経性調節 情報伝達は確実で速いが持続性がない

シナプス
神経伝達物質
神経伝達物質により情報が伝わる

問題 12 〔解答〕 **1**

出題基準 Ⅲ-10-B 死の三徴候

□ □ 頻出度 Ⓐ 難易度 Ⓐ

頻出

1．〇 死の三徴候は**心停止、呼吸停止、瞳孔散大・対光反射の消失**である。

2．✕ 深昏睡は**脳死の判定基準**である。

3．✕ 平坦脳波は**脳死の判定基準**である。

4．✕ 体温の低下は死の三徴候に含まれて**いない**。

問題 13 〔解答〕 **3**

出題基準 Ⅲ-11-A チアノーゼ

□ □ 頻出度 Ⓐ 難易度 Ⓐ

1．✕
2．✕
3．〇
4．✕

チアノーゼとは、酸素と結合していない**脱酸素化**ヘモグロビンが5g/dL以上貯留して、皮膚や粘膜の色が**青紫色**に変化している状態である。

動脈血酸素分圧、動脈血酸素飽和度、酸化ヘモグロビンからは低酸素血症の所見を確認できる。症状の有無を判断するためには、**口唇**、**口腔内**、**爪床**、**四肢末端**などの毛細血管が豊富な部位の色調を観察するとよい。

〈微小妄想の種類〉

貧困妄想	（実際にはそのような状況ではないのに）お金がなくて家族が路頭に迷ってしまう
罪業妄想	（実際にはそのような状況ではないのに）重大な問題を起こしてしまった
心気妄想	（実際にはそのような状況ではないのに）不治の病にかかってしまった

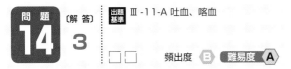

問題**14** 〔解答〕**3** 出題基準 Ⅲ-11-A 吐血、喀血　頻出度 **B** 難易度 **A**

1．× 吐血とは、**嘔吐**運動によって血液または血液が混入した吐物を消化管から口腔を経て吐き出すことである。咳嗽時に排出されるのは**喀血**である。

2．× 吐血では一般的に**暗赤色**ないし**コーヒー**残渣様を呈することが多い。これは血液中の**ヘモグロビン**が胃酸と混合して塩酸ヘマチンになったためで、血液が胃内に一定時間とどまったことを示している。なお、大量かつ急激に起こると鮮紅色の吐血がみられる。

3．○ 血液中に胃酸が混合しているため、**酸性**を呈する。なお、大量のときは胃酸の混合する割合が減少するためアルカリ性を呈する。

4．× 胃内に停滞していた**食物残渣**に血液が混入したものを嘔吐するため、食物残渣が混入していることが多い。

問題**15** 〔解答〕**3** 出題基準 Ⅲ-11-B 精神疾患　頻出度 **A** 難易度 **C**

1．○
2．○
3．×
4．○

妄想は**思考内容**の障害である。強固に確信しているため、理論的な反証を挙げても訂正ができない。妄想の内容は不合理であり、ほとんどが自己に関連している。うつ病にみられる妄想では、**貧困妄想、罪業妄想、心気妄想**が代表的である。これら３つの妄想は微小妄想といわれる。**被毒妄想**（「（実際にはそのような状況ではないのに）食事に毒が入っている」などの訴え）は、**統合失調症**に多くみられる妄想である。

問題**16** 〔解答〕**4** 出題基準 Ⅲ-11-B 小児の疾患　頻出度 **A** 難易度 **C**

1．× 気管支喘息は、気管支（気道）の**粘膜**に慢性的な**炎症**が起こる疾患であり、子どもから大人まで幅広い年齢層で発症する。

2．× インフルエンザ脳症は、インフルエンザに罹患することによって発症し、**意識障害**を主な症状とする。

3．× 成人T細胞白血病(ATL：adult T-cell leukemia)は、白血球の中のT細胞がHTLV-1(human T-lymphotropic virus type-Ⅰ)という**ウイルスに感染**してがん化し（ATL細胞）、それが無制限に増殖することで発症する。

4．○ マルファン症候群は、常染色体優性遺伝性の結合組織が脆弱になる疾患である。全身の結合組織に**先天的**な異常があり、全身の各種臓器にさまざまな合併症の症状がみられる。

問題**17** 〔解答〕**4** 出題基準 Ⅲ-12-B 薬理効果に影響する要因　頻出度 **A** 難易度 **C**

1．×
2．×
3．×
4．○

ビタミン**K**は、抗凝血薬であるワルファリンのプロトロンビン産生抑制作用を阻害する。そのため、ワルファリン使用中には、ビタミン**K**を豊富に含む食品は避けたほうがよい。特に納豆は、納豆菌がビタミン**K**を産生するため、避けたほうがよい食品である。

問題**18** 〔解答〕**1** 出題基準 Ⅳ-13-C バイタルサインの観察　頻出度 **A** 難易度 **A**

1．○ 仰臥位から立位へと体位を変えると体の下部の

95

動脈、および毛細血管の静水力学的圧力が高くなり血液は下部に残りがちである。その結果、心臓にかえる血液が減少するため、収縮期血圧が低下する。

2．×　マンシェットの幅は、測定部位の周囲長の40％の幅とされている。なお、成人の上腕での測定では14cm幅のものが一般的に使用されている。20cm幅のものは、大腿部の測定時に用いる。

3．×　マンシェットの下縁の位置は、上腕動脈を正しく圧迫するため、肘窩より2～3cm程度上側になるようにする。指が1～2本入る程度に巻く。巻き方がゆるいと、ゴム嚢が通常よりも丸くふくらんで圧迫面積が小さくなり、大きな圧力を必要とするため、実際よりも高い測定値になる。

4．×　減圧は、1拍動に2～3mmHgの速度で行う。減圧の速度が速いと、実際より低い値になるので注意する。

問題19　〔解答〕**3**　出題基準 Ⅳ-14-B 排泄の援助（床上、トイレ、ポータブルトイレ、おむつ）　頻出度 C　難易度 B

1．×　洋式便器は先端が薄くなっておらず、容量が大きい。先端が薄くなっているのは、差し込み便器（和式便器）である。

2．×　ゴム便器は容量が小さい。弾力性があるため、仙骨が突出している人に用いても痛みが少ない。

3．○　女性が女性用尿器を使って排尿する場合、会陰部に尿器の受け口を密着させるように押しあてておく必要があるため、排尿中に患者を一人にすることが難しい。そのため、便器を用いることが多い。

4．×　男性用尿器では、会陰部に尿器の受け口を密着させることができないため、女性の排尿時には使用できない。

問題20　〔解答〕**1**　出題基準 Ⅳ-15-C 無菌操作　頻出度 B　難易度 A

1．○　受け渡す側は、鉗子・鑷子の先端は水平位より上に向けないようにする。

2．×　滅菌バッグの紙の部分は不潔になるので、破いて開封しない。開封側を上にして、左右に開く。

3．×　鑷子をバッグから取り出す際は、鑷子の先を閉じた状態で引き出す。

4．×　滅菌ガウンの前面は清潔部分と考え、素手で触

れない。内側に手を入れて広げ、袖に腕を通す。

問題21　〔解答〕**3**　出題基準 Ⅳ-16-A 経静脈栄養法　頻出度 B　難易度 A

鎖骨下からの中心静脈カテーテルは、中心静脈栄養を行うために挿入される。

1．×　誤嚥性肺炎とは、唾液や食物などが気管から肺に垂れ込んで生じる肺炎である。したがって、中心静脈栄養に伴う合併症ではない。

2．×　汎発性腹膜炎は、腹腔全体に炎症が急激に広がった状態で、胃瘻カテーテルの逸脱により腹腔内に栄養剤が流入することで起こる可能性がある。したがって、中心静脈栄養に伴う合併症ではない。

3．○　鎖骨下静脈を穿刺する場合、鎖骨下静脈の下には肺があるため、胸膜を誤穿刺すると、肺を損傷し、気胸を合併する危険性がある。

4．×　イレウスとは、なんらかの原因によって腸の蠕動運動が阻害された状態のことである。したがって、中心静脈栄養に伴う合併症ではない。

問題22　〔解答〕**4**　出題基準 Ⅳ-16-B 与薬方法　頻出度 B　難易度 B

1．×　薬物の代謝は主に肝臓内にある酵素によって行われる。

2．×　薬物は体内で代謝を受けた後体外へ排泄されるが、腎臓から尿中へ排泄される場合と、肝臓から胆汁として排泄される場合がある。

3．×　舌下錠は口腔粘膜から吸収される。

4．○　直腸内与薬は肝臓を通らずに全身循環に入るため、初回通過効果を回避できる。

問題23　〔解答〕**3**　出題基準 Ⅳ-16-E 酸素マスク　頻出度 B　難易度 B

1．×　鼻カニューレはマスクではないため、二酸化炭素分圧は上昇しない。

2．×　設問は、ベンチュリーマスクの説明である。酸素マスクは患者の1回換気量、吸気流速、呼吸パターンにより、得られる酸素濃度が異なる。

3．○　鼻カニューレは鼻から酸素を投与しているた

め、口呼吸をしている患者には**適さない**。

4．✕ 高濃度の酸素投与ができるのは、**高濃度酸素マスク（リザーバー付き酸素マスク）**である。

 問題24 〔解答〕**4** 出題基準 Ⅳ-16-F 胸骨圧迫
頻出度 **B** 難易度 **B**

1．✕ 圧迫部位は、胸骨の**下半分**とする。目安は胸の**真ん中**である。また胸骨下端を圧迫すると、剣状突起によって肝臓を損傷したり、胃部に圧負荷がかかって胃内容物の逆流を引き起こしたりする。

2．✕ 指は**組む**か、伸ばして、胸壁に**あたらない**ようにする。胸壁に密着させると、**肋骨**に負荷が加わり容易に**肋骨**骨折を引き起こす。ただし、もし肋骨を骨折させたとしても、骨端が内臓に突き刺さることはないため、中断せずに胸骨圧迫を続ける。

3．✕ 胸骨が約**5cm**下がる程度の圧を加える。6cmは超えないようにする。

4．○ 設問のとおり。胸骨圧迫は、1分間に**100〜120**回の速さで、強く、たえまなく行うことが重要である。

 問題25 〔解答〕**2** 出題基準 Ⅰ-3-B 介護保険制度の基本 [5肢]
頻出度 **A** 難易度 **B**

1．✕ 第1号被保険者は**65**歳以上の者。「**40〜65**歳未満」は、第2号被保険者である。

2．○ 設問の**とおり**。

ひっかけ **3．✕** 介護保険料は全国同額では**ない**。地方自治体によって**異なる**。

4．✕ 要介護状態の区分は、要介護**1〜5**の5段階である。要介護認定は、自立（非該当）、要支援1と2の2段階、要介護の5段階を合わせて8区分で審査判定する。

5．✕ 介護サービス費用の利用者負担は、原則**1**割である。しかし、平成27年8月から、合計所得金額**160**万円以上の者については、利用者負担は2割となっている。また、平成29年の法改正により、平成30年8月から8割給付（2割負担）の者のうち、特に所得の高い者は7割給付（3割負担）になっている。

介護サービス費用は、所得に応じて3段階にわかれています。

問題26 〔解答〕**1** 出題基準 Ⅰ.Ⅱ.Ⅲ-3-B 中枢神経系の構造と機能
頻出度 **B** 難易度 **C**

1．○ 大脳辺縁系の構成要素としては、**海馬**、帯状回、**扁桃体**などがある。

2．✕ 下垂体は**視床下部**に接する位置にある。

3．✕ 視床上部、視床、視床下部で**間脳**を構成する。

4．✕ 中脳、橋、延髄で**脳幹**を構成する。

問題27 〔解答〕**2** 出題基準 Ⅰ.Ⅱ.Ⅲ-3-B 中枢神経系の構造と機能
頻出度 **A** 難易度 **B**

1．✕ 延髄は脳幹からなっており、**呼吸中枢**、**循環中枢**、咳（咳嗽）中枢、嘔吐中枢、嚥下中枢、発汗中枢、唾液分泌中枢など、生命維持に重要な**中枢**である。

2．○ 小脳は筋緊張の調整、**身体の平衡**、**協調運動**などに関与している。

3．✕ 中脳は動眼神経や滑車神経があり、**対光反射**などに関与している。

4．✕ 視床下部は自律神経系のほか、**水分代謝や体温調節・食欲・睡眠**などを調整している。

問題28 〔解答〕**2** 出題基準 Ⅰ.Ⅱ.Ⅲ-5-B 眼球と眼球付属器の構造
頻出度 **A** 難易度 **B**

1．○ 眼窩を構成する骨は**蝶形骨・篩骨・涙骨・上顎骨・口蓋骨・頬骨・前頭骨**の7つである。

2．✕ 鼻骨は眼窩を形成する骨格に含まれ**ない**。

3．○ 1に同じ。

4．○ 1に同じ。

調：蝶形骨
子：篩骨
わるいね：涙骨
学：上顎骨
校の：口蓋骨
教：頬骨
頭先生：前頭骨

眼窩を構成する骨は、語呂合わせで覚えてね。

第二回 模擬試験 午後

問題 29 〔解答〕 1

出題基準 Ⅰ.Ⅱ.Ⅲ-6-B 血管系の構造と機能

頻出度 Ⓐ 難易度 Ⓑ

1．× 腕頭動脈は**左**側にはなく、**右**側のみにある。

2．○ 大動脈は**左心室**から出て、**全身**に動脈血を送る。

3．○ 腕頭動脈から**右総頸動脈**と右鎖骨下動脈が分岐する。

4．○ 大動脈から**腕頭動脈**、**左総頸動脈**、**左鎖骨下**動脈が分岐する。

問題 30 〔解答〕 3

出題基準 Ⅳ-5-A 慢性閉塞性肺疾患〈COPD〉

頻出度 Ⓐ 難易度 Ⓒ

1．×

2．×

3．○

4．×

肺気腫は閉塞性肺疾患であり、中等症（Ⅱ期）では1秒率は**低下する**が、%肺活量は**低下しない**。

問題 31 〔解答〕 1

出題基準 Ⅳ-8-A 甲状腺疾患（甲状腺機能亢進症、甲状腺機能低下症、甲状腺炎）

頻出度 Ⓑ 難易度 Ⓑ

バセドウ病は、甲状腺のTSH受容体に対する刺激型自己抗体を認める自己免疫疾患であり、甲状腺機能亢進症を起こす疾患である。

1．○ **眼球突出**、**びまん性甲状腺腫**、**頻脈**はメルゼブルクの3徴と呼ばれ、バセドウ病の特徴的な症状である。

2．× **全身性エリテマトーデス〈SLE〉**などで特徴的にみられる。

3．× バセドウ病では、甲状腺中毒症状として**体重減少**が認められる。中心性肥満は副腎皮質ホルモンの一種であるコルチゾールの慢性的な過剰で起こる**クッシング症候群**の特徴的な症状である。

4．× 副甲状腺機能低下などによる**低カルシウム血症**により出現する。

問題 32 〔解答〕 1

出題基準 Ⅳ-12-A 認知症（Alzheimer〈アルツハイマー〉病、血管性認知症、Lewy〈レビー〉小体型認知症、前頭側頭型認知症）

頻出度 Ⓐ 難易度 Ⓒ

1．○ レビー小体型認知症の主な障害部位は、**後頭葉**である。

2．× 脳血管性認知症の主な障害部位は、**梗塞病変**や**梗塞部位**の血流低下によって異なる。

3．× アルツハイマー型認知症の主な障害部位は、**頭頂葉**や**側頭葉**である。

4．× 前頭側頭型認知症の主な障害部位は、**前頭葉**や**側頭葉**である。

問題 33 〔解答〕 3

出題基準 Ⅲ-10-A 主な生活習慣病の現状

頻出度 Ⓐ 難易度 Ⓒ

1．× 国民生活基礎調査は、国民の保健、医療、福祉、年金、所得等国民生活の基礎的な事項を世帯面から総合的に把握する調査である。健康については大規模調査年のみに把握されている。令和元年国民生活基礎調査によると「12歳以上の者で悩み・ストレス」の有無別構成割合は、**ある**47.9％、**ない**50.6％となっている。

2．× 20歳以上で検診や人間ドックを受けた者の割合は**69.6**％である。

3．○ 有訴者率（人口千対）は**男**270.8、**女**332.1で**女性**が高くなっている。

4．× **3**年ごとに大規模調査、中間**2**年は簡易調査を実施している。

問題 34 〔解答〕 4

出題基準 Ⅲ-10-B 労働衛生3管理（作業管理、作業環境管理、健康管理）

頻出度 Ⓐ 難易度 Ⓒ

1．○

2．○

3．○

4．×

労働衛生管理の基本は①**作業環境**管理、②**作業**管理、③**健康**管理の3つである。

作業環境管理では、作業環境を的確に把握し、種々の有害要因を取り除いて、良好な作業環境を確保する。

作業管理では、有害な物質やエネルギーが人に及ぼす影響は、作業の内容や方法によって異なってくることから、これらの要因を適切に管理して、労働者への影響を少なくする。

健康管理は、健康診断及びその結果に基づく事後措置、健康指導であり、労働者の健康状態を把握し、労働者の健康障害を未然に防ぐものである。

問題 35 〔解答〕 **3**　出題基準 Ⅰ-1-D 患者の権利と擁護

頻出度 Ⓐ　難易度 Ⓑ

1．✕　患者の権利主張を支援・代弁していくのは**アドボカシー**という。**パターナリズム**とは医療者主導の医療の考え方を指すもので、本人の意思に関わりなく本人の利益のために本人に代わって意思決定をすることである。

2．✕　日本看護協会の**看護職の倫理綱領**本文４に「看護職は、人々の権利を尊重し、人々が自らの意向や価値観にそった選択ができるよう支援する。」と策定されている。

3．○　**リビング・ウィル**とは患者自身による判断が不可能になったときのために、医療介入の程度や**尊厳ある死の迎え方**などについて文書で示したものである。

4．✕　**インフォームド・コンセント**とは患者が納得して治療や検査を受けるために十分な説明を受け、同意をすることである。

問題 36 〔解答〕 **2**　出題基準 Ⅱ-3-C 評価

頻出度 Ⓐ　難易度 Ⓒ

1．✕　期待される成果に到達すると予測される日を評価日とするが、患者の容体が変化した場合に、アセスメントの見直しが必要となったときは、**そのつど**評価を実施する。

2．○　期待される成果に到達できなかった場合は、アセスメント、診断、計画立案、実施のどの段階に原因があるかを**分析**する。

3．✕　期待される成果に到達しているが、その状態を継続していけるかが疑われる場合は、**あらたな評価日**を設定して、立案している看護計画を実施する。

4．✕　評価の際は、期待される結果の評価だけでなく、看護問題の**優先順位**についても再考する

問題 37 〔解答〕 **2**　出題基準 Ⅱ-3-I 死亡後のケア

頻出度 Ⓑ　難易度 Ⓑ

死後の処置は、死亡確認後、故人と家族とのお別れの時間をもったあと、**家族の了解**を得た上で行う。家族には身体を清潔にし、衣服や身なりを整えることを伝える。死者への**尊厳の念**をもって行う。

1．✕　死後の処置は、**家族の希望**により看護師ととも

に行えることを説明する。

2．○　**生前と同様**の方法で、湯を用い、不必要な露出を避けて、死者への**尊厳**の念をもって行う。

3．✕　必要に応じて、口腔や肛門などに**脱脂綿**、**青梅綿**の順に詰める。脱脂綿は、ご遺体に残留している体液を吸収させ、青梅綿は、水分が外に漏れ出ないことを目的としているからである。

4．✕　和式の着衣の場合は、**左前合わせ**、帯は**縦結び**にする。通常は、**右前合わせ**で、帯は**蝶々結び**にするが、死後に通常と**異なる方法**をとることで、あの世とこの世を区別し、死後の世界への旅立ちを表している。

問題 38 〔解答〕 **1**　出題基準 Ⅱ-3-H 安楽な姿勢・体位の保持

頻出度 Ⓐ　難易度 Ⓒ

体位保持（ポジショニング）は、患者がみずからの身体を支え体位を保持することができない場合、患者の状態に合わせて身体的にも精神的にも**安楽**な体位を保持できるようにする援助方法である。

1．○　仰臥位は、**支持基底面**が広く、**重心**が低く安定している体位であるが、長時間の同一体位では腰背部への負担や仙骨部や肩甲骨部など骨突出部の圧迫による**褥瘡の発生**や、**尖足**などを引き起こす可能性が高い。

2．✕　側臥位にした後、体位を安定させるため、身体の下側になった肩が圧迫されないように整える。下肢は上側の足を**屈曲**、下側の足を軽く膝を曲げて**伸展**させると安定しやすい。

3．✕　頭側を挙上すると、ベッドの動きの方向と患者の背部から殿部に生じる動きの方向が相反し摩擦やずれが生じるため、**背抜き**を行うとよい。

4．✕　端座位にしたとき、足底が床面につくように調整するが、130 度だと立位をとる時に**不安定**になるため、適切では**ない**。股関節の屈曲 **90** 度かつ膝関節 **90** 度だと安定して端座位を**保持**しやすく、立位も取りやすい。

問題 39 〔解答〕 **1**　出題基準 Ⅱ-4-B 健康な食生活と食事摂取基準

頻出度 Ⓑ　難易度 Ⓑ

日本人の食事摂取基準は、健康増進法第 16 条の２に基づき、国民の健康の保持・増進を図る上で摂取することが望ましいエネルギー及び栄養素の量の基準を示すものである。2020 年版の使用期間は、2020 年度から 2024 年度の５年間で、５年に１回改訂されている。

1．○　栄養素の摂取不足の回避を目的として、**推定平**

均必要量（estimated average requirement：EAR）が設定されている。推定平均必要量は、半数の者が必要量を満たすと推定される量である。

2．× 過剰摂取による健康障害の回避を目的として<u>耐容上限量</u>が設定されている。ビタミンA、D、E、B6などがある。

3．× 生活習慣病の一次予防を目的として<u>目標量</u>が設定されている。脂質や炭水化物は総エネルギーに占める割合が目標として示されている。また、食物繊維やカリウムについては、摂取量の増加を目指し、<u>ナトリウム</u>については、<u>摂取量の減少</u>を目ざしている。なお、生活習慣病の<u>重症化予防</u>及び<u>フレイル予防</u>を目的として摂取量の基準を設定できる栄養素については、発症予防を目的とした量（目標量）とは区別して示す。

4．× 推定平均必要量を補助する目的で<u>推奨量</u>（recommended dietary allowance：RDA）が設定されている。ほとんどの者が必要量を充足している量を推奨量という。

問題 **40** 〔解答〕 **1**

出題基準 Ⅱ-4-C 自然な排泄が困難な人への援助

□ □　頻出度 **B**　難易度 **C**

ひっかけ

1．○ カテーテルの先端に、<u>水溶性</u>の滅菌潤滑剤を塗布する。

2．× 成人女性における尿道の長さは**3～4cm**だが、膀胱留置カテーテルにはバルーンがあり、膀胱留置カテーテルの先端からバルーンを膨らました下縁（図の①）までの約**4cm**は<u>膀胱内</u>となる。それに内尿道口の長さを考慮すると**9cm**程挿入することが望ましい。

3．× 尿の流出を確認したのち、さらにカテーテルを**2cm**程度進め、バルーンを膨らませる。尿の流出を確認しないで膨らませると、尿道内で膨らむ危険性がある。

4．× バルーンには<u>滅菌蒸留水</u>を注入する。滅菌である理由は、バルーンが破裂した場合の感染予防のためである。<u>生理食塩水</u>を長時間注入したままにすると食塩の結晶が形成され、バルーンから水を抜くことができなくなるおそれがある。

〈バルーンを膨らました下縁〉

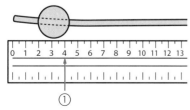

①

〈膀胱の構造図〉

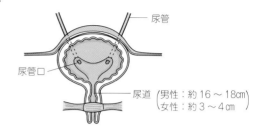

尿管
尿管口
尿道（男性：約16～18cm）
　　　（女性：約3～4cm）

問題 **41** 〔解答〕 **2**

出題基準 Ⅱ-4-F 清潔行動・衣生活の自立困難な人への援助

□ □　頻出度 **B**　難易度 **A**

1．× 脱衣時は<u>制限のない</u>側から寝衣を脱がせ、ゆとりのある状態で持続点滴を行っている側を脱がせると安全である。設問では<u>左腕</u>に制限がないので<u>左腕</u>から脱がせるのが望ましい。

2．○ 着脱時、点滴ボトルを心臓より<u>低く</u>すると輸液ルート内に血液が逆流することになるため、心臓より<u>高く</u>保つようにする。

3．× 着衣時は最初に<u>点滴ボトル</u>を袖に通し、その後輸液ルートをひっぱらないよう留意しながら<u>腕</u>を通す。

4．× 袖に腕や輸液ルートを通すときに、誤って輸液ルートをひっぱってしまい留置針を抜去する可能性があるので、輸液ルートにある程度のゆとりを<u>持たせる</u>。

問題 **42** 〔解答〕 **2**

出題基準 Ⅱ-4-F 清潔行動・衣生活の自立困難な人への援助

□ □　頻出度 **B**　難易度 **A**

1．× ベッド上での<u>安静臥床</u>が必要で陰部を自分自身では清潔に保つことのできない患者に対して用いる。

2．○ 便器は<u>患者</u>に合ったものを使用する。

3．× **38～40℃**の微温湯を用いる。陰部は粘膜であり敏感な部分であるため、患者の皮膚・粘膜に直接湯をかける前に看護師の<u>腕の内側</u>で温度を確認し、熱傷を予防する。

4．× 肛門周囲の細菌が尿路に侵入することを避けるため、洗浄は<u>外陰部</u>から<u>肛門</u>にかけて行う。

問題 **43** 〔解答〕 **2**

出題基準 Ⅱ-5-D 輸液・輸血の副作用（有害事象）の観察

□ □　頻出度 **A**　難易度 **B**

1．× 輸血された輸血用血液製剤の中に含まれる<u>リンパ球</u>が<u>定着・増殖</u>し、患者の組織を<u>攻撃・破壊</u>することによって発症する。

2．○　放射線を照射し、輸血用血液製剤の中に残っているリンパ球を破壊することで発症を予防できる。

3．×　輸血用血液製剤の中に含まれるリンパ球はどの製剤でもほとんど除去されるが、完全には除去できない。そのため新鮮凍結血漿でも起こり得る。

4．×　症状は発熱、紅潮、下痢、肝機能障害、汎血球減少症などが認められる。

問題 44 〔解答〕 1
出題基準 Ⅱ-5-F 生体検査（エックス線撮影、超音波、CT、MRI、心電図、内視鏡、核医学）
頻出度 B　難易度 A

1．○　ホルター心電図は、日中の活動中や睡眠中も含めて24時間常に心電図を記録する。

2．×　通常、胸部に5個の電極【胸骨柄部と剣状突起部（NASA誘導）、右肩と心尖部（CM5誘導）、不関電極】を装着する。しかし、誘導は2誘導と少なく、胸部12誘導心電図と比較して情報量が少ない。

3．×　ホルター心電図の主な目的は不整脈の検出、ST-Tの変化などにみられる心筋虚血の有無を判断することである。

4．×　電極を装着していても寝返りやうつ伏せになるなどの体位の制限はない。しかし、電極を装着しているため、入浴やシャワー浴はできない。また、電気カーペットや電気毛布の使用も控える。

問題 45 〔解答〕 1
出題基準 Ⅰ-1-B 看護の対象
頻出度 C　難易度 B

1．○　マドレイン・M・レイニンガーは、文化を考慮した看護を文化的ケアと呼び、「ある文化の人々の間で受け継がれた価値観や信念や生活様式のなかで、病気や傷害をもった人や死を迎える人を援助したり、支えたり、あるいはその人に力を与えるようなもの」と定義した。

2．×　セルフケア理論は、ドロセア・E.オレムの理論であり、看護ケアは対象者が生物学的、精神的なニード、あるいは発達上や社会的ニードを満たすことができなくなったときに必要である、というものである。

3．×　適応理論は、シスター・カリスタ・ロイの理論であり、「人間は絶えず変化する環境と相互に作用しあう全体的適応システムである」と述べた。

4．×　ニード理論は、ヴァージニア・ヘンダーソンの理論であり、患者の14の基本的欲求を把握し、援助することが看護師の重要な役割であると述べた。

問題 46 〔解答〕 3
出題基準 Ⅰ-2-A 生活習慣病の要因
頻出度 B　難易度 A

生活習慣病の前段階であるメタボリックシンドロームの改善・予防は、内臓脂肪の蓄積、脂質異常、耐糖能異常、高血圧などのリスク因子を減らし、心筋梗塞や脳梗塞などの動脈硬化になる疾患を減少させることにつながる。腹囲：男性（85cm以上）、女性（90cm以上）に加え、脂質異常、高血圧、高血糖のうち2項目以上にリスクがある場合に、メタボリックシンドロームと判定される。

1．×　腹囲90cm未満を目指す。

2．×　高血圧も診断基準にあることから塩分摂取にも注意が必要である。

3．○　特に大豆などの植物性の蛋白質の摂取が推奨される。

4．×　女性は更年期になると骨粗鬆症のリスクが高まるので、カルシウム摂取は重要である。よって牛乳を控える必要はない。

問題 47 〔解答〕 3
出題基準 Ⅰ-2-B 就労条件・環境と疾病との関係
頻出度 B　難易度 B

厚生労働省労働基準局の「情報機器作業における労働衛生管理のためのガイドライン」によると、次の内容が指導されている。

1．×　作業者の体形に合わせて高さが調整できる椅子を使用し、深く腰掛けて背もたれに背をあてることが望ましい。

2．×　ディスプレイを用いる場合の書類上及びキーボード上における照度は300ルクス以上とする。

3．○　ディスプレイと目の距離は、40cm以上とする。この距離でみやすいように必要に応じて適切な眼鏡による矯正を行う。

4．×　一連続作業時間及び作業休止時間に関しては、一連続作業時間が1時間を超えないようにし、次の連続作業時間までの間に10分〜15分の作業休止時間を設け、かつ、一連続作業時間内において1回から2回程度の小休止を設ける。

問題 48 〔解答〕 4
出題基準 Ⅱ-5-B 手術体位による影響と援助
頻出度 B　難易度 C

Aさんの症状から、腕神経叢の麻痺を疑うことが重

第二回　模擬試験　午後

要である。

1．✕　腹腔鏡下低位前方切除術は、**仰臥**位、頭低位で行う。仰臥位では、両上肢を高度な**外転・外旋・回外位**にすると腕神経叢が鎖骨、小胸筋、上腕骨頭部で強く牽引され、**上肢挙上**などの運動機能障害が発生しやすくなる。そのため、外転は**90度**以内とする。設問は、外転90度未満なので訴えの原因とは**考えにくい**。

2．✕　前腕部分を固定する時は、肘関節で行うと回内しやすく、**尺骨神経**の圧迫も生じやすいため、**手首近く**で固定する。設問は前腕の遠位部（**手首近く**）に固定しているので、訴えの原因とは**考えにくい**。

3．✕　頭部が左右に傾くと、**傾いた方**に神経が牽引され神経障害を生じるため、頭部は正中で固定するのが正しい。よって設問が訴えの原因とは**考えにくい**。

4．○　手のひらが天井に向いているということは、前腕が**回外**していることとなり、**腕神経叢**の神経障害が出現している可能性が**ある**。

問題 **49** 〔解 答〕 **1**
出題基準 Ⅴ-8-B 放射線療法と看護
頻出度 **B** 難易度 **B**

1．○　放射線宿酔は、照射**直後**から**数日**以内に生じることが多く、船酔いや二日酔いのような症状（全身倦怠感や疲労感、食欲不振、悪心・嘔吐、上腹部停滞感、頭重感など）が出現する。一過性で数日で次第に消失する。

2．✕　照射開始から**2～3週間**頃出現する。炎症症状に、皮膚発赤、瘙痒感、熱感、疼痛、水疱やびらんなどが生じる。皮膚反応は、照射部位と**反対**側にも強く出現することがある。皮膚への機械的刺激を避ける。

3．✕　肺は、放射線感受性が高い臓器である。照射期間終了頃から終了後**数か月**の間に発症する。咳嗽、発熱、息切れ、呼吸困難等がみられるが、**高齢者**などは無症状のことがある。重症化や死に至ることもあるため、**注意深い観察**が必要である。

4．✕　照射部位に肺門、縦隔が含まれる場合、照射開始から**2～3週間**頃出現する。嚥下時痛、胸やけ、嗄声、嚥下困難を訴える。刺激物を避け、柔らかくのどごしのよいものを少量ずつ数回に分けて摂取する。

問題 **50** 〔解 答〕 **4**
出題基準 Ⅶ-11-D 虚血性心疾患
頻出度 **A** 難易度 **A**

1．✕　心筋梗塞も狭心症も胸痛や胸部の圧迫感といった症状がでる。狭心症では、そのような症状が数分から

長くて**15**分程度と一時的なのに対し、心筋梗塞では**30**分以上継続し、安静にしても、救急薬のニトログリセリンを服用しても治らない。

2．✕　安静時狭心症は、**安静**にしているときに起こるタイプの狭心症で、冠動脈の一部が激しくけいれんを起こす**冠れん縮**が原因で起こる。**冠れん縮**が起こると、冠動脈の一部が急激に細くなり、動脈硬化により冠動脈が細くなった状態と一時的に同じ状態になる。血流が悪くなって**心筋**が酸素不足になり、狭心症の発作が起こる。冠れん縮が起こりやすいのは、**睡眠中の明け方**である。また、明け方から午前中、寒さにより急激に体が冷えたとき、飲酒したときなどでも起こることがある。

3．✕　労作性狭心症の発作は、冠動脈が動脈硬化の**粥腫（じゅくしゅ）**によって血管が狭くなることで、その先に多くの血流が行き渡らなくなり、**酸素不足**で発作が起きる。普段はある程度、血流が保たれているので安静時に症状は**ない**。体を動かしたり、興奮したりしたときは、心臓が必要とする**酸素量**が増え、酸素を運ぶ血流量が追いつかなくなると発作が起こる。

4．○　心筋梗塞は、冠動脈が**塞がり**、血流がなく、血液供給不足で心筋が**壊死**になった状態である。なお、狭心症は冠動脈の内径が**狭くなった**状態で、まだ血流がある。したがって、**心筋梗塞**のほうがより危険で重篤である。

問題 **51** 〔解 答〕 **2**
出題基準 Ⅶ-13-D 脂質異常症、肥満、高尿酸血症
頻出度 **B** 難易度 **C**

1．✕　飽和脂肪酸は**動物性脂肪**に多く含まれており、多く摂取すると肥満や心・血管系疾患を**悪化**させる可能性がある。飽和脂肪酸：一価不飽和脂肪酸：多価不飽和脂肪酸の比率は、**3：4：3**が望ましい。

2．○　食塩の過剰摂取は、**高血圧**を助長するため、酸味や香辛料を使用し、薄味でも美味しくなる工夫をする。

3．✕　間食によりカロリーの**過剰摂取**となり、肥満、脂質異常症に**悪影響**を与える可能性がある。1日3回の**食事**で適切なカロリーを摂取するよう指導する。

4．✕　**有酸素運動**を1回に**15**分以上行うことで、体内の脂質が消費され始め、また、HDLコレステロールが上昇する。適度な運動は血圧**低下**にもつながる。

問題 **52** 〔解 答〕 **1**
出題基準 Ⅶ-17-A 生命・生活への影響
頻出度 **B** 難易度 **C**

1．○　頭部外傷による脳損傷の観察のためCTが実施

される。血腫が頭蓋骨と硬膜の間に生じ、受傷部に**一致した凸レンズ型の高吸収域**がある場合は**急性硬膜外血腫**と診断される。脳損傷がなければはじめは**意識清明**であることがある。**意識障害**や血腫の厚さが**1〜2cm以上**の時は開頭して**血腫除去術**を行う。

2．**✕** 脳挫傷を合併していることが多いのは**急性硬膜下血腫**である。衝撃により**反対側**に**出血**が起こる（対側損傷）。脳挫傷を合併していると受傷直後から**意識障害**を認める。

3．**✕** 認知機能障害が出現するのは、**慢性硬膜下血腫**である。外傷が**はっきりしない場合**も多い。治療ができる**認知症**とされている。

4．**✕** **様々な程度の**意識障害を起こすのは、**びまん性脳損傷**の特徴である。脳が激しく**揺さぶられる**ような外傷で損傷する。重症例では遅延性の意識障害を来す。

問題53〔解答〕**2**

出題基準 Ⅶ-18-C 眼内レンズ挿入術

頻出度 **C** 難易度 **C**

1．**✕** 眼内レンズはその度数が一定の距離でよくみえるように設定してある。みる距離に合わせた眼鏡の使用が必要となるが、眼の状態が落ち着く**術後1か月**程度経過してから**眼鏡**を作成することを説明する。

2．**○** 晩期合併症として**後発白内障**や**眼内炎**がある。超音波水晶体乳化吸引術と眼内レンズ挿入術の手術は短期入院であり、術後の症状管理は自己で行う。そのため、**視力低下**や**眼痛**などの異常があれば速やかに受診するように、指導が必要である。

3．**✕** 手術後は感染の予防と**消炎**を目的として点眼薬が**投与される**。薬剤を確実に投与できるように**自己点眼**の指導が必要である。

4．**✕** 退院後も症状が落ち着くまで**安静**が必要となってくる。入浴や洗顔、職場復帰など、**状態に**合わせた指導が必要である。

問題54〔解答〕**4**

出題基準 Ⅶ-21-D 腫瘍（乳癌、子宮体癌、子宮頸癌、卵巣癌、精巣腫瘍）

頻出度 **B** 難易度 **A**

1．**✕** 自己検診は乳がんの再発や新たながんの早期発見に重要である。そのため、手術部位の**周囲**や**反対側乳房**の自己検診は、月に1度は行うように勧められている。

2．**✕** 乳房手術の方法によって、必ずしも補正下着を着用する必要はない。術後は創部への刺激を避け、創部への**圧迫**がかからない工夫をして下着を選択していけば

よい。

3．**✕** 肩関節可動域訓練は術直後より実施するように推奨されている。しかし、術後5日目までは、リンパ浮腫と手術部位への過度な負担を避けるため、患側上肢は**肩までの挙上に制限**がされている。

4．**○** 放射線にあたった皮膚は「やけど」のような状態になる。そのため、皮膚障害が悪化しないように皮膚の**清潔**と**保湿**を保ち、直射日光を避け、衣服のすれに注意する必要がある。

問題55〔解答〕**2**

出題基準 Ⅶ-21-D 腫瘍（乳癌、子宮体癌、子宮頸癌、卵巣癌、精巣腫瘍）

頻出度 **A** 難易度 **A**

1．**✕** 子宮頸がんの好発年齢は**30〜40**歳代であるが、**20**歳代から増加し始める。そのため、**20**歳以上の女性は検査を受けることが推奨されている。

2．**○** 子宮頸がん検診は、早期発見・早期治療に繋げていく有効な検査の機会として推奨されている。**HPV感染**の持続感染から子宮頸がん発症までには数年から数十年かかると考えられていて、**初期**の段階は症状が出ないことがある。この期間に、がんになる前の段階（前がん病変＝子宮頸部異形成）の病変を、細胞診あるいは組織診で発見できる。

3．**✕** HPV感染者が子宮頸がんを発症する割合は**少ない**。約10％のHPV感染で持続感染し、子宮頸がんに進む可能性がある。

4．**✕** 子宮頸がんと呼ばれる状態は、**上皮内**がんと**浸潤**がんである。しかし、がん細胞ではないが、正常な細胞とは形の違う「軽度異形成」、「中等度異形成」、「高度異形成」と診断されることがある。異形成から子宮頸がんに進行発展し、その進行速度は**3**年から**10**年程度である。そのため、子宮頸がんの検診は、2年に1回行うことが推奨されている。

問題56〔解答〕**4**

出題基準 Ⅰ-1-A 加齢と老化

頻出度 **A** 難易度 **A**

1．**✕** 加齢を伴い脳重量は**減少**し、大脳の**萎縮**や神経細胞、神経伝達物質の活性低下などを来す。そのため、記銘力の低下などを起こしやすい。

2．**✕** 姿勢の変化により**肺**を圧迫するため、肋間筋などの呼吸筋力が**低下**しやすい。

3．**✕** 腹圧性尿失禁は**骨盤底筋群**の筋力低下により、**腹圧**がかかる時に起こる。

４．○　精巣由来の男性ホルモンであるテストステロン
は、加齢とともに分泌が<u>低下</u>する。

問題57〔解答〕1　出題基準 Ⅰ-4-B 高齢者差別（スティグマ、エイジズム）　頻出度 A　難易度 A

１．○　エイジズムとは主に高齢を理由とした差別であ
り、定年前に退職を強制することも、エイジズムに<u>あた
る</u>。なお「高年齢者等の雇用の安定等に関する法律」の
改正により、すでに義務化されている 65 歳までの雇用
確保に加え、<u>70</u> 歳までの就業確保が努力義務となった。
２．✕　エイジズムには<u>あたらない</u>。日本の傾向として、
核家族化による高齢者のみの世帯が増加しているため、
多世代から<u>孤立</u>しやすい。
３．✕　高齢者だけのシニアクラブの活動推進は、<u>生き
がい</u>の増進にもなり、エイジズムには<u>あたらない</u>。
４．✕　権利擁護をするのはエイジズムではなく<u>アドボ
カシー</u>である。自分の権利を十分に行使することができ
ない障害者や終末期の患者の権利を代弁することである。

問題58〔解答〕2　出題基準 Ⅱ-8-A 看護の対象としての家族　頻出度 B　難易度 C

１．✕
２．○
３．✕
４．✕
　　令和 3 年国民生活基礎調査によると、65 歳以上の者
がいる世帯数は 2,580 万 9 千世帯（全世帯の 49.7％）で
ある。これを世帯構造別にみると、最も多いのは「<u>夫婦
のみの世帯</u>」で 8,251 千世帯、32.0％を占めており、次
いで「<u>単独世帯</u>」7,427 千世帯、28.8％、「親と未婚の子
のみの世帯」5,284 千世帯、20.5％、「三世代世帯」2,401
千世帯、9.3％の順である。

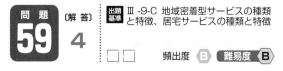

問題59〔解答〕4　出題基準 Ⅲ-9-C 地域密着型サービスの種類と特徴、居宅サービスの種類と特徴　頻出度 B　難易度 B

１．✕　ユニットケアの代表施設は<u>グループホーム</u>であ
る。最近では、ユニット式の<u>特別養護老人ホーム</u>もある。
２．✕　小規模多機能型居宅介護は、<u>通所介護</u>（デイ
サービス）を中心に利用しながら、必要に応じて泊まり

（ショートステイ）や訪問介護を受けることができるサー
ビスである。
３．✕　介護保険制度の<u>地域密着型サービス</u>である。
４．○　地域密着型サービスは、<u>市町村</u>が指定・監督を
行うサービスである。

問題60〔解答〕2　出題基準 Ⅰ-3-F 予防接種　頻出度 A　難易度 B

１．✕　MR ワクチンは、<u>麻しんと風しん</u>を予防する<u>混
合</u>ワクチンである。
２．○　MR ワクチンは、<u>生</u>ワクチンである。
３．✕　MR ワクチンは、通常 <u>2</u> 回接種である。
４．✕　接種対象および標準的な接種年齢は、第 1 期で
は <u>1 歳～ 2 歳</u>未満に 1 回接種し、第 2 期では <u>5 歳</u>以上
<u>7 歳</u>未満で小学校就学前の 1 年間に 1 回接種する。

問題61〔解答〕2　出題基準 Ⅳ-7-B 子どもの一次救命処置〈BLS〉　頻出度 A　難易度 B

１．✕　乳児の心肺蘇生では、1 分間に少なくとも
<u>100 ～ 120</u> 回の速さで<u>胸骨圧迫</u>を行う。60 ～ 80 回
では<u>不十分</u>である。
２．○　乳児の胸骨圧迫は、<u>胸の厚さの約3分の1以上</u>
（<u>約4cm</u> に相当する）沈むまで圧迫する。この深さの
圧迫により、効果的な循環が維持される。
３．✕　救助者が一人の場合は<u>2本指圧迫法</u>、複数の場
合は<u>胸郭包み込み両母指圧迫法</u>（両手で胸を包み込むよ
うに圧迫する方法）で行う。
４．✕　胸骨圧迫は 2 分ごとに中断するのではなく、人
工呼吸との組み合わせで<u>継続的</u>に行う。2 分間のみ実施
するのは<u>不十分</u>である。

問題62〔解答〕3　出題基準 Ⅲ-4-A 妊娠の成立　頻出度 A　難易度 B

１．✕　成熟した卵胞からのエストロゲンの分泌がピー
クに達すると、フィードバック作用が働き、下垂体は<u>黄
体形成ホルモン</u>〈LH：Luteinizing hormone〉を多量に
分泌する。これを LH サージという。LH サージにより、
排卵が誘発される。
２．✕　排卵後、卵子は卵管采によって捕捉され、<u>卵管</u>

上皮の繊毛運動や卵管壁の蠕動運動によって卵管膨大部まで移送される。精子は鞭毛運動によって卵管膨大部まで移動する。

3．○ 受精卵は受精後約24時間（排卵後約30時間）で2細胞に卵分割する。その後も卵分割を繰り返しながら、3〜4日かけて子宮腔に辿り着く。

4．× 桑実胚は受精後3〜4日の受精卵で、8〜16個の細胞からなる。受精後4〜6日の受精卵を胞胚という。胞胚が完全に子宮内膜に埋没した時点で着床が完了し、この時点で妊娠が成立する。

問題 **63** 〔解答〕 **1**

出題基準 Ⅲ-6-C 褥婦の日常生活とセルフケア

□ □ 頻出度 **B** 難易度 **A**

1．× 分娩による疲労回復のために食事摂取は重要であるが、例えば深夜帯の分娩であった褥婦には睡眠を優先させるなど初回歩行前に必ずしも食事摂取を促す必要はなく、優先度は低い。

2．○ 会陰裂傷部の発赤・腫脹などの炎症症状や縫合部痛の程度を確認していく必要がある。

3．○ 悪露の成分は胎盤や卵膜の付着部位の創部からの滲出液や分泌液である。よって、子宮内膜の回復状況を確認するために悪露の性状や量の情報は重要である。

4．○ 分娩後、胎児で圧迫されていた膀胱の容量が増大して膀胱内圧に対する感受性が鈍麻するために、尿意が感じられないことがある。

問題 **64** 〔解答〕 **2**

出題基準 Ⅳ-4-G 精神科デイケア、精神科ナイトケア

□ □ 頻出度 **B** 難易度 **B**

1．× 陽性症状を鎮静化するには、薬物療法か、入院治療によって安全かつ刺激の少ない環境を提供することが効果的である。

2．○ 精神科デイケアは、通院医療を提供する施設であり、医療保険が適用される。

3．× 精神科デイケアの施設基準では、小規模・大規模デイケアともに看護師の専従が必須である。

4．× 精神科デイケアは、精神保健における3次予防を目的としている。精神科デイケアでは、社会生活機能の回復を図り、再発を予防するためのリハビリテーションを行う。

問題 **65** 〔解答〕 **1**

出題基準 Ⅴ-6-B 日本における精神医療の変遷

□ □ 頻出度 **A** 難易度 **B**

1．○ 「こころのバリアフリー宣言」の目的は、全国民を対象として、精神疾患に対する正しい理解を促すとともに、無理解や誤解に基づかずに行動し、誰もが人格と個性を尊重して互いに支え合う共生社会を目ざすことである。

2．× 身体障害者の人格の尊重ではない。

3．× 引きこもりから社会参加への障壁を軽減する支援ではない。

4．× 高齢者の社会的な孤立の予防ではない。

問題 **66** 〔解答〕 **1**

出題基準 Ⅰ-2-B 在宅療養者の権利擁護＜アドボカシー＞

□ □ 頻出度 **A** 難易度 **A**

1．○ 日常生活自立支援事業は、認知症高齢者や障害者等のうち判断力が不十分な方が自立した生活を送れるよう支援するサービスである。また、権利擁護（アドボカシー）とは、認知症や障害等で自身の権利や利益を主張できない場合、本人の立場になり擁護し代弁する制度である。権利擁護（アドボカシー）として、成年後見制度や日常生活自立支援事業などがあげられる。

2．× 要介護認定は、市町村の認定調査員による心身の状況調査及び主治医意見書によるコンピューター調査（一次判定）後、介護認定審査会にて審査（二次判定）される。

3．× 労働災害により負傷した場合、労働者災害補償保険法（労災保険法）に基づき申請を行う。その後、労働基準監督署が調査を行い、認定されれば保険給付が受けられる。

4．× 労働者の健康診断は、労働安全衛生法で規定されており、事業者に対して労働者の健康診断を行うことを義務づけている。

問題 **67** 〔解答〕 **2**

出題基準 Ⅰ-4-B 複合型サービス（看護小規模多機能型居宅介護）

□ □ 頻出度 **B** 難易度 **B**

1．○ 看護小規模多機能型居宅介護は地域密着型サービスの一つ。厚生労働省は地域密着型サービスを、要介護者の住み慣れた地域での生活を支えるため、身近な市町村で提供されることが適当なサービスとしている。

2．× 地域密着型サービスは市町村が事業者の指定や

監督を行い、地域のニーズに応じたきめ細かいサービスを提供することが期待されており、事業者が所在する**市町村に居住**する者が利用対象者となっている。

3．○ 「**通い**」「**泊まり**」「**訪問看護**」「**訪問介護**」を組み合わせた 24 時間 365 日利用できるサービスである。

4．○ 看護小規模多機能型居宅介護は、「訪問看護」と「小規模多機能型居宅介護」を組み合わせたサービスである（ただし、要介護 1 から利用可能）。利用者が可能な限り自立した日常生活を送ることができるよう、利用者の選択に応じて、施設への「通い」を中心として、短期間の「宿泊」や利用者の自宅への「訪問」を組み合わせ、家庭的な環境と地域住民との交流の下で日常生活上の支援や機能訓練を行う。「訪問看護」が加わったことで、今まで小規模多機能型居宅介護では受け入れ困難だった**医療依存度**の高い人や、**退院**直後の状態が不安定な人、在宅で**看取り**を希望する人への在宅療養支援が可能となった。1 つの事業所でさまざまなサービスが利用できるので、なじみのある職員にケアしてもらえる安心感があり、環境や職員の変化にうまくなじめない認知症高齢者にも適している。

問題 68 〔解答〕**2**
出題基準 Ⅱ-7-C 尿道カテーテル管理
□□ 頻出度 Ⓐ 難易度 Ⓐ

1．✕ 混濁した尿の流出がみられることから、**尿路感染**の可能性が考えられる。そのため、飲水量を**減らす**のではなく、飲水量を**増やし**、細菌を排泄させることが重要である。

2．○ 下腹部を触診し、実際に**尿**が溜まっているのか、溜まっていないのかを確認することが重要である。

3．✕ 経過観察ではなく、療養者の全身状態を観察することは**重要**である。

4．✕ 膀胱留置カテーテルの交換は、療養者の負担の増加や**尿路感染症**を引き起こす要因となる。まずは、全身状態の観察を行い、支援していく必要がある。

問題 69 〔解答〕**1**
出題基準 Ⅰ-1-E 医療事故・インシデントレポートの分析と活用
□□ 頻出度 Ⓑ 難易度 Ⓐ

1．○ 個人に対する責任追及や当事者等の処罰のために用いられるものではない。次に事故を起こさないための**防止策**として使用される。

2．✕ 医療事故が起きていなくても危険だと**認識され**

る状況であれば記録に残す必要がある。

3．✕ 書式は法令で統一されて**いない**。

4．✕ インシデント発生の背景にある**リスク因子**を把握し防止策を講じるためにも、発生した状況を記載する必要がある。

問題 70 〔解答〕**4**
出題基準 Ⅱ-2-B 災害各期の特徴と看護
□□ 頻出度 Ⓒ 難易度 Ⓑ

頻出

1．✕ 避難生活上の支援は**災害急性期**における活動である。この他に、応急救護所における災害医療の 3 T（トリアージ、応急処置、後方搬送）、医療機関における救命救急活動がある。

2．✕ 被災者のこころのケアは**災害中長期**における活動である。

3．✕ 被災者の健康生活の立て直しの支援は、前記 **2** と合わせ**災害中長期**における活動である。災害から復興していくための対策として必要な取り組みである。

4．○ 設備・資機材の点検整備は**災害静穏期**における活動である。この他に、災害看護教育や防災訓練などがあり、次の災害発生に備えることが大切である。

問題 71 〔解答〕**4**
出題基準 Ⅲ-3-B 多様な文化を考慮した看護
□□ 頻出度 Ⓑ 難易度 Ⓑ

1．✕ 自分とは**異なる文化**をもっていることを理解することはよい。しかし、文化が異なるからと気にかけないようにするのではなく、相手の文化を理解しようとする姿勢が大切である。また、全ての行動が文化的な影響だけで説明できるとは言えない。

2．✕ 相手の**宗教**を理解し、歩み寄る姿勢が大切である。

3．✕ 入院中の生活場面では看護師が関わることが多い。**非言語的な**メッセージに気を配り、コミュニケーションを工夫することが大切である。

4．○ **異なる文化**や**価値観**を理解し、相手を知ろうとする姿勢は、看護を行う上で共通する。

問題 72 〔解答〕**4**
出題基準 Ⅰ.Ⅱ.Ⅲ-12-B 酵素
5肢
□□ 頻出度 Ⓐ 難易度 Ⓑ

1．✕ マルターゼは**腸液**に含まれている。

2．✕ トリプシンは**膵液**に含まれている。

3．× ペプシンは胃液に含まれている。

4．○ 唾液に含まれている。α-アミラーゼによりデンプンを麦芽糖に変える。

5．× ジペプチダーゼは腸液に含まれている。

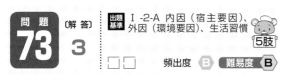

問題 73〔解答〕**3**

出題基準 Ⅰ-2-A 内因（宿主要因）、外因（環境要因）、生活習慣

5肢
頻出度 B 難易度 B

1．○ 特発性肺線維症〈IPF〉は、喫煙はリスク因子となる。

2．○ 肺気腫は、慢性閉塞性肺疾患〈COPD〉といわれるもので、COPD患者の90％に喫煙歴があり関連性は高い。

3．× 肺水腫は肺血管外に異常な水分貯留を来す疾患で、喫煙との直接関連性は低い。

4．○ 肺がんは喫煙との関連があり、喫煙指数〈Brinkman Index：BI〉＝１日の喫煙本数×喫煙年数が400以上では肺がん発生が高率となる。

5．○ 慢性気管支炎は、慢性閉塞性肺疾患〈COPD〉といわれるもので、COPD患者の90％に喫煙歴があり関連性は高い。

問題 74〔解答〕**1・3**

出題基準 Ⅳ-6-A 心臓の疾患の病態と診断・治療

5肢
頻出度 A 難易度 A

1．○ 心房粗動〈AF〉で、電気的除細動による治療を行う。

2．× 洞不全症候群〈sss〉で、電気的除細動を実施することはない。

3．○ 心室細動〈VF〉は、電気的除細動が絶対適応である。

4．× 心静止〈asystole〉で、電気的除細動を実施することはない。

5．× 房室ブロック〈AV block〉で、電気的除細動を実施することはない。

問題 75〔解答〕**5**

出題基準 Ⅳ-7-A 機能障害と分類

5肢
頻出度 B 難易度 B

1．×

2．×

3．×

4．×

5．○

WHO（世界保健機関）総会において、「障害」というマイナスだけではなく、障害者がもつプラスの面に着目し、国際障害分類〈ICIDH: International Classification of Impairments, Disabilities and Handicaps〉から国際生活機能分類〈ICF: International Classification of Functioning, Disabilitiy and Health〉へと変更された。選択肢の「能力障害」「社会的不利」は国際障害分類の概念（その他「機能・形態障害」もある）である。国際生活機能分類では、第１部「生活機能と障害」の構成要素に、「心身機能・身体構造」「活動」「参加」という中立的な視点が含まれる。「個人因子」と「環境因子」は、国際生活機能分類第２部の「背景因子」に含まれる。

問題 76〔解答〕**2**

出題基準 Ⅶ-12-C 胃切除術

5肢
頻出度 B 難易度 B

1．× 胃切除により、下痢になったりタンパク質や脂肪、鉄分やビタミンB₁₂の吸収力が低下する。そのため、高タンパクの食事を摂取する必要がある。日本人の食事摂取基準（2020年版）では、タンパク質の摂取量は約50〜65gとされている。タンパク質の摂取量が30gでは低タンパクとなる。

2．○ 食事中に水分を摂取すると、水分によって食べ物が急激に腸に流れ込み、早期ダンピング症候群を起こしやすくなるので水分は控える。ダンピング症候群は、胃の切除により、食物が急速に小腸に流れ込むことで発生する。なお、食事中や食事の直後に起こる早期ダンピング症候群と、食後２〜３時間後に起こる後期（晩期）ダンピング症候群がある。

3．× 胃切除術後の患者が食事を摂取すると、食物が急速に小腸に流れ込むため、急激に血糖値が上がり、インスリンが多量に分泌されて低血糖症状（後期（晩期）ダンピング症候群）が起こるが、あえて糖質の多い食事を摂取する必要はない。

4．× 早期ダンピング症候群を予防するために、食事の１回の食事量を少なく、食事回数は多く、ゆっくりと食べる必要がある。

5．× 胃切除により、カリウムの吸収が影響を受けることはなく、摂取を制限する必要はない。

問題 77　〔解答〕**4**　出題基準 Ⅱ-4-D きょうだい・家族のストレスへの支援

5肢　頻出度 Ⓑ　難易度 Ⓑ

１．✕　病院内での感染リスクや、Ａちゃんの状態を考慮すると、弟を病室内に連れてくることは適切ではない。また、母親の不安の根本的な解決にはならない。

２．✕　母親の不安を軽視し、父親に全てを任せるよう伝えるのは適切ではない。母親の気持ちに寄り添い、家族全体をサポートする姿勢が大切である。

３．✕　母親にＡちゃんの介助に専念するよう伝えるのは、母親の不安を無視することになり適切ではない。

４．〇　母親がＡちゃんの入院に伴う精神的なストレスを抱えているため、看護師が母親の不安や気がかりに耳を傾け、共感的に理解することが大切である。その上で、母親が弟と関われる時間を持てるよう、父親や他の家族の協力を得ることを提案するなど、具体的な解決策を一緒に考えていくことが望ましい。

５．✕　弟の様子が気になるという相談に対し、まずは母親の気持ちを受け止めるのが望ましい。すぐにかかりつけ医に相談するよう伝えるのは適切ではない。

問題 78　〔解答〕**3**　出題基準 Ⅳ-7-B 子どもの意識レベル

5肢　頻出度 Ⓑ　難易度 Ⓒ

乳児の意識レベルの確認は、足底（かかと）を軽く叩き、同時に名前を呼び掛け刺激による反応をみるジャパン・コーマ・スケール（JCS）を用いた客観的評価がある。笑顔がみられず、顔色はやや不良、呼吸は浅表性で、状態は悪いので、バイタルサインの把握と意識レベルの評価を経時的に観察し、記録する必要がある。

１．✕　JCSは「意識清明」を「0」と表現し、しっかり覚醒しており、反応が正常という意味である。

２．✕　「Ⅰ－2」は、刺激しなくても覚醒しており、あやしても笑わないが視線は合う状態である。

３．〇　Ａ君はあやして笑うことなく、（刺激をすると覚醒し）刺激をやめると眠り込む状態で、「乳首を欲しがる動作がみられた」ことから「Ⅱ－10」と判断できる。

４．✕　「Ⅱ－30」は、刺激をすると覚醒し刺激をやめると眠り込む状態で、呼びかけを繰り返すとかろうじて開眼する状態である。

５．✕　「Ⅲ－200」は、刺激をしても覚醒せず、痛み刺激で少し手足を動かしたり顔をしかめたりする状態である。

問題 79　〔解答〕**4**　出題基準 Ⅲ-5-A 分娩経過と進行

5肢　頻出度 Ⓐ　難易度 Ⓐ

１．✕　胎児心拍数基線の正常脈は110 〜 160bpm、頻脈は160bpm以上、徐脈は110bpm以下である。

２．✕　一過性頻脈とは心拍数が開始からピークまでが30秒未満の急速な増加で開始から頂点までが15bpm以上、元に戻るまでの持続が15秒以上2分未満のものをいう。これは、胎児の神経機能の発育に関係しており、健康状態が良好であることを示す。

３．✕　分娩第Ⅱ期は、子宮口全開大から児娩出まで、分娩第Ⅰ期は、分娩開始から子宮口全開大まで、分娩第Ⅲ期は、児娩出から胎盤娩出までをいう。

４．〇　高齢初産婦とは、35歳以上の初産婦をいう。高齢初産婦では、染色体異常や妊娠高血圧症候群、軟産道強靭などによる分娩障害などの頻度が高く、ハイリスク妊婦という意味の名称である。

５．✕　頸管が開大するに従って、子宮口付近の卵膜が子宮壁から剝離して脱落膜血管が破れる。それによる出血と頸管粘液が共に血性帯下として排出される。

問題 80　〔解答〕**4**　出題基準 Ⅲ-7-B Apgar〈アプガー〉スコア、バイタルサイン、頭部、顔面

5肢　頻出度 Ⓐ　難易度 Ⓐ

１．✕　早産とは妊娠22週から37週未満の分娩をいう。Ａさんは37週0日の分娩であり、正期産児である。

２．✕　新生児の心拍数の正常値は120 〜 160回／分、呼吸数の正常値は40 〜 50回／分、体温の正常値は36.5 〜 37.5℃である。

頻出

３．✕　アプガースコアでは出生後1分と5分に新生児の心拍数、呼吸、筋緊張、刺激に対する反応、皮膚色の5項目について、それぞれ0点、1点、2点の点数をつける。5項目の合計が10 〜 8点の場合を正常とし、7 〜 4点を軽症仮死、3 〜 0点を重症仮死と定義している。

〈アプガースコア〉

項目＼点数	0	1	2
心拍数	欠　如	100回／分以下	100回／分以上
呼吸	欠　如	弱い啼泣	強い啼泣
筋緊張	だらんとしている	四肢をやや屈曲	四肢を屈曲
刺激に対する反応	無反応	顔をしかめる	啼　泣
皮膚色	チアノーゼ、蒼白	体幹はピンク色、四肢はチアノーゼ	全身ピンク色

4．○ 頭部に境界不鮮明なやわらかい腫瘤があり、これは産瘤である。頭血腫との鑑別が重要である。

 〈産瘤と頭血腫の違い〉

	産 瘤	頭 血 腫
発生機序	・分娩時の産道圧迫により先進部に滲出液が貯留する ・出生直後より著明	・骨膜が頭蓋骨から剝離する ・生後よりだんだん大きくなる
特 徴	・境界不明瞭 ・1個のみ ・波動性なし	・境界が明瞭で骨縫合を越えない ・2個以上のこともある ・波動性あり
消失時期	・24〜36時間	・生後数週〜数か月

5．× 出生体重 2,500 g 未満の新生児を低出生体重児という。このうち、1,500g 未満を極低出生体重児、1,000 g 未満を超低出生体重児という。

 問題 81 〔解答〕**4**
出題基準 Ⅱ-4-C 地域包括支援センター
 5肢
頻出度 **B** 難易度 **A**

1．× 助産師ではなく保健師を配置する。

2．× 保育士の配置は基準にない。

3．× 介護支援専門員ではなく主任介護支援専門員を配置する。

4．○ 社会福祉士の配置は基準に該当する。地域包括支援センターでは、保健師（看護師）・社会福祉士・主任介護支援専門員の3職種が、それぞれの専門性を活かし連携しながら、分担して業務を行っている。

5．× 介護福祉士の配置は基準にない。

問題 82 〔解答〕**3・5**
出題基準 Ⅰ.Ⅱ.Ⅲ-4-B 関節の構造と動き
5肢
頻出度 **A** 難易度 **B**

1．× 膝関節は主な作用である屈伸運動をする蝶番関節である。

2．× 肘関節は、膝関節と同じく主な作用は屈伸運動をする蝶番関節である。

3．○ 球関節とは、半球状の骨頭と、椀状のくぼんだ関節窩で構成される関節で、可動域が大きい。肩関節、股関節が代表である。

4．× 手関節は橈骨遠位端と手根骨の間で構成される楕円関節である。

5．○ 3に同じ。

問題 83 〔解答〕**1・5**
出題基準 Ⅰ.Ⅱ.Ⅲ-6-A 心臓の構造、心周期
5肢
頻出度 **A** 難易度 **B**

心周期とは、心房収縮期→等容性収縮期→駆出期→等容性弛緩期→充満期の流れをいう。

1．○ 心房収縮期は三尖弁と僧帽弁が開放し、血液を心房から心室へ拍出する時期である。

2．× 等容性収縮期は僧帽弁、三尖弁が閉じてから大動脈弁、肺動脈弁が開放するまで、心室の血液容積量は変わらない時期ですべての弁は閉鎖している。

3．× 駆出期は僧帽弁、三尖弁が閉鎖し、大動脈弁、肺動脈弁が開放して心室から血液が駆出している。

4．× 等容性弛緩期は大動脈弁、肺動脈弁が閉じてから僧帽弁、三尖弁が開放するまでは、心室の血液容積量は変わらない時期であり、すべての弁は閉鎖している時期である。

ひっかけ 5．○ 充満期は三尖弁と僧帽弁が開放し、血液を心房から心室へ拍出し、心房から心室に血液が充満している時期である。

問題 84 〔解答〕**3・4**
出題基準 Ⅳ-12-A 頭蓋内圧亢進症、Ⅶ-17-D 脳血管障害
5肢
頻出度 **B** 難易度 **B**

1．× 頭蓋内圧亢進の場合は、脳の血液還流をよくするために頭部を 10 〜 30 度挙上する。

2．× 炭酸ガスは、血管を拡張させる作用があるため、$PaCO_2$ の上昇により、血管が拡張して頭蓋内圧が高まる。

3．○ 脳の出血や脳梗塞や腫瘍による脳浮腫など頭蓋内の占拠病変により、頭蓋内圧が上昇する。頭蓋内圧亢進によるクッシング徴候に注意が必要である。クッシング徴候では、①収縮期血圧の上昇、②徐脈、③脈圧の拡大、④呼吸は深いゆっくりした呼吸となり呼吸回数の減少が起こる。

4．○ 頭蓋内圧が上昇し続けると、脳ヘルニアへ進展する危険があり、脳ヘルニアを起こしてしまうと生命は極めて危険となる。

5．× 急激な頭蓋内圧亢進による症状は、激しい頭痛、噴水様嘔吐、意識障害、呼吸・循環不全などである。慢性頭蓋内圧亢進の3主徴として、頭痛、嘔吐、うっ血乳頭がある。

問題 85 〔解答〕 **1・2**

出題基準 Ⅲ-6-D 平均余命、平均寿命

5肢

□ □ 頻出度 Ｂ 難易度 Ｂ

1．○ 平均余命とはある年齢の人々が、その後何年生きられるかという期待値のことである。特に０歳の平均余命のことを<u>平均寿命</u>という。

2．○ 若年層の死亡率の改善はほぼ限界に達し、今後の平均寿命の延びは中高年齢層における<u>生活習慣病</u>による死亡率の動向に左右される。

3．× 特定死因を除去した場合の平均寿命の延びは、令和３年簡易生命表から悪性新生物で男 **3.43** 年、女 **2.81** 年である。

4．× 令和３年簡易生命表から、特定死因を除去した場合の平均寿命の延びは、心疾患で男 1.42 年、女 1.23 年であり、<u>悪性新生物</u>のほうが大きい。

5．× 40歳の平均余命は、40歳まで生きた人が<u>その後何年生きられるか</u>ということである。

問題 86 〔解答〕 **1・2**

出題基準 Ⅱ-5-A 術後合併症のリスクアセスメントと援助

5肢

□ □ 頻出度 Ａ 難易度 Ｂ

1．○ 無気肺など手術麻酔による呼吸器系への影響には、<u>気道内分泌物</u>の増加・粘稠のほか、<u>横隔膜運動</u>の抑制、疼痛による<u>浅い呼吸</u>などがある。

2．○ 深部静脈血栓症の原因は、安静により下肢の筋肉の収縮運動が抑制され、下肢の静脈（ヒラメ筋静脈、下腿筋静脈、左腸骨静脈）還流障害による血液のうっ滞、静脈内皮の障害、凝固反応の亢進などである。血栓の確認のために、<u>Ｄダイマー</u>、<u>超音波検査</u>などが行われる。

3．× 手術や麻酔により、術後は生理的腸管麻痺になるが、通常、術後数時間〜数日で回復し（侵襲の大きさや腹腔内操作により異なる）<u>蠕動</u>運動が再開する。麻痺性イレウスは、３日程度経っても麻痺が蔓延し<u>腸蠕動音</u>が聴取されず排ガスがない状態をいう。腹部単純Ｘ線検査で、上部消化管全体に<u>腸管拡張ガスや軽度ニボー像（鏡面像）</u>が確認される。ニッシェ像は、<u>上部消化管造影検</u>査で観察される像である。

4．× 縫合不全の全身的因子に、<u>低栄養</u>や糖尿病などの高血糖による感染防御機能の低下、<u>低酸素</u>による吻合部の酸素供給の低下などがある。

5．× 循環血液量の減少は、安静や離床に関するものでは<u>ない</u>。周術期は、循環や体液が大きく変化する。術直後には術前からの<u>脱水</u>、手術操作による<u>出血</u>と不感蒸

問題 87 〔解答〕 **3・5**

出題基準 Ⅲ-5-C 産婦の基本的ニーズへの支援

5肢

□ □ 頻出度 Ａ 難易度 Ｂ

1．× <u>子宮口全開</u>まで（<small>どせきかん</small>）は努責感があっても努責を<u>かけてはいけない</u>。子宮口全開前に努責をかけると、頸管裂傷や分娩遷延のリスクが<u>高まる</u>。

2．× 子宮口開大が９ cm で児頭下降度が＋２cm であり、この時点の便意は児頭の<u>下降</u>によるものと考えられるため、トイレに行かせてはいけない。

3．○ 最終排尿から４時間を経過しており、排尿を促す必要があるが、<u>分娩</u>が進んでおり、トイレに誘導できないため<u>導尿</u>を行う。

4．× 浣腸は<u>分娩第Ⅰ期</u>の<u>初期</u>（<u>潜伏期</u>）に行うことが望ましい。分娩時の浣腸の目的は、直腸の充満を解消することによる産道の拡大と子宮収縮の促進、分娩時の清潔野の汚染防止である。

5．○ 分娩時は陣痛により発汗が多くなり、<u>水分不足</u>になりやすい。また呼吸法により口腔が<u>乾燥</u>しやすくなる。産婦が脱水傾向になると血液が<u>濃縮</u>され粘稠となり、微小血栓が生じやすくなるため、水分摂取量の確認をし、必要時には<u>水分補給を促す</u>援助が必要である。

問題 88 〔解答〕 **1・4**

出題基準 Ⅲ-7-B 早期新生児期のアセスメント

5肢

□ □ 頻出度 Ｂ 難易度 Ｂ

1．○ <u>新生児中毒性</u>紅斑である。40％くらいの児に出現するが原因は明確ではなく、自然に消失していく。

2．× ビタミンＫ不足による新生児メレナ、頭蓋内出血を防止するために<u>予防的投与</u>を行う。投与回数は<u>3回</u>で、１回目は出生<u>当日</u>、２回目は退院時、３回目は<u>1か月</u>である。ビタミンＫ₂シロップ１ mL（２ mg）を10倍に希釈して<u>経口哺乳</u>で与える。

3．× 頸部や腋窩、鼠径部にある黄白色のクリーム状の脂の固まりを<u>胎脂</u>という。早産児に多く、予定日をすぎるとあまりみられなくなる。皮膚を<u>細菌</u>感染から守るもので、無理に落とさなくても、数日で自然にとれる。<u>生理的</u>変化であり、診察は特に必要は<u>ない</u>。

4．○ 昨日からの体重減少は150gで、減少率は5.1％である。生理的体重減少率は10％未満のため、<u>正常範囲内</u>である。

5．× 出生体重が2,501 g 以上の光線療法開始の目安は、<u>12</u>mg／dL 以上である。よって設問は生理的黄疸

の正常範囲内である。

問題89 〔解答〕
① **1**
② **0**

出題基準 Ⅶ-17-A 高次脳機能障害

非選択式

□ □ 頻出度 **B** 難易度 **A**

①② グラスゴー・コーマ・スケール〈GCS〉は、開眼状態〈E:Eye opening〉、言語反応〈V:Verbal response〉、運動反応〈M:Motor response〉の3項目のスコアを合計することにより、意識障害の重症度を判定する。3〜8点が重症、9〜12点が中等症、13〜15点が軽症である。

患者の開眼状態(E)は、呼びかけにより開眼することから、スコアは3である。言語反応(V)は、混乱した言葉であることからスコアは3である。運動反応(M)は、痛み刺激に対して逃避することから、スコアは4である。この3項目を合計すると、3+3+4＝10点である。

〈グラスゴー・コーマ・スケール（GCS）〉

観察項目	反応	スコア
開眼状態（E）	自発的に開眼する	4
	呼びかけにより開眼する	3
	痛み刺激により開眼する	2
	全く開眼しない	1
言語反応（V）	見当識あり	5
	混乱した会話	4
	混乱した言葉	3
	理解不明の音声	2
	全くなし	1
運動反応（M）	命令に従う	6
	疼痛部を認識する	5
	痛みに対して逃避する	4
	異常屈曲	3
	伸展する	2
	全くなし	1

問題90 〔解答〕
① **8**
② **1**

出題基準 Ⅲ-7-B 生理的体重減少

非選択式

□ □ 頻出度 **B** 難易度 **A**

生理的体重減少は新生児特有の変化である。生後3〜5日目頃までに出生体重が3〜10%減少する。生後7〜10日間で出生体重に戻る。出生体重より10%以上減少した場合は、生理的範囲を逸脱している。

＜計算式＞

$$\frac{(出生体重－現在の体重)}{出生体重} \times 100 = 生理的体重減少（\%）$$

$$\frac{3,100 - 2,850}{3,100} \times 100 ≒ 8.06（\%）$$

小数点以下第2位を四捨五入して、8.1%である。

 状況設定問題 状況設定

問題91 〔解答〕
3

出題基準 Ⅱ-6-B 脳血管疾患

□ □ 頻出度 **B** 難易度 **B**

1．× 右麻痺により転倒リスクがある。しかし、ゴミ出しの行為が危険なわけではない。転倒予防のために杖を使ったり、ゴミ袋を小さくしたり、Aさんが実施できる行動がとれるように促していく必要がある。

2．× 急激な見当識障害には、質問することで症状を確認することも大切な時がある。しかし、Aさんは退院に際して病院から通所リハビリテーションと訪問看護の利用で自宅への退院が可能と判断されていることから、認知機能を含めたアセスメントにおいて一人暮らしが可能であると判断されているといえる。見当識障害を確認する質問だけではなく、わからなくなった時にカレンダーをみたり、住所を書面で確認したり、なじみのある場所にいると体感したりすることで、忘れてもわからなくなっても安心できる環境であることを伝えることが重要である。

3．○ 右麻痺により転倒リスクがある。また自宅の庭での転倒・骨折の既往もあることから転倒のリスクが高いといえる。自宅内の転倒しやすい生活動線上の不要物を片づけ、段差に気づいて注意を払えるようにすることは安全に在宅療養生活を続けていくうえで大切である。さらに、訪問看護師と療養者が一緒に確認することは、転倒しやすいその場所で、その時に具体的に注意するよう促すことができ、療養者が主体的に転倒リスクを捉えられるようにできる必要な行為である。

4．× 訪問看護師は主治医からの訪問看護指示書に従い訪問看護を提供する。しかし、指示された医療行為だけでなく、その療養者の在宅療養生活が安全に安心して継続できるように関わることが必要である。Aさんは屋内ではないものの自宅の庭で歩行中に転倒の経験がある。転倒経験がある場合、転倒経験がない人に比べると転倒リスクは上がる。また、Aさんは脳梗塞による右麻痺があるため、転倒の可能性は今後も高いと予測される。このようなことから、転倒のリスクを含めた生活環境についても、看護師として観察し看護を提供することが必要である。

第二回 模擬試験 午後

問題92 〔解答〕**4**

出題基準 Ⅰ-3-A 熱傷・凍傷の防止

□ □　頻出度 **B**　難易度 **C**

1．×　認知機能が低下していると思われる症状があったとしても、本人の意向は尊重されるべきであるが、生命に危険を及ぼす判断をそのまま受け入れるのではなく、安全を優先する手段を提案することが大切である。石油ストーブは給油が必要で右麻痺のあるＡさんには難しく、見当識障害があり消火を忘れるなど火事を起こす可能性もあるので不適切である。

2．×　ホットカーペットは石油ストーブより右麻痺でも扱いやすいが、感覚が鈍くなった状態では低温やけどを起こす危険性がある。加えて、カーペットの縁に足を引っかけて転倒する可能性もあるため不適切である。

3．×　在宅での自立した生活が困難な状況は施設入所を検討することが多いが、Ａさんの状態は生活の手段を工夫すれば在宅療養生活の継続は可能である。寒いからといってすぐに入所をすすめるのは不適切である。なお、暖房が手配できるまでの間、一時的に短期入所生活介護を利用することは可能である。訪問看護では環境についても念頭に置いて、早期に予測して（暑くなる前の５月頃からエアコンの確認をするなど）関わる必要がある。

4．○　右麻痺のあるＡさんには火を扱う石油ストーブは熱傷の可能性があるが、エアコンなら熱傷や火災の可能性が低くより安全である。使用にあたっては、本人がエアコンを消してしまう恐れやエアコンが嫌いな高齢者が多いことから、エアコンのリモコンを本人の手が届かないところに設置したり、直接本人に風が当たらないように風向きを調整しておいたりする。また、室内に温度計・湿度計を設置することも重要である。

問題93 〔解答〕**3**

出題基準 Ⅱ-6-B 認知症

□ □　頻出度 **B**　難易度 **A**

1．×　現在は、調理に関して失行・失認がみられるので、その支援を第一に考える必要がある。更衣や掃除は今まで通りできており、今の段階では訪問介護の導入は考えない。今後、例えば服や下着の着替える手順がわからなくなり、汚れた下着の上からきれいな下着を重ねて着たり、前後や表裏がわからなくなったり、掃除機をみても何をするものかわからなくなるなど症状が進むことも考えられる。食事を準備すること以外のほかのIADLが低下し、身の回りのことや家事ができなくなる場合に

は訪問介護の導入を検討していく。

2．×　息子との同居は安全な暮らしができると考えられるが、生活環境が大きく変化することは認知症の進行を招くため安易に提案できない。また、Ａさんは「人さまに迷惑をかけてはいけない。一人暮らしが気楽でいい。」といっており、本人はこのまま自宅で一人暮らしを続けたいというニーズがある。本人の思いを尊重し、Ａさんの生活をどう支援するかを考えることが大切である。

3．○　療養者の生活を分析して自立できないところだけを補い、本人の持てる力が発揮できるように支援していく必要がある。高齢であり右麻痺もあるＡさんは認知面からも体力的にも食事の準備、食品の管理が難しくなっているため、配食サービスを提案するのは妥当である。

4．×　要介護２の利用限度額単位数は 19,705 単位であり、通所介護利用にかかる単位数は送迎付き７～８時間滞在で１回 773 単位である。毎日通所介護を利用すると、１か月約 23,190 単位かかり限度額を超えることになる。サービスの利用には自己負担も発生するので導入に関して経済的な側面からも検討が必要である。栄養面からＡさんは 4kg の体重減少があるが、BMI 5%以上の体重減少ではないこと、そして清潔面からのお風呂の利用を考えても通所介護の利用は週に 1、2 回利用していくことも検討する。

問題94 〔解答〕**3**

出題基準 Ⅱ-5-A 慢性期にある在宅療養者と家族の看護

□ □　頻出度 **A**　難易度 **A**

1．×　永久気管孔にフィルムドレッシング材を貼付することは、呼吸を阻害するため行ってはならない。フィルムドレッシング材を貼付するのではなく、ガーゼなどの呼吸を阻害しないものを使用する。

2．×　永久気管孔周囲は、感染を予防するために清潔にする必要がある。そのため、痰のふき取りなどこまめに行い、気管孔周囲を清潔に保つように指導する。

3．○　Ａさんの思いを聴取することは大切である。Ａさんの思いを聴取し、どのような支援を行うのか検討していく必要がある。

4．×　水分を控えることによって、痰の粘稠度が増加する。そのため、痰の喀出をよくするためにも、水分は積極的に摂取する必要がある。

問題95 〔解答〕 **3**
出題基準 Ⅱ-6-A 発熱
頻出度 Ⓐ　難易度 Ⓐ

1．×
2．×
3．○
4．×

　体温の上昇から、**感染**などが疑われる。また、脈拍数の増加や血圧の低下から、**脱水**の可能性が考えられる。そのため、感染症状や**飲水**量、最終排尿時間などを優先的に観察する必要がある。食事量も重要であるが、**飲水**量に比べると優先度は**低い**。

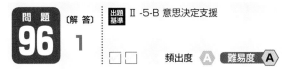

問題96 〔解答〕 **1**
出題基準 Ⅱ-5-B 意思決定支援
頻出度 Ⓐ　難易度 Ⓐ

1．○　事例よりAさんは、第**1**号被保険者であることがわかる。そのため、Aさんの思いなどを**介護支援専門員**に相談し、連携を図っていくことが**重要**である。
2．×　医療ソーシャルワーカーは、病院、保健所などの**保健医療機関**において、患者やその家族を**支援**する職種である。Aさんは、在宅で療養しているため、適切で**はない**。
3．×　地域の活動に参加を促すことは重要であるが、Aさんの訴えから**身の回り**のことなどの支援を望んでいることがわかる。そのため、現段階において、設問は適切では**ない**。
4．×　Aさんより「できることは、自分で行いたい」といった思いがあることや、身の回りのことなどの**支援**を望んでいることから、介護施設への入所を促すことは適切では**ない**。また、訪問看護師は介護施設についての**説明**を行うことはできるが、入所を**促す**ことは適切では**ない**。

問題97 〔解答〕 **4・5**
出題基準 Ⅶ-12-B 上部・下部消化管内視鏡検査
5肢
頻出度 Ⓑ　難易度 Ⓐ

　上部消化管内視鏡検査は、食道・胃・十二指腸を観察、**組織検査**、治療などのために行う。
1．×　検査の前日**21**時より絶食とし、検査の**直前**に確認を行う。
2．×　検査の前処置で、**消泡剤**を服用する。経口の場合は、ゼリー状のリドカインを口に含み**3～5**分間、のどに溜めて咽頭麻酔を行う。経鼻の場合は、鼻の中の麻酔を行う。胃や十二指腸の**蠕動運動**が強く観察しにくい場合は、消化管の**蠕動運動**を一時的に抑える抗コリン剤や、鎮痙剤などを注射する。
3．×　**左**側臥位になり、下顎を少し前に突き出し、首や肩の力を抜くよう促す。
4．○　**咽頭麻酔**により、唾液を飲むと**誤嚥**するため飲み込まず、口から流し出すよう促す。
5．○　検査中、胃に空気を入れて膨らませて胃壁を観察するため**曖気**をなるべく我慢する。そのほか、説明内容には、肩・首・のどの力を抜く、唾液は飲み込まずに口から外に出す、通常検査は**5～10**分前後で終了するなどがある。

問題98 〔解答〕 **4**
出題基準 Ⅶ-12-D 上部消化管腫瘍（食道癌、胃癌）
頻出度 Ⓑ　難易度 Ⓑ

1．×　優先度は**低い**。
2．×　優先度は**低い**。
3．×　優先度は**低い**。
4．○　優先度は**高い**。

　Aさんは、創痛やドレーンの苦痛が強く咳や排痰ができないため、**鎮痛薬**による除痛を図り、その後**ハフィング**を行う。それでも排痰できない場合は、**体位ドレナージ**や**吸引**を行う。

問題99 〔解答〕 **4**
出題基準 Ⅶ-12-D 上部消化管腫瘍（食道癌、胃癌）
5肢
頻出度 Ⓑ　難易度 Ⓑ

1．×　安定した姿勢で**小さめ**のスプーンを使い、**少量**を1口飲み込んだら、次の1口を口に運ぶようゆっくり時間をかけて食べ、ダンピング症候群を予防するよう説明する。
2．×　飲み込みにくいと感じるときは、うなずくように**下**を向いて、飲み込む。
3．×　食後は、30分～1時間程度は**座っている**。食後すぐに臥床すると食べたものが**逆流**し、嘔吐や誤嚥の恐れがある。
4．○　食事の量は、術前の**半分**程度となる。必要なエネルギーを確保するために、1回の量を少なくし、1日**5～6**回摂る。空腹感がなくても**間食**を摂るようにする。
5．×　嚥下時に咽頭に引っかかる感じがある場合は、

第二回　模擬試験　午後

唾液を飲み込んだり**咳払い**をしたりする。水で流し込むと食事中の水分量が増え、必要な**食事**が摂れなくなる。コップ1杯程度にとどめ、食事と食事の間で水分を摂るように説明する。

問題 100（解答）**1**

出題基準 Ⅶ-11-D 動脈系疾患（大動脈瘤、閉塞性動脈硬化症）

□□ 頻出度 Ⓐ 難易度 Ⓐ

1．○ 閉塞性動脈硬化症（ASO）は、**動脈硬化**により手足の血流が悪くなり（狭窄・閉塞）、手足に流れる血液の量が不足することでしびれ、冷えなど様々な症状が現れる疾患である。50歳から60歳の中年から増加し、男性に多く発症する。血流を阻害する要因に、糖尿病・喫煙・高血圧・高脂血症・慢性腎不全・肥満などがある。下肢閉塞性動脈硬化症の原因となる硬化する血管は、**下行大動脈**や**腸骨動脈**、大腿動脈、それ以外の下肢の血管で、動脈硬化は血管の分岐部に特に多くなる。そのため、**下肢潰瘍**が形成されていないか、観察する必要がある。ASOの分類にはFontaineの分類が用いられる。その内容及び既往歴から初診時の観察を行う。

2．× 内反尖足歩行は、**脳卒中**の片麻痺の症状である。運動麻痺などが出現する重要な機能がある部位での脳卒中の場合に出現する症状である。

3．× 足背動脈・膝窩動脈など拍動の程度や左右差を観察する必要が**ある**。ただし、動脈硬化によって拍動は**弱く**なる。

4．× 聴覚は、脳卒中や糖尿病のことを考えると観察は必要であるが、今回の来院時の問診で観察するのは優先順位が**低い**。

〈Fontaine分類（フォンテイン分類）〉

1度	軽度虚血	手足の冷え、しびれ。手足の指が青白い
2度	中等度虚血	一定の距離を歩くと痛みのため歩行できなくなる（**間欠性跛行**）。腰部脊柱管狭窄症との鑑別が必要
3度	高度虚血	安静時疼痛。夜間痛。刺すような痛みが持続する
4度	重度虚血	手足の壊死や皮膚に治らない潰瘍ができる。重症度が増すと壊疽する

問題 101（解答）**2**

出題基準 Ⅶ-11-D 動脈系疾患（大動脈瘤、閉塞性動脈硬化症）

□□ 頻出度 Ⓐ 難易度 Ⓐ

1．× 爪を切ることは重要である。しかし、糖尿病の既往とASOで血流が**弱く**なっているので、傷を作る行

為は**感染**のリスクもあり、深爪は**避ける**。

2．○ 保温や創傷の早期発見のために靴下を履く。

3．× 自分の足にピッタリと**合った**靴を履く。大きめの靴は靴の中で足が動いて、靴擦れなど**傷**を作る危険があるため避ける。

4．× 足を洗うことや保温のために足浴をすることは推奨される。しかし、温熱効果によって代謝が**亢進**し、**虚血**を助長することもある。下肢のしびれや感覚鈍麻も考えられ、また、皮膚への影響が出る場合もあるので、湯温は**37〜40**℃程度で行う。

問題 102（解答）**3**

出題基準 Ⅶ-11-D 動脈系疾患（大動脈瘤、閉塞性動脈硬化症）

□□ 頻出度 Ⓐ 難易度 Ⓐ

1．× 下肢閉塞性動脈硬化症の患者への弾性ストッキングの装着は、動脈を**圧迫**することになるため、血流をさらに**減少**させる危険性がある。動脈血行障害による安静時の痛みや間欠性跛行がある場合には、使用を**避ける**。

2．× 低温熱傷の危険があり、直接温熱刺激が伝わるシップや電気あんかなどの使用は、注意が必要である。そのため、足底に貼るのは**避ける**。

3．○ 下肢の血液の**うっ滞**を助長する行為は避けるように指導をする。

4．× 運動は**勧める**。血流がよくなるように日常生活の中でも体を**動かす**ように勧める。

問題 103（解答）**3**

出題基準 Ⅱ-5-A 慢性期にある在宅療養者と家族の看護、急性増悪した在宅療養者と家族の看護

□□ 頻出度 Ⓐ 難易度 Ⓐ

1．× 歩行状態の観察は**ADL**を確認する際に重要な情報であるが、救急外来受診時には、Aさんの状態を早期にアセスメントし対処する必要があるため、現段階では優先度は**高くない**。

2．× 創部の状態を観察することは原因を追究するために重要ではあるが、数日前より下痢と嘔吐を繰り返していることや2型糖尿病があることから判断すると、**3**に比べ優先度は**高くない**。

3．○ ツルゴールとは**皮膚弾力性**の観察である。高齢であることや下痢と嘔吐を繰り返していることから**脱水**を考え、脱水の観察項目であるツルゴールの観察を行うべきである。

4．× **透析**を行う際や全身状態の観察項目としてシャント音の観察は必要であるが、現段階では優先度は**低い**。

問題 104 〔解答〕 **2**

出題基準 Ⅱ-5-A 慢性期にある在宅療養者と家族の看護、急性増悪した在宅療養者と家族の看護

頻出度 A 難易度 B

1. ✕ 見当識障害は、**時間**や場所、**人物**などが正しく評価できないことであり、Aさんの症状としては適切ではない。

2. ○ Aさんの様子から、**幻覚**や幻聴といった症状が考えられる。また、翌日には忘れていることから判断すると**せん妄**である可能性が一番高いと考えられる。高齢者は入院による環境の変化などにより**せん妄**になりやすいため、症状や症状の出現時期を観察し判断していく必要がある。

3. ✕ 高血糖症状として、**口渇**や多飲、多尿といった症状や、まれに**意識障害**や昏睡といった症状が出現する恐れがあるが、Aさんの状態から判断すると、**意識障害**や昏睡といった可能性は低いため適切ではない。

4. ✕ 悪性高熱は、**全身麻酔**時にまれに起きる合併症であり、**筋硬直**や頻脈などといった症状を呈する。

問題 105 〔解答〕 **4**

出題基準 Ⅱ-5-A 慢性期にある在宅療養者と家族の看護

頻出度 B 難易度 B

1. ✕ **足病変**などの合併症を起こさないためには、毎日の保清は**重要**である。しかし、歩行時にふらつきがあることや老々介護であること、血液透析を週3回行っていることから毎日の保清行動を促すことは、夫、妻ともに**疲労が増強**する恐れがあると考えられるため適切ではない。

2. ✕ 2型糖尿病の既往があるため、引き続き**合併症予防**を継続して行う必要があるため適切ではない。

3. ✕ 2型糖尿病から**慢性腎不全**を併発し血液透析を行っていると考えられるため、「好きなだけとらせてください」という説明は**不適切**であり、**医師の指示**に従った水分量を摂る必要がある。

4. ○ 糖尿病による**足病変**の観察のためには下肢の観察が重要であり、伝える情報としての優先度は**高い**。

問題 106 〔解答〕 **3**

出題基準 Ⅳ-8-C 入院生活から在宅への移行に向けた支援

頻出度 B 難易度 B

1. ✕ アラーム音は直ちに**消音**するのではなく、アラーム音の**種類**（電源、高圧・低圧、誤作動）によりその**原因に応じて**対処できるよう家族に指導する。

2. ✕ トラブル発生に備えて、アンビューバッグは児の**近く**におき、使用方法を家族が練習しておくことが大切である。

3. ○ 加温加湿器内の滅菌蒸留水は毎日**交換**し、目盛表示の適当量と**設定温度**を確認するよう指導する。

4. ✕ 人工呼吸器の回路交換は**定期的**（**1〜2**週間ごと）に行う。家族が回路の汚染や破損に気づいて早期に交換できるように、滅菌再利用ではなく**予備の呼吸器回路一式**を呼吸器の近くに保管するように指導しておくことが必要である。

5. ✕ 吸引時における人工呼吸器の設定値の変更の判断は、家族では**行わない**。感染や呼吸状態悪化に十分注意して、吸引が行えるよう家族に指導する必要がある。

問題 107 〔解答〕 **4**

出題基準 Ⅳ-8-C 医療的ケアを必要とする子どもと家族への看護

頻出度 A 難易度 A

1. ✕ 経鼻経管栄養では、胃管を鼻腔付近と顔など**2か所**以上にテープで固定する必要があるが、乳児の皮膚は繊細であるため、固定テープの位置を注入ごとに貼り替える**必要はない**。清潔の保持や固定位置の工夫などで、皮膚にトラブルを生じないような配慮が必要である。

2. ✕ 胃内容物の前吸引を行うことで**消化状況**を確認することができる。吸引した胃内容物は消化途中であれば一般的には胃内に**戻し**、腹部症状を考慮し注入時間や**注入速度**を調整して実施する。

3. ✕ 母乳や人工乳は**37〜38℃**に温めて注入するよう指導する。

4. ○ 注入開始前に胃管の端に注射器を接続し、**空気を注入**して、心窩部に当てた聴診器で**気泡音**を聴取する。

5. ✕ 啼泣による腹圧で容易に注入が停止したり、空気を飲み込んだりすることで**腹部膨満**を起こし嘔吐を誘発する可能性がある。しかし、1回の注入をスキップするのではなく、**安静**を保ち注入中の状態を観察しながら**実施**する。

問題 108 〔解答〕 **3**

出題基準 Ⅳ-8-C 医療的ケアを必要とする子どもと家族への看護

頻出度 A 難易度 B

1. ✕ 兄の保育所ではインフルエンザが流行し始めており、予防接種で100%発症を防げるわけではない。感染症の発症を防ぐために、兄には**予防的**にマスクの着用を勧め、**うがい**や**手洗い**の励行が重要である。

2．× 初発症状発来後48時間以内であれば抗ウイルス剤は有効であるが、現時点でAちゃんは発症していないので抗ウイルス剤を処方してもらう必要は**ない**。

3．○ インフルエンザが流行しはじめており、**感染**および**重症化**の予防のためにAちゃんの**ワクチン接種**の推奨が重要である。

4．× 現時点で兄は発症しておらず、Aちゃんを**隔離**したり**短期入所施設**に預けたりする必要もない。

問題 **109** 〔解答〕**4**　出題基準 Ⅲ-6-B 災害を受けた子どもと家族への援助　5肢　頻出度 **C**　難易度 **B**

1．× 紙おむつやミルクの配布は、乳幼児の家族にとって必要な支援ではあるが、**看護師の役割**はそれだけに限らず、医療的な知識や健康ケアの技術を活用することが求められる。この選択肢では紙おむつやミルクを配布しており、**看護師の専門性**を十分に活かす行動とは**いえず**最も適切な対応とは**いえない**。

2．× ボランティアの手配は有効だが、**看護師の専門性**を活かすべきは直接ケアであり、この業務は避難所の他のスタッフや運営側に任せるべきで、看護師の**資源**を最適に使う行動ではないため最も適切な対応とは**いえない**。

3．× 既往歴の聴取は重要だが、発災直後は生命を支える行動を優先すべきである。**避難所の混乱**の中で詳細な医療情報を収集することは現実的でなく、即座に役立たない可能性があるため適切とは**いえない**。

4．○ 避難所での乳幼児連れの家族の**プライバシー**と**授乳環境**を確保するため、看護師は小学校の保健室や教室に授乳室を設ける提案を行う。これにより母親は周囲を気にせず授乳が可能となり、母乳分泌の継続や親の休息につながるため**最も適切**な対応である。

5．× 心のケアは重要だが、発災直後は**生命を守る緊急措置**を最優先すべきであり、この時期に心のケアに重点を置くのは必ずしも**適切ではない**。

問題 **110** 〔解答〕**2**　出題基準 Ⅲ-6-B 災害による子どもへの影響とストレス　5肢　頻出度 **B**　難易度 **A**

1．× トゥレット障害は、多動性や衝動性を特徴とする障害で**チック**（自分の意図とは関係なく、突発的に身体がすばやく動いたり、声が出たりすること）が主症状であり、A君の症状とは異なる。

2．○ A君の体育館での**多動、睡眠障害、退行現象（お**

ねしょや指しゃぶりなど）の症状は、土砂災害という**ストレス**に対する反応であり、災害直後に現れていることから、**急性ストレス障害**の特徴と一致し、その可能性が高い。

3．× 心的外傷後ストレス障害（PTSD）は、生命の危機を感じるような強い心理的ストレスとなる出来事の後に**長期間**にわたって症状が持続する状態であり、A君の症状とは**異なる**。

4．× 注意欠如多動性障害（ADHD）は、発達障害の一種で、3歳過ぎごろから落ち着きのなさが目立ってくるのが特徴である。A君の場合は**災害後**に急性の症状が現れているため、ADHDとは考えにくい。

5．× 分離不安障害は、親から離れる際の**強い不安**が主な症状であるが、A君の場合は、多動、睡眠障害、退行現象など、より幅広いストレス反応を示しているため、分離不安障害だけでは説明がつかない。

問題 **111** 〔解答〕**4**　出題基準 Ⅲ-6-B 災害を受けた子どもと家族への援助　頻出度 **C**　難易度 **A**

1．× A君の様子を定期的に観察し、記録するだけでは不十分である。看護師が両親と**協力**してA君を支援していくことが、最も適切な対応である。

2．× A君に積極的に話しかけ、遊びに誘うことは、A君の**心理的ストレス**を和らげる一つの方法であるが、根本的な解決にはつながらない。

3．× 専門医に相談することは、A君の症状が深刻な場合には必要な対応であるが、まずは**両親との連携**を優先すべきであるため適切な対応とはいえない。

4．○ A君は避難生活と環境変化による**ストレス反応**を示しており、看護師は専門知識を活かしてA君の状態を両親に説明し、**理解を促す**ことが重要である。その上で、両親と共にA君への対応方法を考え、家族全体で支援する体制を作ることが、最も適切な看護師の対応である。

問題 **112** 〔解答〕**3**　出題基準 Ⅲ-6-D 帝王切開術後　頻出度 **A**　難易度 **B**

1．× 産褥1日目の経過として、子宮底高、硬度、悪露、後陣痛から子宮復古は**良好**である。

2．× 母親としての適応過程として、分娩後24～48時間は受容期である。その後、**保持期**となり、自分のニー

ズから児の欲求に関心が移っていく。そのため、この時点で愛着形成に問題があるとは**いえない**。

3．○ 産褥2日目ごろから**初乳**の分泌が始まる。産褥1日目の状態としては、乳房緊満、乳汁分泌がなくても**正常な経過**である。

4．× 創部痛がみられていたが、現在軽減されている。体温、創部の状態から**感染徴候**はみられていない。

1．× 現在、2～3時間おきに授乳を行い、母乳のみで児の**体重**も増加してきていることから、授乳は**順調に行われている**。

2．× 妊娠高血圧症候群の重症度における分類で、軽度の場合の血圧は、収縮期血圧**140**mmHg以上**160**mmHg未満、または拡張期血圧**90**mmHg以上**110**mmHg未満である。産褥1日目の血圧の値と比較してみても大きな変動がないということからも、褥婦の血圧は**正常**といえる。

3．× 産褥5日目の子宮底高、硬度、悪露の状態から**順調に経過**している。

4．○ 産後の月経や排卵の再来は、授乳の有無などで個人差があり、予測するのは難しい。すぐに次の妊娠を望まない場合は、産後の**避妊法**や注意点を把握しておくことが必要である。月経発来後ではなく、**性生活再開**と同時に避妊をする。

1．○ 腹部の発疹は**中毒性紅斑**である。成熟児の約半数に認められる。数日のうちに自然に消失するため、特に治療はしないが、膿疱疹との鑑別が必要な場合もある。

2．× 黄疸は**生理的な現象**として新生児に出現する。生後2～3日目ごろに皮膚に黄染がみられるようになり、4～5日頃にピークとなる。生後24時間以内に認められる可視性の黄染は**早発黄疸**であり、異常所見である。

3．× 反射は口唇追いかけ反射（**ルーティング反射**）である。

4．× 正期産の新生児の場合、生後2～3日ごろに**乾燥**がみられ、**落屑**もみられるようになることもあるが正常な経過である。乾燥は**正常な経過**であるが、亀裂、出血に注意して観察していく。

5．○ 初回排便は通常生後24時間以内にみられ、粘稠性で暗緑色の胎便が生後2日ごろまで排泄される。その後、黄緑色の**移行便**となり、黄色の普通便となる。

1．× 任意入院とは、「精神保健及び精神障害者福祉に関する法律」に定められている入院形態の1つ。**本人の意思**で入院することであり、該当しない。

2．○ 医療保護入院の対象は、「**精神保健指定医1名**による診察の結果、精神障害者であり、**医療及び保護**のため入院を必要とするが、任意入院できない者」である。本人が入院に同意できなくても、**家族等**（**配偶者、親権者、扶養義務者、後見人**または**保佐人**）の同意があれば、入院させることができる。従来は保護者（配偶者・親権者）しか同意者になれなかったが、**保護者制度の廃止**により平成26年4月から同意者の範疇が拡大された。

3．× 応急入院は、医療保護入院の要件に加え、緊急性が高く、**家族等と連絡がつかない**場合に適用される。

4．× 措置入院は、**精神保健指定医2名以上**が診察し、自傷他害のおそれが高いときに**都道府県知事**が命令する。

1．○ **境界性パーソナリティ障害**は、衝動的で自己破壊的な行動が出やすい。暴言・暴力・自殺・自傷・大量内服など、**衝動行為**に注意する。

2．× 境界性パーソナリティ障害では、他患者への依存や干渉が多くみられるため注意が必要だが、自殺企図などの取り返しのつかない衝動行為に比べれば**優先度は低い**。

3．× 事例の内容に強迫行為は**みられない**。

4．× 作為体験は**統合失調症**にみられる症状で、自分の考えや行動が他人に操られていると感じる体験である。

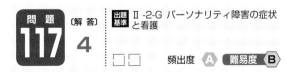

1．× 患者の**対人操作**に巻き込まれない対応が求めら

れる。また、希死念慮のある患者へ容易に刃物を渡すべきではない。

2．✕　自傷や自殺をしないように約束するのはよいが、<u>医師の確認</u>がとれぬまま容易に刃物を渡すべきではない。

3．✕　患者の要求をかなえることに必死であり、看護師は<u>対人操作</u>された状態といえる。<u>境界性パーソナリティ障害</u>の特徴や安全面を考慮できていない。

4．○　不用意に病棟規則を崩してしまうと、患者の要求がエスカレートしかねない。患者の操作性に振り回されないよう、<u>主治医へ事実確認</u>をすることが大切。

問題 **118**　〔解答〕 **2**

出題基準 Ⅳ-4 臨床実践場面における統合的な判断や対応

□□　頻出度 Ⓐ　難易度 Ⓑ

1．✕　心不全の場合、左心不全と右心不全では病状が異なる。左心不全の場合は<u>肺静脈にうっ血</u>が起こり、肺の機能が低下し、<u>呼吸困難</u>、<u>咳</u>、<u>血痰</u>が現れる。右心不全は<u>大静脈にうっ血</u>が起こり、<u>肝腫大</u>、<u>浮腫・腹水・胸水</u>が起こる。血痰や浮腫などの記述がないため、発熱や咳、痰から、まず<u>肺炎</u>を疑う。

2．○　寝たきり状態及び胃瘻を造設していることから<u>沈下性肺炎や誤嚥性肺炎</u>を起こしやすい。長時間の臥床や同体位により、痰や唾液などの体液が肺に浸潤し、細菌等が繁殖しやすい環境にあった。

3．✕　閉塞性換気障害は咽頭や咽頭周囲の筋緊張の低下によって上気道が閉塞され<u>呼吸困難</u>が生じるが、この事例では呼吸困難の重大性は記述されていない。

4．✕　気管支喘息は気管支内の内腔が狭窄し、「<u>ヒュウヒュウ</u>」「<u>ゼイゼイ</u>」という呼吸音を発し、呼吸困難が生じるが、この事例ではその重大な報告はみられない。

問題 **119**　〔解答〕 **3**

出題基準 Ⅳ-4 臨床実践場面における統合的な判断や対応

□□　頻出度 Ⓐ　難易度 Ⓑ

1．✕　胃瘻の瘻孔から胃液が漏れると瘻孔周囲の<u>皮膚障害</u>が起こることがあるため、固定と瘻孔周囲の清潔に注意が必要である。しかし、その前にチューブの抜去をしないようにすることを優先する。

2．✕　寝たきり状態及び胃瘻造設患者は<u>胃ー食道逆流による誤嚥性肺炎</u>を起こすことがあるので肺炎の病態を観察し、早期発見が大切であるが、まずは胃チューブの管理を優先し、その後、患者の病態を観察する。

3．○　胃瘻チューブの管理として最も大切なことは<u>チューブの抜去</u>である。Aさんは認知症があることから以前と同様今後も抜去する可能性がある。チューブを抜去することによって感染症を併発し、重篤な病態になるため、固定を優先すべきである。

4．✕　栄養剤の注入速度が遅く、時間が長ければ<u>臥床時間も長く</u>なり、<u>患者の QOL は低下</u>する。注入中も患者を放置するのではなく、観察のたびに声掛けをしていく。

問題 **120**　〔解答〕 **4**

出題基準 Ⅳ-4 臨床実践場面における統合的な判断や対応

□□　頻出度 Ⓐ　難易度 Ⓑ

1．✕　気管内の吸引時間を<u>長く</u>すると酸素も吸引するため、<u>低酸素血症</u>になる。またチューブを頻回に動かしすぎると、チューブ内の痰を逆に気管内に落としてしまい<u>気道閉塞</u>となる可能性もあるため、1回の吸引時間は<u>10秒以内</u>とする。

2．✕　留置カテーテルの操作ミスによる<u>尿路感染</u>がある。カテーテルの挿入や抜去等、<u>無菌操作</u>や<u>手袋</u>の装着、外陰部の清潔等が大切である。

3．✕　発熱による発汗により、寝衣は冷感及び湿気をもち不快感をもつ。また不潔な状態のまま放置すると感染の危険性が起こるため、<u>清拭</u>や<u>更衣</u>によって<u>皮膚機能の正常化</u>を図ることが大切である。

4．○　<u>長期臥床</u>、<u>運動制限</u>、<u>経口摂取不可</u>、<u>自力での体位変換不可</u>から、骨粗鬆症が推測され、骨折の危険性が高い。Aさんは自ら訴えることができないことから、体位変換時やおむつ交換時には表情を確認しながら、骨折を起こさないように注意する。

2回分の模擬試験、お疲れ様でした。
間違えた問題はもう一度確認して、本試験に臨んでください。

編著者・著者紹介

編著者

藤田医科大学保健衛生学部看護学科	母性・小児看護学	教授	藤原	郁
藤田医科大学保健衛生学部看護学科	基礎看護学	准教授	皆川	敦子

著 者

藤田医科大学		名誉教授	濱子	二治
藤田医科大学保健衛生学部看護学科	総合生命科学	講師	明石	優美
藤田医科大学保健衛生学部看護学科	総合生命科学	講師	岡島	規子
藤田医科大学保健衛生学部看護学科	基礎看護学	名誉教授	三吉友美子	
藤田医科大学保健衛生学部看護学科	基礎看護学	講師	レーグェン キムガン	
藤田医科大学保健衛生学部看護学科	基礎看護学	講師	梅村	慶子
藤田医科大学保健衛生学部看護学科	基礎看護学	講師	川村真紀子	
藤田医科大学保健衛生学部看護学科	基礎看護学	助教	加藤	治実
藤田医科大学保健衛生学部看護学科	基礎看護学	助教	キム チュウアイ	
藤田医科大学保健衛生学部看護学科	基礎看護学	助教	中井	彩乃
藤田医科大学保健衛生学部看護学科	基礎看護学	助教	玉置	美春
岐阜保健大学看護学部看護学科　基礎看護学		教授	山本	澄子
元名古屋女子大学健康科学部看護学科　基礎看護学		教授	山田	静子
藤田医科大学保健衛生学部看護学科	成人看護学	教授	中村小百合	
藤田医科大学保健衛生学部看護学科	成人看護学	准教授	加藤	睦美
藤田医科大学保健衛生学部看護学科	成人看護学	准教授	織田千賀子	
藤田医科人学保健衛生学部看護学科	成人看護学	助教	影浦	直子
藤田医科大学保健衛生学部看護学科	成人看護学	助教	近藤	彰
藤田医科大学保健衛生学部看護学科	成人看護学	助教	堀田由季佳	
名古屋女子大学健康科学部看護学科	成人看護学	講師	大竹	美紀
藤田医科大学保健衛生学部看護学科	母性・小児看護学	准教授	前田	初美
藤田医科大学保健衛生学部看護学科	母性・小児看護学	講師	清水三紀子	
藤田医科大学保健衛生学部看護学科	母性・小児看護学	講師	杉浦	将人
藤田医科大学保健衛生学部看護学科	母性・小児看護学	講師	石田	雅美
藤田医科大学保健衛生学部看護学科	精神・公衆衛生看護学	教授	世古	留美
藤田医科大学保健衛生学部看護学科	精神・公衆衛生看護学	准教授	宮本	美穂
藤田医科大学保健衛生学部看護学科	精神・公衆衛生看護学	講師	富田	元
藤田医科大学保健衛生学部看護学科	精神・公衆衛生看護学	助教	小山沙都実	
藤田医科大学保健衛生学部看護学科	精神・公衆衛生看護学	助教	中畑ひとみ	
藤田医科大学保健衛生学部看護学科	老年看護学	助教	石亀	敬子
藤田医科大学保健衛生学部看護学科	老年看護学	助教	竹差美紗子	
藤田医科大学保健衛生学部看護学科	在宅看護学	講師	川上	友美
藤田医科大学保健衛生学部看護学科	在宅看護学	助教	岩瀬	敬佑
藤田医科大学保健衛生学部看護学科	在宅看護学	助教	都築	弘典
藤田医科大学保健衛生学部看護学科	在宅看護学	助教	伊藤	真希
藤田医科大学保健衛生学部看護学科	総合生命科学	准教授	酒井	博崇
藤田医科大学保健衛生学部 臨床看護研修センター		講師	北野ゆりか	
藤田医科大学保健衛生学部 臨床看護研修センター		講師	西山都師恵	

本文デザイン／株式会社エディット・株式会社千里

編集協力／株式会社エディット

表紙デザイン／吉村朋子

表紙イラスト／さややん。

企画編集／成美堂出版編集部

本書に関する正誤等の最新情報は、下記のアドレスで確認することができます。
https://www.seibidoshuppan.co.jp/support/

上記アドレスに掲載されていない箇所で、正誤についてお気づきの場合は、
書名・発行日・質問事項（ページ・問題番号など）・氏名・郵便番号・住所・FAX 番号を明記の上、
郵送または FAX で、**成美堂出版**までお問い合わせください。
※電話でのお問い合わせはお受けできません。
※本書の正誤に関するご質問以外はお受けできません。
　　また受験指導などは行っておりません。
※ご質問の到着確認後 10 日前後に、回答を普通郵便または FAX で発送いたします。
※ご質問の受付期限は、2025 年 2 月の試験日の 10 日前必着分といたします。
　　ご了承ください。

看護師国試 満点獲得! 完全予想模試 2025年版

2024年10月20日発行

編　著　藤原　郁　　皆川敦子
　　　　 ふじ わら いく　 みな がわ あつ こ

発行者　深見公子

発行所　成美堂出版
　　　　　〒162-8445　東京都新宿区新小川町1-7
　　　　　電話(03)5206-8151　FAX(03)5206-8159

印　刷　広研印刷株式会社